LA NUIT DU 5 AOÛT

Diane Chamberlain

LA NUIT DU 5 AOÛT

Roman

Traduit de l'anglais (États-Unis)
par Francine Siety

ÉDITIONS FRANCE LOISIRS

Titre original : *The Bay at Midnight*

Édition du Club France Loisirs,
avec l'autorisation des Éditions Presses de la Cité

Éditions France Loisirs,
123, boulevard de Grenelle, Paris
www.franceloisirs.com

ISBN 978-2-298-00481-6

En souvenir de mes grands-parents,
Thomas et Susan Chamberlain,
à qui je dois tant d'étés mémorables sur la côte.

1

Julie

Tous les enfants commettent des erreurs de jugement. La plupart s'effacent vite, mais certaines sont trop énormes, trop dévastatrices pour sombrer dans l'oubli. A douze ans, j'en ai fait une dont le souvenir me hantait encore à cinquante-trois. Je n'y pensais pas, sauf certains jours, lorsqu'un événement me replongeait subitement dans la peau d'une gamine irresponsable ; je souhaitais alors faire un bond en arrière et revivre du début jusqu'à la fin cet été 1962.

Le lundi où Abby Chapman Worley se présenta à ma porte figure parmi ces jours-là.

Une journée productive, car je travaillais à *Meurtres sur Broad Street,* le trente-troisième roman de ma série des Granny Fran. Si j'avais prévu que celle-ci connaîtrait un tel succès, j'aurais donné un âge moins vénérable à l'héroïne, Fran Gallagher. Elle avait soixante-dix ans au début et, treize ans après, était toujours vaillante ; mais je ne savais pas combien de temps encore elle parviendrait à traquer les criminels.

Un calme idyllique régnait chez moi. Ma fille, Shannon, diplômée depuis une semaine de la Westfield High School, donnait des cours de violoncelle dans un magasin de musique situé en pleine ville. Derrière les vitres de la véranda, la lumière de juin était claire et sereine. Comme la maison s'élève au tournant de la route, j'embrassais du regard ce coin du New Jersey aux pelouses verdoyantes et aux jardins impeccables. Encore une ou deux phrases et j'irais contempler le paysage d'une fenêtre en réfléchissant à la suite de l'intrigue.

J'avais terminé le chapitre trois et allais commencer le quatre, quand on sonna à la porte. Affalée sur mon siège, j'hésitai à bouger. C'était probablement un copain ou une copine de Shannon. Et s'il s'agissait d'un coursier venant me déposer un contrat ou quelque document nécessitant ma signature ?

Le plus simple était que je jette un coup d'œil par une baie de façade. Aucune camionnette en vue, mais une Coccinelle blanche, décapotable, garée devant l'entrée. Intriguée, je pris la décision d'aller voir.

Je traversai le salon et ouvris la porte avec une légère appréhension. La mince jeune femme, de l'autre côté du battant, me semblait trop âgée pour être une amie de Shannon. Etait-ce l'une de mes fans ? J'ai beau protéger ma vie privée de mon mieux, quelques lecteurs motivés ont fini par me débusquer. Je les adore et apprécie leur fidélité, mais je tiens aussi à ma tranquillité, surtout quand je suis en plein travail.

— Oui ? dis-je, un sourire aux lèvres.

Les cheveux blonds de l'inconnue, coupés court, effleuraient à peine le haut de ses oreilles ; ses lunettes de soleil très sombres dissimulaient ses yeux. Une certaine sophistication émanait de sa personne. Short élégant, tee-shirt mauve souligné d'une ceinture, petit sac bleu marine passé à l'épaule.

— Madame Bauer ?

Cette question stimula ma curiosité. Julianne Bauer, mon nom de jeune fille, est aussi mon pseudonyme, alors que pour mes amis et mes voisins je suis Julie Sellers.

— Oui ?

— Désolée d'arriver à l'improviste !

Mon interlocutrice glissa ses mains dans ses poches.

— Je m'appelle Abby Worley. Mon père, Ethan Chapman, et vous étiez amis d'enfance...

Ma main se plaqua machinalement sur ma bouche. Je n'avais pas entendu prononcer ce nom depuis l'été 1962, quarante et un ans plus tôt, mais il me fallut moins d'une seconde pour réagir. Ma mémoire m'entraînait tout à coup à Bay Head Shores, où la villa familiale voisinait avec celle des Chapman. Les événements dramatiques survenus alors avaient effacé tous les moments heureux qui les avaient précédés.

— Vous souvenez-vous de lui ? insista Abby.

— Bien sûr !

Je revoyais Ethan tel qu'il était : un gamin de douze ans maigrichon, couvert de taches de rousseur et affublé de lunettes. Une apparence fragile, des cheveux roux et des jambes pâles. Je l'avais vu hisser un poisson-lune géant hors du canal derrière chez nous, puis frotter son ventre blanc pour le faire gonfler ; ou sauter du ponton avec des feuilles de papier attachées à ses bras, pour tenter de voler. Nous avions été amis, mais ne l'étions plus en 1962. A notre dernière rencontre, je l'avais tabassé.

— Encore pardon de débarquer ainsi, reprit Abby. Papa m'a dit, un jour, que vous viviez à Westfield, alors j'ai questionné les gens du voisinage... le marchand de bagels, le type qui loue des cassettes vidéo. Vos voisins ne sont pas d'une discrétion exemplaire... Je ne voulais pas aborder ce sujet par lettre ou par téléphone.

— Quel sujet ?

Le ton grave d'Abby m'avait convaincue qu'il ne s'agissait pas d'une simple visite.

Son regard se posa sur les sièges en osier de la véranda.

— Peut-on s'asseoir ?

— Bien sûr !

Après avoir poussé le battant-écran, je me dirigeai avec Abby vers les rocking-chairs.

— Vous boirez quelque chose ?

— Non, merci, dit-elle en prenant place. C'est agréable d'avoir une véranda en façade...

— Surtout en ce moment. On s'en passerait quand les moustiques nous envahissent !

J'observai Abby, à la recherche de quelque réminiscence du visage d'Ethan. Elle avait les pommettes saillantes et un bronzage époustouflant, peut-être artificiel. J'étais en présence d'une femme qui avait l'air de prendre grand soin de sa personne. Difficile pour moi d'imaginer qu'elle avait Ethan pour père... Il n'était pas laid, mais une certaine gaucherie semblait avoir envahi chacune de ses cellules.

— Eh bien, de quoi souhaitez-vous me parler ?

Nous étions maintenant à l'ombre ; Abby fit glisser ses lunettes de soleil, révélant ses yeux bleus.

— Vous rappelez-vous mon oncle Ned ?

Je revoyais d'autant mieux le frère d'Ethan que j'avais le béguin pour lui ; il avait pourtant six ans de plus que moi et de tout autres fréquentations. A la fin de cet été-là, il m'avait inspiré du mépris...

— Bien sûr ! m'écriai-je.
— Il est mort il y a deux semaines.
— Oh, je suis navrée ! Il devait avoir... cinquante-neuf ans ?
J'avais effectué un rapide calcul mental.
— Il est décédé la nuit précédant son anniversaire.
— Etait-il malade ?
— Cirrhose du foie. Il buvait trop... D'après mon père, ça avait démarré l'été où... vous savez...
Tout à coup, Abby me parut moins sûre d'elle.
— Tout de suite après la mort de votre sœur... C'était un homme très déprimé... Je l'ai toujours connu ainsi.
— Je suis navrée, répétai-je.
J'avais du mal à imaginer Ned Chapman, ce beau garçon athlétique, comme une épave à cinquante-neuf ans ; mais nous avions tous changé, après ces vacances-là.
— Papa ignore que je suis venue vous voir, chuchota Abby. Il réprouverait ma démarche, mais je n'avais pas le choix.
Je me penchai vers elle, résolue à en savoir plus.
— Pourquoi êtes-vous ici, Abby ?
Elle hocha la tête, comme si elle s'apprêtait à réciter des paroles apprises par cœur.
— Nous avons déblayé la maison d'oncle Ned, papa et moi. Je m'occupais de la cuisine et j'ai trouvé, dans l'un des tiroirs, une enveloppe adressée au commissariat de police de Point Pleasant. Papa l'a ouverte et... En voici une photocopie.
Abby sortit de sa poche une feuille qu'elle me tendit ; je parcourus alors la brève missive dactylographiée :

A qui de droit,

Je dispose d'informations au sujet d'un meurtre commis dans votre juridiction en 1962. Un innocent a été condamné pour ce crime. Malade en phase terminale, je voudrais rétablir la vérité. Me contacter au numéro joint.

Sincèrement vôtre,

Ned Chapman

Calée dans le siège, les yeux fermés, j'avais l'impression que ma tête allait exploser.

— Il était sur le point d'avouer, murmurai-je.

— Nous n'avons aucune certitude, me répondit aussitôt Abby. Mon père est persuadé que Ned n'était pas coupable ! A cent pour cent ! Mais il m'a parlé de vous, il y a longtemps... Ma mère et moi avons lu vos livres, et, bien sûr, papa m'a tout raconté à votre sujet. Vous soupçonniez oncle Ned, paraît-il, alors que nul ne doutait de lui ; c'est pourquoi j'ai pensé que vous aviez le droit de savoir. J'ai conseillé à papa de remettre ce document à la police.

— Absolument ! Elle doit en avoir connaissance.

Abby se mordit les lèvres.

— Il y a un problème... Papa s'oppose à cette démarche. Puisque l'homme qui a été jugé coupable est mort en prison, il estime que ça n'a plus grande importance.

Au bord des larmes, j'eus une pensée pour George Lewis, victime d'une pneumonie, cinq ans après sa condamnation à la détention à vie, pour l'assassinat de ma sœur. J'avais toujours cru à son innocence. Quel sort injuste et cruel !

— Au minimum, il faudrait le réhabiliter, déclarai-je.

— Je pense comme vous, mais mon père a peur que la police n'en déduise que mon oncle Ned était coupable. Il était dérangé, mais n'aurait pas fait de mal à une mouche.

Je sortis un mouchoir de ma poche et retirai mes lunettes pour essuyer mes larmes.

— Il a peut-être fait du mal à *quelqu'un* une fois dans son existence, suggérai-je doucement. C'est ce qui l'aurait « dérangé ».

— Je comprends votre point de vue, mais, d'après papa, Ned possédait un alibi imparable : il était à la maison quand votre sœur... quand c'est arrivé.

— Je crois que votre père cherche à protéger son frère à tout prix. S'il ne remet pas cette lettre à la police, je m'en chargerai.

Abby allait-elle prendre mes paroles amères pour une menace ?

— Je comprends... Mais papa... Accepteriez-vous de lui parler ?

Il me sembla qu'Ethan verrait ce genre de conversation d'un mauvais œil.

— A vous entendre, il ne souhaite pas aborder ce sujet, répliquai-je. Et vous m'avez dit qu'il serait en colère s'il apprenait votre visite.

— Il ne se fâche jamais vraiment. Il sera peut-être... troublé. Je lui dirai que je suis venue vous voir. Si vous le rencontrez ensuite, vous arriverez à le persuader. Cette affaire vous concerne !

J'avais les mains moites et des brûlures d'estomac à l'idée de revisiter l'été 1962. Wanda, la sœur de Lewis, se sentirait aussi « concernée ». Quant à sa cousine Salena, la femme qui l'avait élevé... Rien ne rendrait ma sœur à sa famille ni George Lewis à la sienne, mais chacun de nous avait droit à la vérité.

— Donnez-moi le numéro de téléphone d'Ethan ! lançai-je.

Abby reprit la lettre et griffonna des chiffres dans un coin, avant de me la rendre. Elle se leva et glissa ses lunettes de soleil sur son nez.

— Merci.

Les yeux posés sur moi, elle rangea son stylo dans son sac minuscule.

— Eh bien, j'espère que... Au fond, je ne sais pas ce que je souhaite... si ce n'est que la vérité finisse par triompher.

— J'ai le même espoir, Abby.

Je la regardai longer le trottoir et monter dans sa Coccinelle. Elle m'adressa un signe en déboîtant, puis remonta la rue et disparut après le tournant.

Je restai assise un long moment, cette maudite missive sur les genoux. Le chapitre quatre m'était sorti de l'esprit. Mon corps était lourd comme du plomb et mon cœur saignait, car j'avais une certitude : quel que fût le meurtrier, la responsabilité de la mort de ma sœur m'incomberait toujours.

2

Julie

Une demi-heure après, alors que je n'avais pas bougé, j'eus la surprise de voir Shannon approcher. Elle était encore assez loin de la maison, mais je l'aurais reconnue à un kilomètre. Un mètre soixante-quinze, longs cheveux presque noirs, et une présence impressionnante depuis sa venue au monde.

J'étais soucieuse à son sujet. Quand nous avions décidé, Glen et moi, de lui faire sauter une classe, à l'école, je n'imaginais pas mon trouble le jour où, âgée de dix-sept ans, elle irait poursuivre ses études universitaires dans un univers hors de ma portée. Je me donne volontiers l'illusion de pouvoir exercer un contrôle sur la vie des gens que j'aime. Selon Glen, c'est la raison pour laquelle je suis romancière : l'écriture me procure un pouvoir absolu sur les personnages et les événements. Glen a sans doute raison.

Mais j'avais d'autres motifs d'inquiétude. Shannon avait changé au cours de sa dernière année de lycée. Sa taille ne l'avait jamais embarrassée ; elle avait une démarche quasiment royale et une assurance grandiose, quand elle rejetait sa chevelure par-dessus son épaule d'un mouvement de tête. Mais, depuis peu, je la trouvais mal dans sa peau. Elle avait grossi. Une nuit, je l'avais surprise dans sa chambre, en train de dévorer un bol de pâte à gâteau ! Je l'avais sermonnée sur les risques de salmonellose, en raison des œufs crus contenus dans la mixture, sans oser lui demander si elle avait pensé au nombre de calories qu'elle absorbait.

Je remarquais parfois qu'elle avait le regard absent et avais noté qu'elle sortait de moins en moins. Depuis l'âge de quatorze ans, elle avait eu toutes sortes de flirts – en général des artistes ou des musiciens –, mais plus un seul, me semblait-il, les six derniers mois. Son mode de vie casanier me permettait de la tenir plus facilement à l'œil ; cette transformation soudaine me préoccupait pourtant.

« Je voudrais terminer mes études secondaires en beauté, m'avait-elle déclaré en réponse à mes questions. Pas question que je flanche ! »

En effet, Glen l'avait vivement incitée à garder un bon niveau jusqu'à la fin de sa scolarité, malgré son admission au conservatoire d'Oberlin. Aucun problème à ce sujet : Shannon avait terminé major, avec une excellente moyenne. Cependant, quelque chose ne tournait pas rond. Craignait-elle de quitter le cocon familial ? S'agissait-il d'une réaction à retardement au divorce de ses parents ? Il y avait bientôt deux ans que Glen et moi n'étions plus ensemble, et je pensais que Shannon avait surmonté la cassure – quoiqu'elle parût m'en tenir rigueur –, mais je me berçais peut-être d'illusions.

Elle m'aperçut du trottoir menant à la maison.

— Salut, m'man !

Elle portait une longue jupe ample, imprimée blanc et citron vert. Ce style, qu'apprécie ma sœur Lucy, lui allait à ravir. C'était un autre changement récent : Shannon avait troqué ses pantalons taille basse pour des tenues plus féminines.

— Tu rentres à cette heure ? lui demandai-je de mon siège.

— J'ai un moment avant la prochaine leçon ; j'en profite pour souffler un peu.

Nous habitons un quartier du début du siècle, près du centre de Westfield, et les allers et retours entre notre domicile et le magasin de musique étaient rapides pour Shannon ; la garderie où elle s'occupait de jeunes enfants, deux fois par semaine, se situait aussi à proximité.

Elle gravit les marches de la véranda, un Vanilla Coke à la main.

— J'aime bien ta coiffure, me dit-elle en s'installant dans le rocking-chair qu'avait occupé Abby Worley.

Je m'étais fait faire un carré, quelques jours auparavant, en prévision d'une séance de photos pour la couverture de mon prochain livre. La coiffeuse avait éclairé la teinte châtain que j'ai adoptée depuis une dizaine d'années de touches blondes et Shannon ne perdait pas une occasion de commenter cette innovation. Ma mère elle-même l'avait remarquée. Elle trouvait la coupe et la couleur « hardies », un compliment de sa part.

Shannon se pencha pour me dévisager, ses cheveux tombant en rideau devant son visage.

— Tu devrais changer de lunettes !

J'effleurai mes verres à monture invisible.

— Vraiment ?

Je croyais le modèle élégant, mais j'ai en moyenne trois ou quatre ans de retard sur la mode.

— Il te faudrait une monture en plastique plus cool ; ton bronze, peut-être.

— Je ne me sens pas prête...

Comment pouvais-je tenir des propos aussi futiles, alors que j'étais bouleversée par la visite d'Abby ?

Shannon avala une grande gorgée de Vanilla Coke, sans cesser de me scruter.

— En fait, m'man, je suis revenue parce que j'ai quelque chose à te dire. Mais j'ai peur de te peiner...

— Je t'écoute.

Il valait mieux que Shannon crache le morceau, avant que mon imagination débridée comble son silence.

Elle se mordit la lèvre inférieure, faisant jaillir ses fossettes.

— J'ai décidé de passer l'été chez papa.

Elle me fixa, attendant ma réaction. Je fis de mon mieux pour rester imperturbable, tout en contemplant le cornouiller dans le jardin des voisins.

« Rien de dramatique, pensai-je. Glen n'habite qu'à quelques kilomètres. Ça ne peut pas leur faire de mal, à sa fille et à lui, de cohabiter quelque temps avant qu'elle aille poursuivre ses études ailleurs. »

Mais pourquoi avais-je les yeux inondés de larmes pour la seconde fois en une heure ? Je faillis objecter que c'était notre dernier été ensemble, Shannon et moi, mais m'en abstins.

— Pourquoi, ma chérie ? fis-je simplement.

— Tu sais... Je vis avec toi depuis le divorce et je crois que papa aimerait bien... que je reste un peu avec lui. J'essaie d'être équitable avec tout le monde...

Sur ce dernier argument, je n'étais pas dupe. Shannon est une gentille fille, mais pas au point de donner aux besoins d'autrui la priorité sur les siens.

— Quelle est la vraie raison ? Ton père t'a incitée à déménager ?

Elle hocha la tête avec lassitude.

— Rien à voir !

— Il travaille tard le soir...

Shannon laissa fuser un rire.

— Tu commences à piger !

Elle chassa ses cheveux de sa figure, faisant tinter son bracelet italien à breloques.

— M'man, j'aurai dix-huit ans dans trois mois et tu me considères encore comme si j'en avais dix ! Je dois t'informer du moindre de mes mouvements. Papa me traite en adulte, lui !

— Comme tu entres bientôt à l'université, on pourrait peut-être revoir certaines règles, suggérai-je.

J'avais fini par comprendre.

— Tu devrais toutes les remettre en question pour qu'elles deviennent tolérables. Tu m'empêches de respirer...

— Voyons, Shannon !

Toujours le même reproche : elle prétendait que je l'étouffais et que je ne lui accordais aucune liberté. J'ai tendance à la surprotéger – comment ne pas l'admettre ? – mais suis loin du geôlier.

— Tu ne m'as rien demandé depuis des mois, ajoutai-je, et tu dis que je *t'empêche de respirer* ?

Elle écarquilla les yeux.

— A quoi bon te demander quelque chose, puisque tu refuses systématiquement ?

— Shannon ! Ce n'est pas vrai et tu le sais !

— Quand tu fais tes tournées pour promouvoir tes bouquins, tu m'envoies dans la famille d'Erika, alors que nous ne sommes plus amies depuis que nous avons douze ans... Ses parents sont encore plus stricts que toi et tu es sûre que je filerai doux. C'est odieux !

— Tu n'as jamais suggéré d'aller ailleurs, répliquai-je, les sourcils froncés.

— Et tu m'appelles continuellement sur mon portable pour contrôler mes faits et gestes ! Si tu savais...

— Je ne te téléphone pas pour te *contrôler,* mais parce que je tiens à toi. Et ce n'est pas *continuellement.*

Nos fréquentes querelles prenaient souvent ce tour-là : elles démarraient dans un sens et se perdaient dans des méandres qui me faisaient tourner la tête.

— Qu'y a-t-il, Shannon ? repris-je.

Elle soupira d'exaspération, comme si j'étais trop stupide pour comprendre son point de vue.

— Rien de spécial. Je serai bientôt indépendante et je pense qu'il est temps que je m'habitue... Voilà pourquoi je souhaite passer l'été chez papa.

— Tu ne seras pas *indépendante,* chez ton père, objectai-je, tout en sachant que Glen ferait son possible pour se plier aux exigences de sa fille unique.

Il accueillerait les conflits potentiels entre elle et lui avec sa passivité habituelle : depuis toujours, c'était moi qui imposais la discipline et jouais le mauvais rôle dans la famille.

Je me souvins de la cérémonie de remise de diplôme de Shannon. Glen était assis avec sa sœur et son neveu, quelques rangs derrière ma mère, Lucy et moi. J'avais l'impression qu'ils avaient tous trois les yeux rivés sur mon dos. Après la cérémonie, j'avais eu envie de rejoindre Glen, de l'enlacer et de pointer Shannon du doigt en lui disant : « Regarde ce que nous avons fait ensemble ! » Mais un mur nous séparait, sans doute par ma faute. Je lui en voulais du tort qu'il m'avait causé, ainsi qu'à notre couple. Shannon n'en savait rien et c'était bien ainsi. Je ne voulais pas détruire l'image qu'elle avait de son père.

Elle revint à la charge.

— Bien sûr que je ne serai pas totalement indépendante ! Ce n'est pas ce que je souhaite. Mais je sais ce que j'ai à faire, m'man, et je peux me dispenser de ton autorisation pour aller chez papa, non ?

— Si on en reparlait une autre fois ?

Incapable de mettre de l'ordre dans mes idées, j'ai posé les yeux sur le rectangle de papier abandonné sur mes genoux. J'avais plié et replié la lettre jusqu'à ce qu'elle ne forme plus qu'un tampon susceptible de tenir dans ma paume.

— Qu'est-ce que c'est ? s'enquit Shannon, intriguée.

Je dépliai la missive avec précaution, ayant peine à croire qu'Abby Worley m'avait rendu visite.

— Quelqu'un est venu me voir...

— Qui ?

— La fille d'Ethan Chapman. Ethan passait les vacances d'été dans la villa voisine de la nôtre, quand j'étais enfant. Il avait mon âge. Son frère aîné, Ned, vient de mourir, et Abby, sa fille, a trouvé ce mot dans ses affaires, qui est adressé à la police.

Je le tendis à Abby, qui s'assombrit en le lisant.

— Oh, m'man ! Il ne manquait plus que ça !

— C'est vrai, soupirai-je.

— Ned était l'amoureux d'Isabel, n'est-ce pas ?

Shannon prononçait le prénom de ma sœur plus naturellement que les autres membres de la famille, sans doute parce qu'elle ne l'avait pas connue. Isabel, une tante morte longtemps avant sa naissance, à laquelle nous faisions rarement allusion. Shannon lui ressemblait pourtant de plus en plus, d'année en année, avec son épaisse chevelure, ses longs cils noirs, ses yeux en amande et ses profondes fossettes. Elle avait aussi l'âge d'Izzy au moment de sa mort. Elle connaissait ce qui s'était produit l'été de mes douze ans et devinait que je la surveillais de près en raison de ce drame : elle ne devait à aucun prix se dévergonder, comme Isabel, autrefois. Shannon avait beau savoir tout cela, mes efforts pour la protéger la contrariaient.

— Oui, murmurai-je, son amoureux.

— Tes mains tremblent !

Shannon me rendit la lettre.

— Que comptes-tu faire ?

— Je vais conseiller à Ethan de remettre ce document à la police. S'il refuse, je m'en chargerai.

— Je suppose que tu n'as pas le choix... soupira Shannon. En as-tu parlé à Lucy ?

— Pas encore.

Quand Shannon était arrivée, j'étais sur le point d'appeler ma sœur, car j'avais besoin de m'adresser à quelqu'un de compatissant.

Shannon se leva, vaguement gênée.

— Bon, il faut que je retourne au magasin... J'étais juste venue pour te dire que j'ai l'intention de m'installer chez papa... Je regrette d'être mal tombée et que ça ait tourné en dispute.

— Quand veux-tu partir ?

— Dans quelques jours. D'accord ? fit Shannon, espérant obtenir ma bénédiction.

— D'accord, répondis-je, désemparée.

Shannon me tendit sa cannette vide.

— Tu pourras la mettre au recyclage ?

— Travaille bien, murmurai-je.

Je posai la boîte métallique sur mes genoux.

— Merci !

Shannon descendit les marches de la véranda en bondissant avec une agilité juvénile.

— Shannon ? la rappelai-je, alors qu'elle s'éloignait déjà sur le trottoir.

Elle ne prit pas la peine de se retourner.

— Oui ?

— Si tu vois Nana, ne dis rien au sujet de la lettre ! Nous avions pour principe, dans la famille, de ne pas évoquer l'été 1962 devant ma mère.

— Promis ! lança Shannon, le bras en l'air pour me saluer.

Je finis par me lever et rentrai dans la maison pour téléphoner à Lucy.

3

Lucy

Comme je sortais de la voiture, sur le parking du McDonald's de Garwood, mon téléphone portable sonna. Constatant sur l'écran qu'il s'agissait de Julie, je répondis.

J'avais à peine eu le temps de lui dire bonjour qu'elle me racontait déjà, dans les moindres détails, sa conversation avec la fille d'Ethan Chapman. Adossée à la portière, je l'écoutai en essayant vainement de me forger une image cohérente d'Ethan et Ned Chapman. Je me rappelais à peine ce dernier et gardais un vague souvenir d'Ethan. Les raisons qui avaient incité sa fille à venir frapper à la porte de Julie étaient loin de me plaire.

— Qu'en dis-tu ? lança Julie à la fin de son récit.

— J'avoue que cette histoire m'intrigue, mais, à mon avis, tu dois éviter de t'en mêler. Ça ne te concerne pas !

— Shannon est du même avis.

— J'ai une nièce très intelligente !

Julie ne répondit pas.

— A quoi penses-tu ? lui demandai-je en cherchant mes lunettes de soleil dans mon sac en bandoulière.

Combien de temps allait durer cette conversation ? Pas question que j'entre dans le McDo en échangeant de tels propos avec ma sœur : notre mère était à l'intérieur.

— Si George Lewis est innocent, lâcha enfin Julie, je ne peux pas rester dans mon coin sans réagir.

— Pourquoi ? protestai-je, bien que mon sens de la justice soit, en temps normal, au moins aussi vif que le sien. La fille d'Ethan n'a qu'à remettre la lettre à la police. Si elle s'en charge, tu n'as pas à intervenir.

Julie, si créative et sensible, était déjà bouleversée par le départ de Shannon, le double d'Isabel, pour l'université. Son stress était bien suffisant sans que cette Abby Worley l'entraîne dans une affaire qui ne la regardait pas.

— Tout le problème est là, justement ! conclut Julie. Abby ne fera rien contre la volonté de son père. Il faut que je parle à Ethan ; je n'ai pas le choix.

— Très bien, admis-je, sentant qu'elle ne reviendrait pas sur sa décision. A toi de juger !

Un groupe d'enfants passa à côté de moi, avec des rires bruyants.

— Où es-tu ? s'enquit Julie.

— Sur le parking du McDonald's.

— Pas un mot à maman !

— Pour qui me prends-tu ?

— J'ai une autre bonne nouvelle, fit Julie, sarcastique.

— Laquelle ?

— Shannon veut passer l'été chez Glen.

— Ah !

Shannon, qui m'exposait ses projets avant d'en avertir sa mère, m'avait fait part de celui-ci. En fait, elle me confiait des choses dont elle ne s'ouvrait à personne. C'était moi qui l'avais accompagnée quand elle s'était fait prescrire des pilules contraceptives, à quinze ans. Julie m'aurait tuée, si elle l'avait su ! Cette année, elle resserrait son emprise sur Shannon, au lieu de la relâcher. Lorsque Shannon m'avait annoncé son désir d'aller chez son père, j'avais trouvé l'idée bonne, même si Julie risquait d'en souffrir. J'y voyais une transition qui préparerait ma sœur au départ imminent de sa fille.

— Tu étais au courant ? me demanda Julie, soupçonneuse.

— Shannon m'en avait touché un mot...

Bref silence sur la ligne.

— Tu aurais dû m'en parler.

— Shannon n'était pas sûre et je préférais qu'elle t'annonce elle-même ses intentions. A mon avis, cette coupure sera bénéfique pour vous deux.

Trois hommes proches de la quarantaine me croisèrent, sans un regard dans ma direction. J'allais avoir cinquante ans, l'âge à partir duquel les femmes deviennent invisibles, et je trouvais le phénomène plus fascinant qu'affligeant. Il était survenu du jour au lendemain... Quatre ou cinq ans plus tôt, alors que je tressais mes cheveux parsemés d'argent en une longue natte et que j'avais une lourde frange sur le front, comme maintenant, les messieurs se retournaient encore sur mon passage. Ma peau était restée presque aussi lisse et lumineuse qu'à l'époque, et je portais le même genre de vêtements – longues jupes et débardeurs en coton. Néanmoins, j'étais désormais transparente pour les mecs de mon âge et plus jeunes que moi. Emanait-il de ma personne une odeur de décrépitude ? Cela m'était bien égal : j'avais décidé de faire une pause de longue durée, voire définitive, dans mes relations amoureuses.

— Elle me paraît distante... poursuivait Julie. Elle change... Tu n'as pas remarqué ? Il me semble qu'elle prend du poids. Et elle ne sort plus. Je m'inquiète à son sujet...

Julie avait raison. Ces derniers temps, Shannon était plus réservée au cours de nos conversations et m'appelait moins souvent. Quand elle avait traversé le podium pour recevoir son diplôme, le samedi précédent, j'avais été frappée par une certaine pesanteur – plus morale que physique – de son corps. Je m'efforçai d'éluder, pour apaiser Julie.

— Une simple crise de croissance, risquai-je. Quant aux sorties, tu t'inquiétais quand Shannon en avait trop ! Il faut savoir ce que tu veux !

— C'est vrai...

Notre conversation bouclée, j'ai glissé mon téléphone portable dans mon sac et traversé le parking en direction du restaurant.

La salle était bondée de jeunes : surtout des élèves des cours d'été de Garwood, différents de ceux de Plainfield High School, où j'enseigne. La population scolaire de Garwood appartient pour l'essentiel à des familles blanches, de classe moyenne ; celle de Plainfield est ethniquement diversifiée et économiquement précaire. J'enseigne l'ASL – l'anglais en seconde langue –, car j'ai plaisir à être entourée par ces enfants de couleurs diverses et aux parlers multiples, mais qui partagent le même désir d'intégration.

J'aperçus ma mère à l'extrémité opposée de la salle. Debout près d'une table, dans son uniforme rouge et blanc, chargée de plusieurs plateaux, elle s'adressait à une jeune femme accompagnée de deux marmots. Nombre d'amies de mon âge rendaient visite à leurs parents âgés dans une maison de retraite. Pour ma part, j'avais le privilège d'aller voir maman au McDo... Elle y est responsable de l'accueil : elle sourit à tout le monde, surveille les enfants dans l'aire de jeu et veille au bon ordre du lieu aussi scrupuleusement que s'il s'agissait de son salon.

Elle me sembla plus petite qu'un mois plus tôt. Je l'avais toujours crue grande, mais soit sa colonne vertébrale se tassait, soit je m'étais fait des illusions au sujet de sa taille. Elle avait de beaux cheveux doux et souples, qu'elle faisait coiffer chaque semaine, et dont la blancheur neigeuse était rehaussée par le ton caramel de sa peau, qu'elle tenait de sa mère. Les gens avaient souvent l'impression qu'elle revenait d'une croisière dans les Caraïbes ! Jadis, Isabel lui ressemblait étonnamment. J'avais, quant à moi, son nez parfait et ses lèvres charnues, et Julie, ses grands yeux sombres. Ma sœur et moi nous félicitions d'avoir hérité d'une partie de sa beauté.

— Salut, m'man, lançai-je en arrivant derrière elle.

Comme de juste, elle parut enchantée de me voir et passa un bras autour de ma taille.

— Voici ma fille dont je vous parlais... la *bohémienne,* expliqua-t-elle à la cliente.

Cette femme d'une vingtaine d'années n'avait certainement pas la moindre idée de ce qu'il fallait entendre par là. Elle sourit néanmoins dans le vague et approcha une frite de la bouche de son petit garçon.

— Votre mère me disait que vous revenez du Népal...

— C'était fantastique. Y êtes-vous allée ?

Mon interlocutrice hocha la tête en direction de ses enfants.

— Je n'ai pas bougé depuis trois ans, pour des raisons évidentes !

Je ne m'étais pas rendue, moi non plus, au Népal durant cette période, mais c'était le voyage que maman évoquait pour impressionner les gens. L'exotisme la fascine et j'avais songé à l'emmener là-bas. Elle avait une santé florissante, du haut de ses quatre-vingt-un ans, mais je craignais que l'altitude et la marche ne l'épuisent.

— Tu as une minute à me consacrer ? lui demandai-je.

— Bien sûr !

Elle pria la cliente de l'excuser, mais se fit héler à distance.

— Va t'asseoir, me dit-elle, je te rejoins.

J'achetai un thé glacé, avant de m'installer à une table d'angle. Ma mère, de plus en plus affairée, parlait à l'une de ses collègues nettement plus jeune qu'elle : une serveuse d'origine hispanique, dont le tatouage délicat au poignet me fit envie.

J'avais un papillon sur la hanche – une erreur commise à vingt ans, car je n'avais pas imaginé que cette partie de mon anatomie s'alourdirait. Voilà pourquoi j'avais cherché à dissuader Shannon de se faire tatouer un violoncelle au creux des reins ; elle avait insisté et j'avoue que c'était assez charmant, quand elle portait un pantalon taille basse. Le motif était réalisé si joliment que Julie elle-même avait flippé à peine plus de dix secondes, le jour où elle l'avait découvert.

En attendant maman, j'ai réfléchi à ma conversation avec Julie. Tant d'années après, la mort d'Isabel allait-elle à nouveau l'accabler ? Je n'avais que huit ans, cet été-là, et les faits ne m'avaient pas marquée autant que ma sœur. Les images de Bay Head Shores me revenaient en petits clips, pareils à ces minifilms tournés avec une caméra numérique. Comme je buvais mon thé, l'image de Julie attrapant une énorme anguille se profila dans mon esprit. On en prenait assez souvent dans le canal, derrière la villa, mais celle-ci était hors norme.

Je croyais entendre grand-père proclamer que Julie « l'avait remontée seule ». Julie lui tenait compagnie quand il pêchait ; ils passaient des heures à bavarder au bout du jardin sablonneux, assis dans de vastes sièges peints en bleu, la canne à pêche en main. De quoi parlaient-ils ? Je n'en avais pas la moindre idée, car je me réfugiais habituellement dans un coin avec un livre.

Les gens rejetaient en général les anguilles à l'eau, mais mes grands-parents les considéraient comme un mets savoureux. Je revoyais maman sortir de la maison ; puis Julie et elle tuaient la bête – je ne sais plus comment, car j'ai par bonheur oublié ce détail –, avant de la dépouiller. Elles se trouvaient, pieds nus, sur l'étroit ponton ; Julie portait un maillot de bain violet ; maman, un tablier sur sa robe d'intérieur. Elle tenait la tête de l'animal avec un chiffon, tandis que Julie retirait la peau comme une femme glisse un bas sur sa jambe. Je les observais, blottie derrière la barrière blanche à l'extrémité du dock. J'avais si peur de tomber à l'eau que je ne m'aventurais jamais au-delà de cette limite !

Je me rappelais vaguement que grand-père et grand-mère assistaient à la scène. Il y avait des rires et des éclats de voix qu'Ethan Chapman avait dû entendre depuis le seuil de sa maison. Intrigué, il était venu s'agenouiller sur le sable, et regardait ma mère et Julie faire leur sale besogne.

« Formidable ! Je n'ai jamais vu une prise aussi grosse. »

Ethan était un garçon efflanqué, aux genoux noueux et aux jambes maigres. Ses cheveux paraissaient bruns ou roux selon l'orientation du soleil et il portait des lunettes à verres épais.

« Veux-tu partager notre repas, ce soir ? » proposa ma mère.

Elle avait éclaté de rire devant la mine effarouchée d'Ethan. En fait, seuls ses parents et elle apprécieraient la préparation qu'elle concocterait.

« Je ne mange pas de ça, marmonna Ethan, mais j'aimerais bien avoir la peau... »

Sur le point de jeter celle-ci à l'eau, Julie avait posé son regard sur lui : le blanc de ses yeux contrastait avec son bronzage noisette.

« Pourquoi ?

— Parce que c'est beau et ça brille à l'intérieur... Tu as vu ces couleurs ? »

Nous avons contemplé l'envers de la dépouille ; effectivement, elle avait un reflet nacré.

« Elle est à toi ! »

Julie l'a lancée à Ethan et il a levé un de ses bras malingres pour l'attraper au vol.

« Quand vous aurez vidé la bestiole, vous pourrez me donner les viscères ? »

Julie a froncé le nez.

« Tu es dégueulasse.

— Julie ! a protesté doucement maman. Tu les auras, a-t-elle poursuivi en s'adressant à Ethan. Qu'en feras-tu ?

— Je voudrais les observer. »

En entendant la réponse d'Ethan, j'ai compris pourquoi Julie n'était plus son amie, cet été-là.

Plus tard, quand ma mère a jeté l'anguille dans la

poêle à frire, elle frétillait toujours. J'ai fait des cauchemars plusieurs nuits de suite, car j'étais alors une fillette extrêmement sensible. Après la mort d'Isabel, en août, mes angoisses se sont petit à petit dissipées. Logiquement, j'aurais dû devenir plus peureuse que jamais, puisque mon univers s'était effondré. Mais, après avoir survécu au pire, j'étais certaine de tenir le coup, quoi qu'il arrive.

Finalement, maman est venue s'asseoir en face de moi.

— Beaucoup de monde aujourd'hui ! m'a-t-elle dit en souriant.

— Tous ces gosses des cours d'été...

Maman avait l'esprit ailleurs. Ses yeux parcouraient la salle, à l'affût des clients qu'elle connaissait et des tables à débarrasser. Elle travaillait ici depuis cinq ans et finissait par se sentir « comme chez elle ».

— Cette fille... a-t-elle commencé en me désignant la jeune femme à qui elle venait de me présenter. Enceinte, une fois de plus... Tu te rends compte ? Elle va avoir à s'occuper de quatre enfants de moins de quatre ans ! Les gens font de drôles de choix...

— Tu crois que c'est un *choix* ?

— Je suppose que le mari y est pour quelque chose.

Elle a sorti un chiffon de sa veste pour essuyer une tache.

— J'aimerais que tu m'accompagnes à l'église dimanche prochain. Une occasion spéciale...

— Que célèbre-t-on ?

— L'anniversaire du père Terrell.

Etait-ce une motivation suffisante pour me faire entrer dans un lieu de culte catholique ? J'ai exploré toutes les religions imaginables au cours de ma vie d'adulte et me considère comme une sorte de quakeresse bouddhiste. Mon seul désir : la paix en moi-même et à l'extérieur !

Ma mère se mit à replier soigneusement le torchon, avant de l'enfouir dans sa poche. Elle m'apparut si attendrissante, si zélée dans son travail que je ne pus lui résister.

— Je viendrai, lui annonçai-je.

— Lucy, c'est merveilleux !

Je m'entends bien avec maman, malgré le mode de vie que j'ai choisi. J'ai eu trois compagnons différents, pendant huit ans chacun. J'ignore pourquoi, cette durée m'a toujours semblé un maximum.

En revanche, les relations entre notre mère et Julie sont assez tendues, bien que Julie ait tout fait pour le mieux. Elle est restée fidèle au catholicisme, s'est mariée, a une fille magnifique. En outre, elle peut s'enorgueillir d'une brillante carrière. C'est une femme sérieuse et responsable, qui conduit maman à ses rendez-vous chez le médecin et l'aide à s'occuper de ses papiers.

Alors, comment expliquer ce malaise indéniable, et probablement définitif, entre elles deux ? Julie pense que maman lui tient encore rigueur de la mort d'Isabel, ce que j'ai peine à croire. Mais comment en avoir le cœur net, notre mère n'étant pas du genre à extérioriser ses sentiments ? Isabel est pour elle un sujet tabou, que, moi-même, je n'osais pas aborder. Les sentiments refoulés sont les plus redoutables, je le sais ; mais bien que je sois quelqu'un de courageux, je n'avais jamais trouvé les mots justes pour revenir sur la disparition d'Izzy.

— Nous devrions organiser une grande réunion familiale avant le départ de Shannon pour l'université, a dit maman. Son anniversaire est le 10 septembre ; on pourrait combiner les deux.

— Dans deux mois, m'man !

— Le temps passe si vite... Si on ne se prépare pas dès maintenant, ça risque d'être irréalisable.

— Très bien.

Dans certains cas, on n'a pas intérêt à contredire ma mère...

— Quelles sont tes intentions ?

— On pourrait se réunir ici.

J'eus du mal à dissimuler mon indignation

— Au McDo ? Shannon va avoir dix-huit ans ! Je pense qu'elle aura envie d'autre chose !

— D'accord, d'accord, fit ma mère, comme si elle s'attendait à la remarque. Pourquoi pas à la maison ?

Elle sous-entendait chez elle, là où nous avons passé notre enfance, Julie et moi.

— Bonne idée !

Elle se mit à échafauder des projets – qui inviter, le thème des décorations, les plats à préparer – et mes pensées dérivèrent à nouveau vers le passé.

— Tu te souviens de cette énorme anguille que Julie avait pêchée ?

— Qu'est-ce que tu racontes ? Quelle anguille ? Quand ?

Je venais de commettre une gaffe, car ce souvenir s'attachait à l'été 1962.

— Quand nous étions gamines... Elle l'avait attrapée dans le canal. Quand tu l'as jetée dans la poêle, elle frétillait encore.

— C'est toujours comme ça !

— Pourquoi ?

— Une sorte de système nerveux autonome... Cette bête était morte, bien sûr ! Pourquoi cette question ?

— Je ne sais pas, mentis-je. Ça vient de me passer par la tête.

Maman eut l'air songeuse.

— Que ne donnerais-je pas pour une anguille !

Affalée sur mon siège, je finis mon thé à petites gorgées en me félicitant du tour qu'avait pris la conversation. J'avais évoqué la villa, et survécu.

4

Julie
1962

Jusqu'à la mort d'Isabel, j'ai eu une enfance presque idyllique. J'étais scolarisée à Westfield, une ville offrant toutes les facilités possibles, et située à une heure d'autobus de New York. Mes parents, des gens intelligents, cultivés et aimants, nous emmenaient souvent, mes sœurs et moi, au zoo, au musée ou au théâtre, sur Broadway. Mes grands-parents maternels, grand-père et grand-mère Foley, habitaient tout près ; leur maison nous était ouverte.

J'étais une enfant créative – trop, selon certains professeurs – et j'aimais inventer des histoires pour mes amis. Elles se déroulaient dans le voisinage : la vieille dame au coin de la rue était une sorcière, j'avais un amoureux dans une agglomération voisine, mes parents m'avaient trouvée abandonnée sur le pas de leur porte quand j'étais un nourrisson. Je racontais aux élèves de ma classe qu'on avait aperçu des loups à Mindowaskin Park, près de chez nous. J'écrivais des pièces que nous jouions dans le garage et des poèmes que je lisais à mes camarades.

Ma mère était populaire auprès d'eux, car elle prenait nos initiatives au sérieux. Elle peignait le décor et le rideau de scène quand nous montions des spectacles, et ne trouvait rien à redire aux récits que je servais aux gamins du quartier, pourvu que je ne leur fasse pas trop peur.

Mon père, un médecin très occupé, parvenait malgré tout à consacrer du temps à ses trois filles. Il boitait à la suite d'une blessure de guerre, mais cela ne l'empêchait pas de nous emmener faire de la luge et du patin à glace ou jouer au bowling.

Je vivais dans un monde rassurant, agréable et sans problème.

Les choses ont commencé à se gâter quand Isabel a eu quinze ans. Elle préférait les sorties avec ses copains à celles en famille et voulait aller à des soirées que les parents n'approuvaient pas. Me trouvant sans doute gênante, elle était désagréable avec moi ; ma présence lui pesait tant qu'elle m'adressait à peine la parole quand elle était avec ses amis. Une rébellion en douceur, me semble-t-il rétrospectivement. Papa paraissait toujours en admiration devant son aînée, alors que maman déplorait son attitude provocante. Mais surtout, l'été des dix-sept ans d'Izzy, ils se mirent à se quereller à propos de la conduite à tenir avec elle. Comme je ne les avais jamais entendus élever la voix en ma présence, leur désaccord me préoccupait.

Pendant l'année scolaire, j'attendais avec impatience les vacances d'été dans la villa de mes grands-parents, au bord du canal de Point Pleasant. La petite plage de Bay Head Shores n'était qu'à une heure de Westfield, mais dans un tout autre univers. En 1962, nous arrivâmes quelques jours après la fin des classes, avec mes grands-parents qui remorquaient notre canot derrière leur Studebaker noire. Nous les suivions, ma mère, Lucy et moi, dans la Chrysler. Papa et Isabel fermaient le convoi, dans la Lark décapotable jaune vif. Tout le monde prétendait qu'Izzy voulait donner un temps d'avance à son bronzage en voyageant capote baissée. Je savais, pour ma part, que maman et elle étaient en plein conflit ; dans l'intérêt général, il valait mieux qu'Isabel fasse le trajet avec papa.

Lucy, qui aimait autant la lecture que moi, ne pouvait pas s'adonner à ce plaisir en voiture sans avoir la nausée. Elle s'asseyait à l'avant de la Chrysler, à côté de maman, ce qui n'était pas pour me déplaire. Vautrée à l'arrière, entre valises et oreillers, je relisais *Alice et les faux-monnayeurs.* J'avais dévoré ses œuvres et m'y replongeais en jouant à me prendre pour l'auteur. Depuis quelques mois, je collectionnais tout ce qui me tombait sous la main dans le voisinage. J'avais trouvé un gant dans le ruisseau, un clip à billets sur le trottoir et, au grand scandale de ma mère, un soutien-gorge dans les bois, derrière la maison d'une copine. J'amassais ces trésors sous mon lit : au cas où il se passerait des choses mystérieuses dans le quartier, une de mes trouvailles pourrait fournir un précieux indice. J'avais l'intention de poursuivre ma quête au bord du canal.

La maison gris-bleu, à volets noirs, était l'une des deux constructions, à l'extrémité d'une allée sablonneuse en cul-de-sac. Nous étions pieds nus, mes sœurs et moi, avant de descendre des véhicules. Grand-père ouvrait la porte d'entrée en jouant avec les clés pour aiguiser notre impatience. L'odeur de renfermé, accumulée depuis dix mois, nous montait aux narines dès le vestibule, et nous foncions d'une pièce à l'autre, Lucy et moi, pour nous assurer que tout était resté identique depuis l'année précédente.

Les deux chambres du rez-de-chaussée étaient destinées aux adultes, alors que les filles dormaient au grenier. Nous aimions, Isabel et moi, cet endroit, mais il terrifiait Lucy, qui avait hérité des divers gènes d'angoisse familiaux. A la suite d'un accident de voiture quand elle était petite, elle avait été arrachée des bras maternels et transférée, malgré ses hurlements, de la salle des urgences en un lieu où on avait soigné sa jambe et ses côtes fracturées. Depuis, elle avait peur de tout. On accédait à notre refuge par un escalier escamotable et Lucy craignait de se retrouver piégée là-haut, s'il se refermait brusquement...

Quant à moi, j'étais fascinée par cette grande salle située sous la charpente de bois brut, contenant assez de lits pour accueillir huit personnes. Ceux-ci étaient séparés par des rideaux tendus sur un fil de fer à travers la pièce, de sorte que chacun pouvait s'isoler à sa convenance. Dans la journée, nous les laissions ouverts pour permettre à la brise de pénétrer par les petites fenêtres ; sinon, la chaleur devenait suffocante.

Le canal passant derrière la villa constituait son charme principal – et la raison même de son existence. Le jardin, partagé avec les Chapman, les voisins, n'était qu'un vaste espace sablonneux pris en sandwich entre leur dock et le nôtre. Nous n'avions qu'un canot ouvert, à moteur externe ; les Chapman possédaient un puissant Boston Whaler, assez rapide pour traîner deux skieurs nautiques en même temps.

Toute personne voulant aller par l'intérieur des terres de la baie de Barnegat à l'océan devait emprunter le canal. Certains navigateurs étaient des célébrités et mon père se vantait d'avoir reçu un salut de Richard

Nixon, un jour où le vice-président voguait dans les parages. Pendant les week-ends, le trafic pouvait se révéler problématique, car des engins de taille et de forme diverses envahissaient le passage. Sous le petit pont de Lovelandtown, nettement visible de la maison, l'eau devenait aussi tumultueuse que lors d'une tempête et des accidents se produisaient parfois. Nous aimions regarder les embarcations éviter les piles de l'ouvrage pendant les périodes d'affluence.

A notre arrivée, cet été-là, papa ne s'est pas précipité au fond du jardin pour regarder les bateaux passer ni mouillé les orteils, comme maman et moi. Il a foncé droit sur le téléphone pour s'assurer qu'il était branché, car une vendetta faisait rage. Une décision récente de la Cour suprême, interdisant la prière dans les écoles, l'avait scandalisé ; il voulait donc contacter ses relations et organiser une protestation collective. Décoré du Purple Heart[1], citoyen actif de notre communauté et membre respecté de notre Eglise, il écrivait une chronique régulière dans un magazine catholique. Et moi, trop jeune encore pour me forger une opinion, j'avais adopté les principes parentaux. L'interdit récent me choquait et je n'imaginais pas une journée de classe sans une prière initiale au Seigneur. Papa s'est donc assis tranquillement près de l'appareil mural du salon, son carnet d'adresses à portée de main, et a passé ses coups de téléphone d'une voix parfois vibrante de colère.

Les quatre Chapman se tenaient dans le jardin derrière leur maison. Maman et mes sœurs sont allées les saluer

1. Médaille attribuée aux soldats américains blessés sur le champ de bataille. *(N.d.T.)*

immédiatement ; j'ai préféré m'installer sur le ponton, les pieds à quelques centimètres au-dessus de l'eau. Bien que je n'aie pas regardé du côté d'Ethan, j'avais l'intuition qu'il m'observait.

Je l'imaginais perché sur une chaise, les jambes ballantes, les tongs en train de glisser. Il avait été mon grand copain de vacances : nous roulions à vélo jusqu'à la plage de Bay Head Shores, pêchions, grimpions aux arbres, et il nous arrivait de rester dormir chez l'un ou l'autre. Sous prétexte que lui et moi étions du 10 mars 1950, nous nous croyions unis par un lien indéfectible ; mais nous avions commencé à prendre nos distances l'été précédent, comme si une même voix nous incitait à nous éviter mutuellement. Une réaction fréquente chez des enfants de sexe opposé lorsqu'ils grandissent ! Pour ma part, je trouvais bizarre la fascination d'Ethan pour la vie sous-marine. Il disséquait tout ce qu'il pouvait attraper : crabes, poissons, anguilles, étoiles de mer, jusqu'aux petites crevettes. Quelle chance que ma mère ne m'ait pas forcée à aller lui dire bonjour !

Nous avons dîné sur la véranda, de spaghettis et de boulettes de viande préparés par grand-mère. L'immense table était le centre des activités de la maisonnée : repas, parties de cartes et puzzles. Après le dîner, mes sœurs et moi avons aidé maman à ranger la cuisine. Je me sentais heureuse, car dcux mois de liberté m'attendaient.

Lucy, indifférente à ce sentiment, avait peur.

— Tu monteras en même temps que moi, Julie ? m'a-t-elle demandé en essuyant les couverts.

Je mc couchais à unc heure de compromis entre la sienne et la mienne, pour qu'elle ne soit pas seule au grenier.

— M'man, ai-je imploré, je voudrais veiller plus tard, cette année. J'ai douze ans...

— Tu iras au lit en même temps que Lucy !

Aussitôt après, elle m'a prise à part :

— Tu n'auras qu'à redescendre dès qu'elle dormira...

— Lucy a besoin de grandir ! a claironné Isabel, un plat à la main. Si vous continuez à la dorloter, elle ne vaincra pas son angoisse.

La réplique de ma mère a fusé :

— Au lieu de critiquer, si tu proposais, de temps en temps, d'accompagner Lucy, pour décharger Julie de cette corvée ?

— Avec joie ! J'en profiterai pour lui lire des histoires de fantômes.

Maman, qui nettoyait le comptoir, s'est interrompue, les yeux rivés sur Isabel.

— Depuis quand es-tu devenue mesquine ?

L'ombre d'un remords a assombri le visage d'Izzy, puis elle a affiché un sourire narquois.

D'un coup, je m'aperçus qu'elle était très belle et le savait. Personne, et papa moins que quiconque, ne résistait à ses moues boudeuses ou à l'éclat d'une larme dans ses superbes yeux sombres, ourlés de cils si longs et fournis qu'on aurait pu les croire artificiels. Izzy passait son temps à se plaindre de sa chevelure trop bouclée, trop épaisse, trop noire... Mais ses lamentations sonnaient faux : elle n'ignorait pas qu'elle suscitait l'envie de ses congénères de classe. Elle avait les seins opulents, la taille fine. Les garçons la reluquaient dans la rue et les filles se méfiaient d'elle, car le verdict risquait de ne pas être à leur avantage, si leur petit ami les comparait à Isabel. Comment nier que ma sœur aînée avait reçu la beauté en héritage ? Nous avions aussi les cheveux foncés, Lucy et moi ; mais je devais rouler les miens sur des bigoudis pour leur donner de la souplesse et maman avait fait faire sur ceux, courts, de Lucy, une permanente qui l'apparentait au caniche.

La cuisine était devenue silencieuse. J'ai versé le reste de sauce tomate dans une boîte Tupperware et fait couiner le couvercle, ce qui a déclenché un fou rire de Lucy.

Isabel a pris la passoire dans l'égouttoir et s'est mise à la sécher.

— Ned m'a invitée à une soirée. Je peux m'y rendre ?

Maman a continué à passer l'éponge sur le comptoir.

— Pas ce soir. Tu dois déballer tes affaires et...

— C'est déjà fait. J'ai même aidé Julie et Lucy à sortir les leurs... Les lits sont prêts, j'ai balayé le plancher et récuré les toilettes, le lavabo, etc.

Je n'étais pas sûre qu'Izzy dise la vérité, car elle ne m'avait apporté aucune aide, mais je me suis tue.

— Et nous avons pratiquement fini dans la cuisine, a ajouté ma sœur.

Maman a rincé l'éponge sous le robinet, puis l'a tordue entre ses mains.

— Exact, mais je ne veux pas que tu files à la première occasion.

— Pourquoi ?

— Parce que j'ai dit non.

— C'est idiot !

Isabel a écarquillé les yeux et repris le torchon dont elle s'était débarrassée. J'ai entendu sa respiration s'emballer tandis qu'elle s'emparait d'une soucoupe. Elle n'a plus proféré un mot, ma mère non plus. Il y avait de la tension dans l'air et j'ai préféré garder le silence. J'ignorais quelle conduite adopter sur un terrain aussi peu sûr.

Plus tard, maman et moi nous sommes attaquées aux profonds tiroirs situés sous les placards. Lucy, debout à côté de nous, secouait les miettes restées dans le grille-pain. Comme nous avions remarqué des crottes de souris dans un des rangements et une araignée dans l'autre, elle refusait de participer à notre besogne.

Papa est entré, a pris une bouteille de *ginger ale* dans le réfrigérateur et s'est versé à boire. Il avait revêtu son uniforme estival : un ample short découvrant ses jambes pâles, marquées de cicatrices, et une chemise écossaise à manches courtes.

Maman a levé les yeux.

— Charles, pourrais-tu aller chercher Isabel, et la prier de nettoyer et ranger la penderie de l'entrée ?

— Elle est sortie.

Papa a jeté quelques glaçons dans sa boisson, bien qu'ils soient à peine pris.

Ma mère, sur le qui-vive :

— Où est-elle ?

— A une soirée, avec Ned Chapman.

Ma mère, les poings sur les hanches :

— Je lui avais interdit d'y aller !

Mon père, étonné, ouvrant grands ses yeux marron clair :

— Je ne savais pas qu'elle t'en avait parlé.

Ma mère, la gorge légèrement rougie :

— Elle est consignée à la maison jusqu'à la fin de la semaine !

— Tu me parais un peu sévère, Maria, a dit papa en faisant tourner les glaçons dans le verre. C'est les vacances et Isabel connaît Ned depuis toujours. Le père de ce garçon a beau être un vrai cinglé, tu ne peux pas lui en tenir rigueur ! Ned ne fait de mal à personne en invitant Isabel...

— Isabel a *dix-sept ans* cet été, a affirmé ma mère, comme si cela expliquait tout. Elle aurait mieux fait de rester à la maison pour nous aider et s'acclimater.

— *S'acclimater ?* a ricané papa.

Je ne connaissais pas la signification exacte du terme et mon dictionnaire était demeuré à Westfield. Gênée d'entendre mes parents se quereller, j'ai plongé le nez dans le tiroir et balayé les déjections de rongeurs dans une pelle à ordures. Lucy, apparemment aussi mal à l'aise que moi, se concentrait sur le grille-pain.

Papa a enlacé maman et l'a embrassée sur la joue.

— Nous avons bien élevé notre fille. Elle a la tête sur les épaules.

— Comment peux-tu dire ça alors qu'elle vient de te mentir ?

Papa a cessé son étreinte et s'est dirigé vers l'accès au vestibule.

— Elle ne m'a pas *menti,* c'est un simple oubli...

— Isabel te mène par le bout du nez.

— Mais non !

Papa est sorti de la pièce et allé vers la porte de la maison. Il avait à faire au garage, ce soir-là, avec grand-père : préparer le matériel de pêche et passer une couche de peinture bleue sur les sièges de jardin.

Ma mère s'est remise au travail, les lèvres pincées. Izzy, je le savais, racontait souvent des bobards aux parents. Quand nous allions à l'église, le samedi soir, la brièveté de sa confession me sidérait toujours. Comment pouvait-elle avouer ses péchés en si peu de temps ? A force de l'épier, j'avais fini par comprendre. Au lieu d'énumérer mes torts au prêtre, je lui livrais une version abrégée. « J'ai menti cinq fois, annonçais-je, sans compter les omissions, car j'aurais occupé le confessionnal toute la soirée. J'ai désobéi à deux reprises à ma mère, ajoutais-je, et été désagréable avec ma petite sœur. » Cette méthode me soulageait et le père ne semblait guère frustré de ne pas connaître mes fautes dans le détail.

— Ne t'inquiète pas, m'man, ai-je murmuré sur un ton adulte, un bras passé autour de sa taille.

Le regard vitreux, comme si elle était au bord des larmes, elle n'a pas réagi. Son chagrin me bouleversait. J'ai pensé qu'elle avait besoin d'être seule et lui ai proposé de me charger du rangement de l'entrée. Ensuite, j'ai pris Lucy par la main et l'ai entraînée hors de la cuisine.

A neuf heures, ce soir-là, j'ai gravi les marches grinçantes menant au grenier, précédée par Lucy. Je m'agrippais moi aussi à la rampe, car l'escalier était de plus en plus branlant chaque année. Si j'avais eu la moindre tendance à l'angoisse, il m'aurait perturbée.

Lucy et moi occupions normalement la même partie de la pièce, mais, à douze ans, j'aspirais à plus d'intimité. Je souhaitais bouquiner à ma convenance et rêvasser tranquillement dans mon espace cloisonné, sans entendre les bavardages ininterrompus de ma cadette. En arrivant, nous avions donc fait nos lits dans des coins opposés, tandis qu'Isabel s'appropriait celui situé derrière la cheminée.

Lucy avait semblé s'accommoder de cette installation, mais au moment de s'endormir, dans la chaleur ambiante, elle paraissait moins satisfaite.

Sa voix se fit implorante :

— Julie, laisse le rideau ouvert...

Elle était allongée sur le côté, face à moi, le drap blanc remonté jusqu'aux épaules.

Je m'efforçais de donner du volume à mes oreillers et de repousser la couverture.

— Je vais lire, chuchotai-je. Ça t'empêchera de t'endormir.

J'avais hâte que Lucy sombre dans le sommeil, pour descendre jouer à la canasta avec maman et grand-mère. Pendant l'année scolaire, je passais les soirées à faire mes devoirs ou à regarder la télévision – *The Andy Griffith Show* ou *Ed Sullivan*. Mais l'été était le moment idéal pour les parties de cartes et les puzzles.

— S'il te plaît, Julie !

— Tu apercevras mon ombre, répliquai-je, me félicitant d'avoir choisi un lit qui ne soit pas contre le mur. Regarde !

J'allumai la lampe posée sur la table de chevet, avant de m'isoler, puis m'allongeai, toujours vêtue de mon short et de mon haut sans manches. Je savais ce que distinguait Lucy. Pendant des années, j'avais observé, de sa place, la silhouette de ma sœur, de mes cousins, de mes oncles et tantes.

— Tu me vois, n'est-ce pas, Lucy ?

— Ça va, a-t-elle chuchoté.

J'ai entendu ma petite sœur se retourner et l'ai imaginée, les yeux grands ouverts, braqués sur moi, alors que je me plongeais dans *Alice*.

J'ai lu un chapitre et le début d'un autre, puis j'ai tiré le rideau à portée de ma main : Lucy avait fermé les yeux et dormait, le pouce dans la bouche, comme si elle avait trois ans. Elle serrait sous son bras son vieil ours en peluche râpé.

Je me suis levée avec précaution et ai pris un dessus-de-lit que j'ai tassé sous ma couverture, en plaçant le livre en appui sur l'oreiller. Du centre du grenier, j'ai regardé à quoi ressemblait la forme que Lucy découvrirait, si elle se réveillait.

Le résultat m'a paru concluant.

J'ai descendu l'escalier en le faisant crisser le moins possible. Ma mère avait retrouvé son calme au sujet d'Isabel ; son sourire m'a apaisée.

Assise à la grande table de la véranda, elle fumait une cigarette en jouant avec grand-mère. Toutes deux portaient une robe d'intérieur – une cotonnade à rayures jaune pâle pour maman, bleu layette pour grand-mère.

— Ta sœur dort ?

J'ai hoché la tête en m'affalant dans un rocking-chair.

Le mobilier du lieu était peint en rouge – une peinture légèrement poisseuse, à cause de l'humidité, et si épaisse qu'on pouvait l'entamer avec l'ongle. Il y avait aussi un lit, qui permettait qu'on s'endorme en écoutant le clapotis de l'eau contre le ponton.

— On termine la partie et on fait une canasta avec toi, m'a annoncé grand-mère en portant sa tasse de café instantané à ses lèvres.

Quand elle a allongé les jambes, j'ai remarqué ses bas roulés sous ses genoux. Bien qu'elle ait parlé un anglais parfait, elle avait gardé un fort accent italien, soixante ans après son arrivée aux Etats-Unis. Je trouvais sa voix mélodieuse et m'étais aperçue, avant l'âge de dix ans, qu'elle prononçait le « s » d'une manière spécifique et ajoutait un soupçon de voyelle aux mots se terminant par une consonne.

Je me suis balancée un moment. Le sol en ciment était doux et frais sous mes pieds. La lumière d'un bateau oscillait doucement sur le canal, en direction du large ; le claquement des cartes, sur la nappe en vinyle à motifs floraux, couvrait par intervalles le vrombissement régulier du moteur. Dès le lendemain, grand-père mettrait notre canot à l'eau. Avec quelle impatience j'attendais cet instant ! Les deux étés précédents, j'avais barré, avec un adulte ou Isabel à bord. Papa m'avait promis que, cette année, je pourrais sortir seule, à condition que je porte un gilet de sauvetage et que je reste entre la maison et l'ouverture sur la baie. Un domaine restreint. Cette liberté nouvelle m'excitait néanmoins.

Quelqu'un pêchait dans le jardin des Chapman, mais il faisait trop sombre pour que je l'identifie. J'aperçus l'extrémité brûlante des spirales antimoustiques et le léger éclat du clair de lune sur la chemise blanche du pêcheur. Sans doute Ethan tentait-il d'attraper quelque chose, qu'il disséquerait ensuite. Il balança sa canne dans les airs, imprimant un mouvement à la tache claire du vêtement, puis la ligne atteignit le canal avec un bruissement reconnaissable entre tous. L'envie de rejoindre Ethan me démangea...

— Prête à nous battre à la canasta ? me demanda grand-mère.

Je m'approchai de la table et elle distribua les cartes. Maman écrasa son mégot dans le coquillage servant de cendrier et s'apprêtait à sortir une autre Kent du paquet, quand un cri abominable retentit. Elle bondit avant même que j'aie compris d'où il venait.

Sans avoir presque eu le temps de reprendre son souffle, Lucy se remit à hurler.

Je suivis ma mère dans l'escalier.

— Mon bébé !

Maman alluma le plafonnier et courut jusqu'au lit de Lucy. Elle était blottie contre le dosseret métallique, l'ours dans les bras, les cheveux écrasés sur le côté.

— Que se passe-t-il, ma chérie ? fit maman en s'asseyant à côté d'elle.

Lucy pointa un doigt vers le haut.

— Là !

Je m'approchai de l'endroit qu'elle indiquait et levai les yeux.

— Où ?

— Là ! répéta Lucy, l'air vaguement penaude.

Un vieux chiffon était glissé entre le plafond et le réseau complexe de fils utilisés pour les rideaux. Il traînait là depuis une éternité, sans doute pour bloquer une fuite, avant la pose de la nouvelle toiture. Un vrai bébé, cette Lucy !

— C'est un chiffon ! proclamai-je.

— On dirait une tête ! Et puis, tu n'étais plus avec moi !

Lucy parlait d'un ton indigné. J'ai regardé en direction de mon lit. L'échafaudage que j'avais constitué s'était effondré ; manifestement, j'avais disparu.

Nous avons fixé le bout de tissu toutes les trois.

— Tu vois ? a insisté Lucy.

J'ai répété que c'était une loque et maman a sermonné Lucy.

— Il te suffisait d'allumer, Lucy. A huit ans, tu devrais

comprendre que tu n'as rien à craindre ici. Si tu as besoin de quoi que ce soit, tu sais où nous trouver ! Maintenant, rendors-toi.

Elle a tiré le drap sur Lucy.

— On peut laisser la lumière ?

— Tu n'arriveras pas à t'endormir.

— Mais si ! a protesté Lucy, le regard à nouveau dirigé vers le haut.

— Très bien.

Maman s'est redressée en soupirant ; puis elle a lissé le bas de sa robe d'intérieur, avec un coup d'œil complice à mon intention. Je me suis sentie particulièrement mûre et courageuse.

— Bonsoir, ma chérie, a dit ma mère en s'éloignant.

— Bonsoir, Lucy, ai-je marmonné en m'engageant dans l'escalier.

Le lendemain, le chant du coq m'a réveillée à cinq heures et demie. Allongée, je me suis souri à moi-même. Le soleil rose du petit matin inondait ma cellule de toile. J'ai éprouvé à nouveau un sentiment de béatitude à l'idée d'être libre pendant tout l'été.

J'ai rampé sur l'autre lit pour regarder par la fenêtre. Je savais où était ce volatile, mais je l'avais oublié. De l'autre côté du canal, en diagonale par rapport à la villa, se trouvait une cabane en bois, noircie par l'âge, au toit affaissé, avec un jardinet envahi de hautes herbes. C'était la seule maison – « masure », devrais-je dire – sur cette rive, mais quelqu'un devait y habiter, pour nourrir l'animal. Un ponton permettait d'y accéder. Je pourrais y aller en canot, accoster et grimper parmi la végétation sans être vue. J'inscrivis mentalement l'exploration de la bicoque au programme de la journée.

Je me levai, certaine que j'étais la première, et vis les rideaux tirés autour d'Izzy. A quelle heure était-elle rentrée ? Et quel genre de punition lui réservaient les parents ? J'espérais qu'ils se montreraient sévères, car ses mensonges ne devaient pas rester impunis.

Revêtue d'un maillot de bain et d'un corsaire, je traversai le plancher couvert de linoléum. Moins de vingt-quatre heures après notre arrivée, il y avait déjà du sable qui picotait les orteils. J'évitai de réveiller Lucy en marchant près de son lit.

— Julie ?

J'atteignais l'escalier quand j'entendis la voix d'Izzy. Je me retournai au moment où ma sœur passait la tête entre deux pans de toile. Avec ses longs cheveux emmêlés, elle me parut superbe, dans la lumière de l'aube.

Je m'approchai sur la pointe des pieds et elle m'attrapa par le bras pour me tirer jusqu'à elle.

— J'ai un service à te demander...

Ses épaules dénudées dépassaient du drap ; je me sentis choquée à l'idée qu'elle dormait nue. C'était la seule personne de ma connaissance à avoir une telle audace.

En m'asseyant à côté d'elle, j'ai remarqué qu'elle avait les yeux rougis.

— Qu'est-ce que papa et maman t'ont dit ? Tu n'aurais pas dû demander à papa...

— Chut ! Ça ne te regarde pas.

Elle fouilla sous la couverture et brandit une girafe en plastique de la taille de son poing.

— Tu donneras ça à Ned Chapman ! fit-elle d'un ton impératif.

J'observai le jouet rouge et violet niché dans ma paume. Sachant qu'Izzy ne pourrait pas me rabrouer si elle avait besoin de mon aide, je l'interrogeai :

— Pourquoi ?

— C'est à lui. J'ai oublié de lui rendre hier.

— Qu'est-ce qu'un garçon de dix-huit ans peut faire de ce truc ?

Même un enfant en bas âge se serait lassé de l'animal au bout d'une minute.

— Arrête de me poser des questions et obéis-moi, s'il te plaît. Je n'ai pas le droit de sortir aujourd'hui.

— C'est tout ?

J'aurais trouvé normal qu'Isabel soit confinée à la maison une semaine entière.

Elle se laissa retomber sur l'oreiller.

— Ça me suffit amplement. Laisse-moi me rendormir !

— Merci quand même, marmonnai-je, révoltée par l'ingratitude d'Izzy.

Je descendis ; personne n'était encore levé. Dehors, l'air chaud et humide emplit mes poumons. Je cachai aussitôt la girafe sous un siège de jardin, en attendant de voir Ned.

Munie de mon seau et d'une épuisette dont le manche reposait contre un arbre, je me mis à pêcher les crabes. Debout au bord du ponton, je les cherchai des yeux. J'en trouvai trois, puis je franchis la clôture et, en équilibre sur les planches, scrutai l'eau. J'aperçus un gobelet en carton, entraîné par le courant vers la rivière, et un crabe. Je lui barrai le passage à l'aide de mon filet, avant de le remonter. Une opération presque trop facile !

Un enchevêtrement d'algues glissa ensuite devant

moi, suivi d'une balle de ping-pong cabossée, que je récupérai pour l'examiner. Je la cacherais sous mon lit, pour donner un coup d'envoi à ma collection d'indices de Bay Head Shores.

Comme je jetais un coup d'œil en direction de la cabane du coq, mon attention fut attirée par les roseaux face à notre maison. Des pêcheurs arrivaient le long du chemin serpentant entre eux, et commençaient à installer leur matériel et leurs pliants. Des hommes noirs, auxquels se mêlaient plusieurs femmes, difficiles à distinguer de loin, et, apparemment, quelques enfants.

— Tu attrapes des crabes ?

Surprise par la voix derrière moi, je dus m'agripper à la clôture pour garder l'équilibre. En tournant la tête, je vis Ned approcher, le sourire aux lèvres. A cet instant, je ne sais ce qui m'arriva. Etait-ce le bleu de ses yeux à la lumière du soleil, le triangle de peau bronzée visible dans l'échancrure de sa chemise, sa manière de tenir sa cigarette entre le pouce et l'index ? En tout cas, je faillis m'effondrer et tomber dans le canal. Depuis que j'avais eu mes premières règles, au début du printemps, la vue d'un beau garçon me retournait les tripes. Et Ned était incontestablement charmant, avec ses cheveux blonds et drus.

— Salut, Ned ! lançai-je.

En prononçant son prénom, j'eus brusquement conscience qu'il portait le même que le petit ami attitré d'Alice.

« Salut, Ned ! » répétai-je en moi-même, pour le simple plaisir de savourer la chose.

Il s'accouda à la barre métallique de la barrière et me dévisagea.

— Tu es un oiseau du matin, Julie.

— Toi aussi.

Il se pencha et jeta un coup d'œil dans mon seau.

— Combien de crabes as-tu pris ?

— Quatre, pour l'instant.

— Tu les aimes ?

— Tu veux savoir si j'en mange ?

Ned tira sur sa clope et la fumée s'échappa en un long ruban.

— Pour quelle autre raison les aimerais-tu ?

Je pouffai de rire comme une gamine que j'étais.

— En fait, grand-mère les adore ; pas moi, mais ça m'amuse de les pêcher...

— Eh bien...

Ned passa une main sur son menton, comme pour savoir s'il devait se raser ; un geste qui me parut sexy.

— Isabel a eu des ennuis, hier soir ?

— Elle est privée de sortie pour la journée, mais elle m'a donné quelque chose pour toi.

Je repartis en sens inverse sans me retenir au grillage, dans l'espoir d'impressionner Ned. Dans le jardin, je posai mon seau et mon épuisette, et sortis la girafe de sa cachette.

— Isabel m'a demandé de te donner ça, dis-je en tendant le jouet à Ned.

J'avais honte pour ma sœur de ce stupide cadeau.

Ned riva son regard sur moi et je bombai la poitrine. A quoi ressemblaient mes petits seins, à peine éclos, dans mon maillot de bain d'enfant ? Il me faudrait un deux-pièces, cet été, si maman était d'accord.

— C'est gentil de ta part de rendre service à ta sœur, marmonna Ned.

— Il paraît que cette girafe t'appartient.

— C'est vrai. Merci de me l'avoir apportée. Tu diras à Isabel que c'est « fabuleux ».

Je me maudis une fois de plus de ne pas avoir emporté mon dictionnaire. Alertée par un bruit venant de la véranda des Chapman, je dis au revoir à Ned et filai. Je ne voulais pas être dans le jardin quand ce crétin d'Ethan sortirait.

Tout de suite après le déjeuner, grand-père, papa et moi avons remorqué le canot jusqu'à la marina. On a fait le plein de carburant et grand-père a sauté allègrement sur la jetée. Je savais ce qu'il éprouvait : l'odeur de l'essence, mêlée à la senteur salée de l'eau, me transportait de joie, comme lui. A son instar, j'adorais la mer, la pêche, les embruns et le ciel nocturne. Grand-père était presque chauve, avec un visage triste qui me faisait penser à un basset ; nous n'avions aucune ressemblance physique mais, d'une certaine manière, étions semblables.

Après un petit tour dans la baie, on s'est engagés sur le canal. Grand-père m'a laissée barrer un moment et même manœuvrer, ce que je fis à merveille, d'après lui. Notre engin n'avait pas de gouvernail, mais une simple barre reliée au moteur ; j'étais fière de l'avoir si vite maîtrisé. Je faillis pourtant tomber en sautant sur le ponton, mais grand-père m'affirma que ce serait l'affaire de quelques jours. J'attachai l'embarcation aux crochets, sur le côté du dock, en appréciant le contact humide et rêche de la corde sous mes doigts. J'eus même une pensée pour la pauvre Izzy, consignée à la maison pendant cette première journée de vacances.

Je m'assis un instant sur la véranda, dans un rocking-chair, comme Lucy, tandis qu'Isabel était vautrée sur le lit à l'opposé, le plus près possible de la maison des Chapman. Elle ne tournait même pas les pages de son livre ! Les yeux braqués vers le jardin des voisins, elle guettait probablement un regard de Ned, en train de s'affairer avec son père sur le Boston Whaler. De son poste d'observation, elle avait peu de chances de les apercevoir ; mais quand Ned alla chercher je ne sais quoi dans la maison, je crus presque entendre le cœur d'Isabel s'emballer. Je comprenais ma sœur, car Ned produisait le même effet sur moi.

Avant le dîner, je suis sortie seule en bateau. Maman était anxieuse, mais papa l'avait persuadée de me laisser faire, si je portais l'affreux gilet de sauvetage orange. On était lundi et la navigation s'était fluidifée du jour au lendemain. J'atteignis l'embouchure de la baie. Un vaste horizon s'ouvrait à moi et j'eus envie de poursuivre un peu plus loin, mais n'osai pas. Je fis demi-tour en décrivant un arc de cercle et pris la direction du retour, entre les pêcheurs de couleur et la cabane au coq.

Arrivée en ce lieu inconnu, je coupai le moteur et remarquai une petite échelle à ma gauche. Après avoir fixé l'embarcation à un échelon, j'enlevai le gilet de sauvetage et grimpai à terre. La présence des Noirs me mettait mal à l'aise. Bien que je ne les aie pas regardés, je sentais qu'ils me suivaient des yeux, tandis que je me faufilais vers la baraque, entre le grillage et les roseaux. Je finis par trouver, au milieu des herbes, un étroit sentier, que je suivis jusqu'à l'entrée de la masure.

— Qui est là ?

Une voix masculine désincarnée – car je ne distinguais rien à travers les fenêtres – me fit sursauter.

— Je venais voir l'endroit où habite le coq...

La porte-écran s'entrouvrit de quelques centimètres en grinçant. Un homme barbu, coiffé d'un vieux chapeau, se tenait sur le seuil. Le soleil couchant éclairait son visage. Il cligna des yeux ; ses pupilles pareilles à des perles bleues translucides lui donnaient un air légèrement démoniaque. *Le Mystère de la cabane du sorcier,* pensai-je. Ce titre me plaisait... Un jour, j'écrirais peut-être un livre.

— D'où viens-tu ?

D'un signe de tête, j'indiquai la villa, à peine visible de là.

— Tu es venue en bateau ?

— Oui.

— Seule ?

— Oui, dis-je en pivotant sur moi-même. Et je ferais mieux de repartir...

— Tu lui veux du mal à mon coq ?

— Pas du tout ! J'aimerais juste découvrir où il vit. Le bonhomme ouvrit grand le battant.

— Ici !

J'aperçus, en effet, le volatile et quelques poules tournant en rond dans une pièce, tels des jouets mécaniques. Je reculai d'un pas. Les semelles du vieillard étaient-elles enduites des fientes de ces bestioles ?

— Merci de me l'avoir montré...

— Il y a des gens, dans le coin, qui ne demanderaient qu'à lui tordre le cou.

— En tout cas, pas moi ! Merci encore !

Je tournai casaque et fonçai jusqu'au dock. Je l'atteignis à peine trente secondes après. J'inventai deux ou trois histoires différentes au sujet du personnage que j'avais rencontré : il séquestrait les enfants dans les placards de sa ruine... Il avait assassiné sa femme et enfoui son cadavre sous la véranda... J'allais descendre l'échelle, lorsque je vis quelque chose briller sur l'herbe écrasée. Je m'approchai et ramassai une paire de lunettes de soleil. Auraient-elles, par hasard, appartenu à feu l'épouse du maître du coq ? Je décidai de les cacher sous mon lit, au cas où...

Ce soir-là, grand-père et moi avons marché jusqu'au bout du chemin. Depuis toujours, il veillait à préserver un passage praticable à travers la végétation, nettement plus haute que ma tête. J'aimais cette sensation d'être enfermée entre des murs herbeux. Des libellules volaient dans notre sillage ; on s'était aspergés d'insecticide pour se protéger des moustiques.

On atteignit une zone marécageuse, reliée au canal par une étroite ouverture du ponton. Comme d'habitude, grand-père avait installé sa nasse à appâts dans les eaux peu profondes ; attachée à un pieu planté dans le sol sablonncux, elle pullulait de petits *killies* gris-vert, qui se heurtaient au treillis métallique.

Grand-père l'ouvrit et les vida dans son seau.

Pendant qu'il s'acquittait de cette tâche, je vis flotter quelque chose non loin de l'endroit où nous nous trouvions. Une chaussure de bébé ! Je roulai mon corsaire le plus haut possible et pataugeai dans la flotte jusqu'aux genoux ; le bras tendu, j'empoignai le minuscule soulier de cuir blanc. Un vrai joyau dans le monde des indices !

— Que deviennent tes trouvailles ? me demanda grand-père en refermant la nasse.

— Je les range sous mon lit. Elles pourraient servir de preuves, s'il y avait une enquête... Par exemple, si un bébé était kidnappé, j'apporterais ma découverte à la police et lui révélerais où je l'ai faite... Ça l'aiderait à résoudre l'énigme.

— Tu devrais disposer d'une meilleure cachette. Le jour où ta mère passera un coup de balai, elle risque de jeter ton fatras.

J'eus un élan d'amour pour mon grand-père, qui me prenait toujours au sérieux.

— Je ne vois pas d'autre endroit... murmurai-je, ma prise serrée dans ma main.

— Moi, j'ai une idée !

Je sentis sur ma nuque les doigts un peu rêches et humides de grand-père.

— Quand nous serons rentrés, tu rassembleras tes affaires ; je te montrerai où les cacher.

Je ne possédais que trois misérables objets – la chaussure, les lunettes de soleil, la balle de ping-pong – mais, une fois à la maison, je les emportai dans le jardin.

Grand-père creusait un trou près de l'angle de la villa le plus proche des bois. Il avait à côté de lui une vieille boîte à pain métallique, au couvercle amovible. Son doux visage s'éclaira lorsqu'il me sourit.

— Qu'en penses-tu, Alice ? Nous allons enfouir cette boîte et la recouvrir de sable. Personne ne saura qu'elle est ici !

J'aidai grand-père à l'enterrer. Après y avoir déposé mes indices, je glissai le couvercle et dissimulai le tout sous quelques centimètres de sable. Cette nouvelle cachette me plaisait : personne ne découvrirait mon butin.

Du moins, le croyais-je...

5

Julie

La serveuse rougie par le soleil me rajouta du thé glacé dans mon verre, avec un regard qui me parut compatissant. Voilà pourquoi j'avais renoncé aux rendez-vous amoureux : cette attente, ce questionnement... Pourquoi Ethan était-il en retard ? Un embouteillage ? A moins qu'il n'ait oublié le déjeuner ou ne soit simplement contrarié à l'idée de me parler ? J'eus envie d'expliquer à la fille que je devais rencontrer un homme, mais pas un flirt. A quoi bon ? Elle devait me juger trop vieille pour un rendez-vous galant. A son âge – une vingtaine d'années –, je lui faisais sans doute penser à sa mère.

Le restaurant de Spring Lake se trouvait à une quinzaine de kilomètres de Bay Head Shores. Depuis l'été fatidique, je ne m'étais pas approchée à ce point de notre ancienne maison de vacances. En descendant de la voiture, l'odeur salée de l'océan, quelques pâtés de maisons plus loin, avait effleuré mes narines. En plus du malaise auquel je m'attendais, j'avais alors ressenti une étrange nostalgie, comme si une part infime de moi-même se souvenait encore des bons moments passés sur ce rivage, malgré ce qui en avait éloigné ma famille.

La serveuse s'arrêta en passant devant moi.

— Vous voulez quelque chose à grignoter en attendant, ma petite ?

Ma petite... Je n'avais pas l'habitude qu'une personne moitié plus jeune que moi s'adresse à moi en ces termes, mais c'était tout de même préférable à « m'dame ».

— Non merci, répondis-je en souriant. Ça ira.

Il faisait chaud dans cette salle – enfin, *j'avais* chaud. Je portais un pantalon noir, court, et un haut rouge sans manches, qui découvrait largement mes épaules... alors que d'autres femmes présentes s'étaient munies d'un pull. Depuis que j'avais atteint le moment de la ménopause, l'année précédente, je m'embarrassais rarement d'un lainage !

J'avais choisi une table proche de l'entrée de l'établissement pour apercevoir Ethan dès son arrivée. Allais-je le reconnaître ? A travers la vitre, je scrutais les passants, à l'affût d'intellectuels à la silhouette dégingandée. Des gens allaient et venaient autour des petites boutiques, de l'autre côté de la rue. Exactement face à moi, un homme enduisait le dos de sa compagne de lotion. Je les observai un moment, jusqu'à ce que deux cyclistes s'interposent dans mon champ visuel.

D'après ma montre, Ethan avait vingt minutes de retard. Viendrait-il ? Il n'avait sûrement pas apprécié mon coup de téléphone.

« Je regrette qu'Abby t'ait importunée avec cette histoire », m'avait-il dit lorsque je m'étais identifiée.

Il avait la voix posée, exactement telle que je l'imaginais, et ne semblait ni irrité ni fâché ; plutôt las.

« Elle a bien fait ! »

Assise dans mon bureau, je fixais, sur l'écran de mon ordinateur, les mots « chapitre quatre ».

« Nous estimons, elle et moi, qu'il faut prendre cette affaire en considération.

— Je ne suis pas sûr de partager ton point de vue, avait objecté Ethan, après un silence.

— Il s'agit d'une grave injustice ! Un homme a fait de la prison pour un acte qu'il n'a pas commis. Et il est question de ma sœur... »

Malgré mon chagrin en évoquant Isabel, je pris soudain conscience de mon manque de sollicitude.

« Pardon, Ethan, balbutiai-je. Je ne t'ai pas encore présenté mes condoléances. Je suis navrée... Je sais ce qu'on éprouve quand on perd un proche.

— Merci ! Je ne comprends pas ce qui est arrivé à Ned... Aux alentours de vingt ans, il a fait une sorte de dépression. Il est devenu... Comment dire ? Il donnait l'impression de survivre, de ne plus tenir vraiment à la vie. »

« Ne crois-tu pas qu'une culpabilité secrète pesait sur lui ? » songeai-je. Je me retins de poser la question à Ethan, car le moment n'était pas encore venu.

« Il arrivait à travailler ? m'enquis-je simplement.

— Oui, tout de même ! Il a combattu au Vietnam, ce qui n'a pas amélioré son état. On l'a finalement exempté pour un problème d'insomnie. Ensuite, il a fait des études de comptabilité et travaillé pour une entreprise de plomberie, dont il tenait les comptes. Il ne s'est pas marié. Il a fréquenté quelques femmes ; jamais rien de sérieux.

— Abby m'a laissé entendre qu'il était un peu trop porté sur l'alcool.

— Il n'avait rien d'un ivrogne ! Ça ne compromettait pas son travail, mais il était un peu dans les vapes... On a essayé de le faire suivre, bien qu'il n'ait pas admis qu'il avait un problème. Comment venir en aide aux gens qui ne désirent pas changer ? »

De nombreuses interrogations me venaient à l'esprit, mais Ethan risquait de me raccrocher au nez, si je me montrais trop curieuse.

« On peut se rencontrer ? J'aimerais que nous parlions de la lettre. »

Le silence d'Ethan s'éternisa, au point que je lui demandai s'il était encore en ligne.

« Je suis là, me répondit-il avec calme, et je suis d'accord pour te voir. Où habites-tu ?

— A Westfield. Et toi ?

— Sur le canal. »

Cela me coupa le souffle...

« Depuis quelques années, nous avons climatisé la maison pour la rendre habitable en hiver, précisa Ethan.

— Tu vis avec... »

J'ignorais qui pouvait occuper avec lui la vieille demeure des Chapman. Ses parents ? Sa femme ?

« Je suis seul. Ma femme et Abby étaient avec moi, mais j'ai divorcé il y a cinq ans et Abby est désormais indépendante. Elle a une fille, ma *petite-fille,* conclut fièrement Ethan. Elle t'en a parlé ?

— Non. C'est merveilleux !

— Veux-tu venir ici ?

— Oh non ! lâchai-je d'une voix étouffée, car je ne voulais à aucun prix retourner à Bay Head Shores. On pourrait se retrouver à mi-chemin.

— Eh bien, je me rends à Spring Lake vendredi prochain. Déjeunons ensemble, si tu veux. »

C'était plus qu'à mi-chemin, mais tant pis. Je tenais à

cette entrevue avec Ethan, pour le persuader de remettre la missive de Ned à la police.

— Julie ?

La voix d'un homme, debout devant ma table, m'arracha à mes pensées.

— Ethan ?

Il ébaucha un sourire.

— Désolé d'être en retard. J'étais coincé par la circulation sur la côte.

— Ce n'est rien.

Nous nous serrâmes la main et il s'assit en face de moi.

— Je ne t'aurais pas reconnu, déclarai-je, au risque de paraître grossière.

A vrai dire, l'âge l'avait bonifié. Ses cheveux roux étaient auburn, tirant sur le gris, et ses tempes, légèrement dégarnies. Il n'avait plus de lunettes. Ses taches de rousseur s'étaient atténuées et son corps s'était musclé en même temps qu'il prenait du poids. Il portait une chemise à manches courtes bleu cobalt sur des bras minces. Et son air un peu gauche avait disparu !

— Tu as l'air en pleine forme !

— Toi encore plus ! Je n'ai eu aucun mal à te reconnaître. Il est vrai que ton visage apparaissait dans tous les coins de la maison, au dos de tes romans.

— *Apparaissait ?*

— Nous lisions tes livres, ma femme et moi, mais c'est elle qui les a gardés.

Il jeta un coup d'œil à mon annulaire.

— Tu es mariée, n'est-ce pas ? J'ai le souvenir d'avoir lu « l'auteur vit avec son mari dans le New Jersey » ou quelque chose comme ça, sur la jaquette de l'une de tes œuvres.

La serveuse surgit, carnet en main.

— Vous avez fait votre choix ?

— Monsieur n'a pas eu le temps de regarder le menu, expliquai-je à la fille.

Ethan lui tendit la carte sans l'avoir ouverte.

— Je prendrai un hamburger à point et une limonade, je vous prie.

Après avoir commandé une salade aux crevettes, je me concentrai à nouveau sur Ethan.

— Je suis divorcée depuis deux ans, annonçai-je.

— As-tu des enfants ?

— Une fille de dix-sept ans, Shannon... Elle vient de terminer ses études secondaires.

— Des projets universitaires ?

— Le conservatoire d'Oberlin. Elle est violoncelliste.

— Oh !

— Et toi ? Non, laisse-moi deviner ! Je parie que tu enseignes la biologie sous-marine.

— Je suis charpentier.

— Oh ! m'exclamai-je à mon tour.

Je ne m'y attendais pas. Si on m'avait dit qu'Ethan Chapman, ce garçon maigrichon, travaillerait un jour de ses mains et non avec sa tête, j'aurais refusé de le croire. J'eus une pensée pour son glorieux père, Roswell Chapman III, comme on l'appelait. L'été 1962, il était président de la Cour suprême du New Jersey et avait postulé ensuite, sans succès, au poste de gouverneur. Avait-il été déçu de voir ses fils devenir comptable et charpentier, plutôt qu'hommes de loi ou politiciens, selon son modèle ?

— Je n'ai pas été surpris que tu sois romancière, a dit alors Ethan.

— Ah bon ?

— Vous aviez des talents artistiques, dans ta famille. Ta mère peignait, il me semble.

— Elle enseignait, mais la peinture était son violon d'Ingres.

J'avais presque oublié qu'elle aimait installer son chevalet sur la véranda de la villa.

— Ton père était médecin, je crois qu'il écrivait aussi.

— Des chroniques pour un magazine.

— Tu as une fille violoncelliste... Je me rappelle que ta petite sœur, Lucy, jouait sur un violon en plastique.

— Sans blague ? Je n'en garde aucun souvenir, mais tu as probablement raison, car elle joue du violon. Elle fait partie d'un orchestre, les Zyda Chicks.

— Ça ne m'étonne pas !

J'avalai une gorgée de thé glacé en me demandant quel talent aurait Isabel, si elle avait eu la chance de vivre.

Ethan me regardait en souriant, la tête inclinée sur le côté.

— Qu'y a-t-il ?

— Tu es éblouissante.

Je me sentis rougir.

— Sincèrement ! insista Ethan en se calant dans son siège. Mais je pense que nous devrions aborder le sujet qui nous préoccupe. Abby m'a raconté qu'elle t'avait montré une photocopie de la lettre.

Il prit son porte-documents posé à côté de lui et sortit une enveloppe, qu'il me tendit.

Je la détaillai. L'adresse du commissariat y avait été écrite à la main, en lettres légèrement penchées.

— Pourquoi ne l'as-tu pas remise à la police ?

Mon attention s'attacha aux yeux d'un bleu insondable d'Ethan. Je n'avais jamais remarqué leur teinte, puisque, autrefois, du verre aussi épais que celui des bouteilles de Coca-Cola les dissimulait.

— Il me paraît évident que Ned le souhaitait, ajoutai-je.

— Pas tant que ça !

Ethan parlait d'une voix douce, mais avec une autorité indéniable. Bien que je ne sois pas d'accord avec lui, j'appréciais sa manière de défendre son point de vue. Glen n'avait aucun ressort dans les discussions.

— La missive est datée de deux mois avant la mort de Ned, reprit Ethan.

— Oui, mais il ne l'a pas jetée.

— Julie, soupira Ethan, si je la donne aux policiers, ils vont supposer que Ned était coupable. On va nous poser des questions. Ça ne me dérange pas, mais mon père est âgé. Je refuse qu'il finisse ses jours en se demandant si son fils a tué quelqu'un. J'ai un copain au commissariat à qui j'ai soumis le problème, sous forme d'hypothèse. D'après lui, il faudrait rouvrir le dossier. A l'époque, on n'était pas très porté sur les expertises médico-légales. On aurait une approche différente aujourd'hui... Et papa risquerait d'être sur la sellette. Je ne veux pas lui imposer cette épreuve !

Je remarquai le visage soucieux d'Ethan et son raisonnement me toucha malgré moi. Je ferais mon possible pour que ma mère n'entende pas parler du document, mais y parviendrais-je ? L'écriture de mes livres m'avait appris que l'ami d'Ethan voyait juste. Malgré l'ancienneté de l'affaire, il faudrait repartir de zéro. Je priai le ciel que maman ne soit pas impliquée. Quant à Ross

Chapman, il serait certainement interrogé, car il avait confirmé l'alibi de Ned.

— Ta mère est toujours en vie ? demandai-je.

La serveuse arriva avec la commande avant qu'Ethan me réponde et nous avons échangé de menus propos au sujet du coup de soleil dont elle souffrait. Elle s'était endormie sur la plage, nous apprit-elle, les mains plaquées sur ses joues écarlates, quand elle eut déposé les assiettes sur la table.

— Je suis au supplice ! lança-t-elle d'un ton pathétique.

Ethan plongea la main dans sa serviette et en sortit un onguent.

— Prenez ça ! Vos brûlures vont se calmer instantanément.

— Merci.

— Vous pouvez garder le tube.

— Comme c'est gentil de votre part ! fit la fille, ravie, en glissant le présent dans la poche de son tablier. Inutile de me laisser un pourboire...

Dès qu'elle eut tourné le dos, je questionnai Ethan :

— Tu as toujours une crème de protection solaire sur toi ?

J'aimais la facilité avec laquelle il s'était adressé à la jeune femme ; Glen l'aurait simplement ignorée. Quelle idée, cependant, de passer mon temps à comparer les deux hommes !

Ethan haussa les épaules.

— J'apprécie la vie au grand air ; mais au bout de deux minutes de soleil, j'ai le visage en feu. Je dois m'exposer progressivement.

J'entrevis le petit garçon fragile, caché maintenant

derrière une façade virile. Les muscles de ses avant-bras se dessinèrent harmonieusement quand il porta le hamburger à sa bouche. Un triangle de peau bronzée apparaissait dans l'échancrure de son col de chemise ; mon regard se perdit un instant dans la douce vallée à la base de son cou.

Mon bas-ventre se contracta alors. Je n'avais pas éprouvé cette sensation depuis si longtemps qu'il me fallut un moment pour reconnaître la tension du désir.

Un bien étrange phénomène...

— Je te questionnais sur ta mère, repris-je, pour retrouver la sécurité relative de la conversation.

Ethan avala une bouchée de hamburger.

— Eh bien, elle est décédée l'année dernière. C'est une des raisons pour lesquelles je m'inquiète au sujet de mon père ! Cette disparition l'a brisé et la mort récente de Ned l'a cruellement frappé. Je l'incite à consulter un psychiatre spécialisé en gériatrie, mais il ne veut aucun soutien... Comme Ned de son vivant. Au point où papa en est, j'ai l'impression qu'il ne demande plus qu'à mourir.

— Est-il malade ?

— Non, simplement vieux et triste. Il vit dans une résidence pour personnes âgées autonomes, à Lakewood. Je lui ai signalé que nous déjeunions ensemble, histoire de tester sa réaction. Il a paru surpris, rien de plus. Je crois qu'il n'a pas saisi qui tu es.

Ethan porta une frite à sa bouche, la reposa, puis la mangea.

— Et toi, as-tu encore tes parents ?

— Mon père est mort d'une crise cardiaque, deux ans après Isabel.

A quoi bon insister sur le fait que la perte de sa fille préférée avait eu un effet dévastateur sur lui ?

— Quant à ma mère, elle va bien et travaille chez McDonald's.

Le visage d'Ethan s'éclaira d'un sourire.

— Elle a toujours été une force de la nature !

— Je crois, articulai-je lentement, que nous devrions penser aussi à la famille de George Lewis.

Je mangeai ma salade de crevettes du bout des lèvres.

Ethan pressa sa serviette sur sa bouche.

— Bien sûr ! Je me sens très mal à l'aise à ce propos, mais Lewis est mort et...

Je l'interrompis énergiquement.

— C'est une histoire navrante. J'ai toujours eu la conviction qu'il était innocent et que je ne pouvais rien pour lui.

Ethan garda le silence et mordit dans le hamburger.

— Ned t'aurait-il laissé entendre qu'il en savait plus que nous ? ajoutai-je.

— Nous n'en avons jamais parlé. Je me rappelle qu'au début les parents attribuaient son changement à... ce qui était arrivé à Isabel, mais nous n'avons pas abordé le sujet une seule fois.

Ethan promenait sa paille de long en large dans le verre. Il avait les ongles courts et soignés, les mains raffinées.

— Nous avions peu de points communs, Ned et moi, reprit-il ; des centres d'intérêt différents et une philosophie de la vie opposée. J'ai tendance à voir le côté plein de la bouteille ; Ned s'attachait à celui qui était vide...

— Et ton père ? Sa version des événements n'a jamais varié, en ce qui concerne l'endroit où était Ned cette nuit-là ?

Ethan me regarda en plissant les yeux.

— Julie, je t'en prie, ce n'est pas le moment de jouer les Alice. Il ne s'agit pas de l'intrigue d'un de tes romans. Reviens à la réalité ! Il est question de mon père et de mon frère.

Un sentiment de colère monta en moi.

— Tu oublies *ma* famille !

Je fis mon possible pour ne pas hausser le ton, car la sérénité d'Ethan m'impressionnait.

— Crois-tu que j'aie envie de me replonger dans cette histoire ? De revivre une fois de plus la fin tragique d'Isabel ? Surtout pas ! Cette idée me terrifie. Mais chacun d'entre nous éprouve le besoin de savoir ce qui s'est réellement passé. Si tu ne remets pas cette lettre à la police, je n'aurai plus qu'à lui envoyer la photocopie qu'Abby m'a remise.

La fourchette en l'air, des clients du restaurant me dévisageaient. Je me rendis compte que ma voix m'avait trahie.

— Désolé ! marmonna Ethan. Les tiens et les miens sont dans le marasme, et tu as raison de penser qu'il faut avertir les autorités. Accepterais-tu pourtant d'attendre un peu ?

— Non. Ton père vivra peut-être encore une dizaine d'années...

Je me sentis cruelle, mais ma famille endurait depuis quarante et un ans la perte d'Isabel ; et l'emprisonnement injustifié de George Lewis avait pesé sur celle d'Ethan. Si Lewis n'avait pas été détenu, peut-être serait-il encore en vie. Dans l'éventualité d'une terrible erreur judiciaire, il était temps de rétablir la vérité.

— Tu penses que Ned est coupable ? questionna Ethan.

J'acquiesçai d'un signe de tête.

Ethan baissa aussitôt les yeux en soupirant, puis laissa errer son regard à travers la vitre.

— Très bien, je vais adresser le document à la police.

— Pourquoi ? demandai-je, éberluée par cette pirouette.

— J'ai besoin d'obtenir la certitude que tu te trompes, répondit Ethan en me regardant droit dans les yeux.

6

Lucy

J'habite Plainfield, à dix minutes en voiture de Westfield et à deux pâtés de maisons du lycée où j'enseigne. J'ai donc l'habitude de faire les trajets à pied pour me rendre à mon travail. Ce jour-là, l'air conditionné était tombé en panne dix minutes après le début de mon cours d'été. J'avais eu du mal à me concentrer sur mon exposé et les élèves, jamais enchantés d'étudier, auraient donné n'importe quoi pour ne pas être coincés entre quatre murs. Nous souffrions ensemble, une vingtaine de gosses grincheux et moi. Quand la cloche a sonné, j'étais aussi contente qu'eux.

Sur le chemin du retour, je me suis demandé comment s'était passé le déjeuner de Julie avec Ethan. Malgré mes efforts pour la dissuader, je savais qu'elle avait raison de vouloir remettre la lettre à la police. J'étais, par ailleurs, navrée de la voir subir une telle épreuve et aurais préféré qu'elle donne rendez-vous à Ethan un jour où je pourrais l'accompagner. Elle semblait inquiète et je l'avais appelée pendant ma pause pour l'encourager. Comme elle roulait en direction de Spring Lake, elle avait refusé de me parler sur son téléphone portable. Tout le portrait de Julie ! La prudence même, et cette peur continuelle de mal faire.

Je vis dans une de ces grandes maisons victoriennes, magnifiquement restaurées, sur la 8e Rue Ouest. Elle est divisée en trois appartements spacieux ; au dernier étage, dans la tourelle ensoleillée, j'ai installé une salle de musique. J'ai pour voisins le couple gay qui a rénové la bâtisse et un couple afro-américain qui enseigne au lycée. Parfois, le soir, nous nous asseyons tous les cinq sur la véranda et papotons. Je ne gêne personne quand je joue du violon, ce qui est une aubaine. J'adore l'endroit où je vis !

J'ai su, avant d'arriver chez moi, que Shannon s'y trouvait : elle était à la fenêtre de la tourelle, d'où elle me guettait vraisemblablement. Nous nous sommes saluées de loin. Que se passait-il ? Elle a une clé pour venir me voir quand elle veut, mais c'était sa première visite impromptue depuis des mois.

Après avoir traversé le vestibule dallé de marbre, j'ai gravi l'imposant escalier circulaire.

— Bonne journée au lycée ?

La tête en arrière, j'aperçus Shannon dans les hauteurs, penchée au-dessus de la rampe.

— Une chaleur étouffante... La climatisation est tombée en panne.

— Oh, ma pauvre !

Arrivée sur le palier, j'embrassai ma nièce.

— Tu ne travailles pas ?

— Plus tard ! J'ai à te parler...

Shannon a de magnifiques yeux bruns, auxquels, j'imagine, les garçons succombent. Il me sembla pourtant qu'ils étaient légèrement rougis.

En évitant de la dévisager, j'ai posé la main sur son épaule quand nous sommes entrées dans mon appartement.

— Un problème, ma chérie ?

Elle a glissé un bras autour de ma taille.

— Rien ne va plus !

J'ai abandonné mon porte-documents sur un siège de la salle à manger.

— Tu veux boire quelque chose ?

J'ai soulevé le bord de mon débardeur vert et l'ai agité d'avant en arrière, pour apporter un peu de fraîcheur à ma peau moite.

— Soda ? Thé glacé ? ai-je poursuivi.

— J'en ai déjà pris un.

D'un signe de tête, Shannon m'a indiqué la table basse du salon : un verre presque vide y était posé. Elle était donc arrivée depuis un moment.

— Du thé à la mangue... C'est bon, n'est-ce pas ?

— Hum !

— Je me sers et nous allons parler, proposai-je.

Assise sur le vieux canapé fleuri, au dossier en dos de chameau, Shannon avait l'air d'un mannequin : chemisier et corsaire blancs, contrastant avec les teintes groseille et mauve du tissu d'ameublement. J'allai dans la cuisine en réfléchissant à ce que j'allais lui dire, car elle venait certainement discuter de la réaction de Julie à son projet de passer l'été chez Glen. Je lui avais promis mon soutien et ne manquerais pas à ma parole.

A mon retour, elle se propulsa au bord du siège, comme pour un entretien d'embauche. Je pris place dans mon fauteuil le plus rembourré, les jambes sur un accoudoir, et envoyai promener mes sandales d'un coup de pied.

— Je sais que ta mère n'a pas apprécié ton intention de t'installer chez ton père, risquai-je en portant le verre à mes lèvres.

Les yeux baissés, Shannon croisa les mains sur ses genoux.

— Effectivement, mais ce n'est pas la raison de ma présence ici.

— Non ?

Elle me fixa. Ses yeux étaient vraiment rougis.

— Je suis enceinte. Désolée... fit-elle d'un air contrit.

Je restai sans voix, la mâchoire tombante.

— Tu étais sous pilule, non ?

— J'en ai oublié une.

Shannon se mit à jouer avec les franges du châle beige posé à côté d'elle.

— Je l'ai prise le lendemain, dès que j'y ai pensé, mais je suppose que c'était trop tard.

— A combien de semaines en es-tu ?

— Seize, à peu près.

— *Seize !*

Je scrutai son ventre, masqué par sa blouse large. Tout s'éclairait brusquement : sa prise de poids, son manque d'entrain, la morosité de son visage.

— Je dois accoucher le 20 décembre, Lucy.

— Tu dois... Tu veux dire que tu as l'intention de... garder l'enfant ?

— J'en ai parlé avec le père... et nous avons pris cette décision.

— Qui est-ce ? demandai-je sans animosité, plus intriguée qu'émue. Julie m'a dit que tu ne sortais plus depuis des mois.

— Elle a raison. Je suis follement amoureuse ! Le père de mon bébé vit au Colorado et s'appelle Tanner Stroh.

— Comment l'as-tu connu ?

Mes pensées traversaient mon esprit trop vite pour que je puisse les saisir au passage. Comment Julie réagirait-elle à la nouvelle ? Et maman, en apprenant qu'elle allait devenir arrière-grand-mère ? Quant à la carrière musicale de Shannon...

— Je l'ai rencontré sur Internet quand je faisais des recherches au sujet de la guerre de Sécession. Je suis allée sur son site et nous avons communiqué par e-mail. Nous discutons aussi par téléphone...

J'enseignais l'histoire américaine et l'idée que ce type du Colorado s'intéresse au conflit interne qui avait déchiré mon pays me plut. Pour un peu, j'aurais demandé à Shannon s'il penchait plutôt en faveur du Nord ou du Sud.

— Apparemment, vous vous êtes rencontrés *en personne,* remarquai-je, un doigt pointé vers son estomac.

— Il est venu pendant les vacances de printemps.

Tout en parlant, Shannon avait arraché un morceau de la frange du châle.

— Oh, pardon !

— Ce n'est rien.

D'un geste, j'invitai ma nièce à poursuivre ses explications.

— Où a-t-il séjourné ?

La lèvre inférieure tremblante, Shannon hocha la tête comme si elle avait du mal à croire à sa chance de l'avoir rencontré.

— Il a des amis à Montclair. Tu l'adorerais, j'en suis sûre !

Je n'en étais pas persuadée. A vrai dire, je regrettais que Shannon ne m'ait pas informée *beaucoup plus tôt,* pour que nous ayons une conversation sérieuse sur les options envisageables. A cela s'ajoutait un léger sentiment de trahison, car Shannon m'avait toujours fait confiance et je croyais ne rien ignorer à son sujet.

— Pourquoi ne m'as-tu pas parlé de ce Tanner ?

Les déjeuners et les dîners que nous avions partagés depuis six mois me revenaient à l'esprit, Shannon ne m'avait pas touché un mot de ce mec auquel elle devait penser sans cesse.

— J'avais trop peur que tu ne me traites d'idiote.

— L'ai-je déjà fait ? Pourquoi commencerais-je maintenant ?

Elle tripota les poils de la frange restés dans sa main.

— Parce qu'il vit loin d'ici et que je l'ai connu sur Internet, et tout...

— *Et tout ?* repris-je, soupçonneuse.

— Son âge... Il a vingt-sept ans.

Shannon s'immobilisa, comme si elle attendait ma réaction.

J'essayai de garder une expression impassible. Mes éventuels commentaires me semblaient sans intérêt.

— Et que sais-tu de lui ? demandai-je d'une voix aussi neutre que possible.

— Tanner est extraordinaire... Il prépare un doctorat d'histoire. La guerre civile était son sujet de maîtrise. Il travaille désormais sur l'Holocauste. Il est brillant... Il veut enseigner à l'Université.

Ce dernier détail visait à conquérir mon cœur, car j'ai un faible pour les universitaires.

— Comment a-t-il réagi quand tu lui as annoncé la nouvelle ?

Ce génial professeur en herbe m'inspirait une confiance mitigéc. Il vivait à près de trois mille kilomètres de sa dulcinée. N'était-ce pas un escroc qui bluffait au sujet de ses diplômes ? Il avait tout de même un site sur Internet... Je ne manquerais pas d'y jeter un coup d'œil.

— Il était bouleversé, surtout pour moi, me répondit Shannon. Il ne souhaite pas que j'avorte, mais comprend que mes projets d'avenir sont compromis. Il me demande d'agir selon mon désir.

— Et alors ?

Shannon prit une voix implorante.

— C'est *impossible,* Lucy ! L'année dernière, j'aurais fait passer l'enfant, pour ne pas interrompre mes études secondaires. Mais si je prenais cette décision maintenant, je me sentirais égoïste...

Elle posa les mains sur son ventre à peine arrondi.

— Ma chérie ! murmurai-je, attendrie à l'idée qu'elle s'était donné tant de mal pour cacher son secret.

Je pensai à son excellente moyenne et à ses responsabilités en tant que déléguée de classe. Comment avait-elle fait pour s'en tirer si bien ? Elle était épatante, à sa manière.

— Tanner assumera ses responsabilités financières, repartit Shannon. Il me propose de m'installer au Colorado. Nous trouverons un travail et il suivra ses cours à mi-temps. Dès que le bébé aura un peu grandi, je reprendrai mes études.

Les larmes aux yeux, je songeai à la carrière de ma nièce, que nous avions crue programmée : après un cursus musical dans une école prestigieuse et compétitive, Shannon obtiendrait une place dans un orchestre, où son talent lui permettrait de se distinguer. Etait-elle maintenant condamnée à une existence marginale au Colorado, avec un homme qu'elle connaissait à peine et un enfant à materner ?

— Je t'ai bouleversée, Lucy ?

— Oui, admis-je. J'ai du mal à encaisser.

— Il y a longtemps que j'aurais dû te mettre au courant !

— Tu te doutais de ma réaction... Je me soucie de ton avenir parce que je t'aime.

Shannon déglutit avec peine et sa lèvre inférieure se remit à trembler.

Assise bien droite sur mon siège, les mains jointes au creux de ma longue jupe, je sentis ma natte tomber par-dessus mon épaule quand je me penchai vers ma nièce.

— J'essaie d'envisager les conséquences pour toi...

— Tu sais que j'adore les enfants, répliqua Shannon. Je pensais être violoncelliste d'abord, mère ensuite. Je vais faire l'inverse, mais si j'avais dû choisir entre les deux, c'est à la maternité que j'aurais donné la priorité.

Disait-elle vrai ?

Elle avait décidé d'intégrer une formation symphonique depuis la première fois que Julie et Glen l'avaient emmenée à un concert du New York Philarmonic, à l'âge de cinq ans. Les adultes de son entourage, heureux de favoriser ce rêve, avaient-ils ignoré ses désirs plus communs ou se faisait-elle des illusions ?

— Tu as toujours évoqué ta vocation musicale, lui rappelai-je.

— Cette passion ne m'a pas quittée et je compte la mener à bien, mais pas tout de suite ! Tu n'es pas allée immédiatement à l'université. Est-ce si terrible ?

— Bien sûr que non !

Je faillis demander à Shannon si Tanner comptait l'épouser et comment elle pensait se remettre à l'étude en s'occupant d'un enfant, mais ces questions ne serviraient à rien, du moins pour l'instant. Je continuai à l'écouter en évitant de porter un jugement, car on ne manquerait pas de la juger par ailleurs.

— Combien de temps vas-tu cacher ton secret à ta mère ? lançai-je enfin. Tu veux aller vivre chez ton père parce que tu supposes qu'il ne remarquera rien ?

— Je me demande...

Shannon étira la frange entre ses deux mains et la laissa tomber sur ses genoux.

— Tanner ne peut pas me recevoir chez lui avant septembre ; il vit avec d'autres personnes, actuellement, et il n'y a pas de place pour moi.

Je haïssais cet homme. Sale égoïste ! Une des personnes avec lesquelles il cohabitait était-elle sa femme ? J'étais sur le point de questionner Shannon, mais parvins à garder la bouche hermétiquement close.

— Alors... que faire ? conclut Shannon. Je me suis dit que je devrais peut-être m'installer chez toi, puisque tu es au courant...

J'arborai une mine perplexe.

— Parle à tes parents, Shannon. C'est indispensable ! En as-tu conscience ?

— Maman va péter les plombs, quand elle saura.

Je ne doutais pas que Julie serait au bord de la crise de nerfs. Un bébé hors des liens du mariage. Les études de Shannon et son avenir prometteur compromis, alors que Julie l'avait emmenée passer des auditions dans les écoles de musique de son choix, à travers l'est des Etats-Unis ! Et surtout, l'impression que quelque chose ne tournait pas rond : à dix-sept ans précisément, Shannon subissait une catastrophe qui bouleversait sa vie. C'était un comble !

— Elle va *péter les plombs,* repris-je, mais tu dois quand même l'informer.

7

Julie
1962

Avoir mes règles le troisième jour après notre arrivée au bord de la mer me semblait la pire calamité. Nous étions sur le point de partir pour la « plage des bébés », ainsi baptisée parce que sa situation sur la baie et non sur l'océan lui assurait des eaux assez calmes, idéales pour les petits. J'adorais y nager et espérais me faire des copains, car la solitude commençait à me peser. Je regrettais presque mon ancienne amitié avec Ethan, car il n'y avait pas d'autres enfants de mon âge dans le voisinage. Lucy comptait pour du beurre – elle avait peur de tout – et Isabel ne s'intéressait plus à moi.

Dans le salon, Lucy regardait *The Edge of Night* en gonflant sa bouée. Izzy était allée chercher le parasol au garage et je rassemblais les draps de bain, quand j'eus cette sensation douloureuse au bas-ventre, devenue familière depuis quelques mois. Dans la minuscule salle d'eau du grenier, dissimulée derrière un rideau, j'ai retiré mon maillot et aperçu la tache.

Stoïque, je refoulai mes larmes. C'était l'époque antérieure aux bandes périodiques minces ou autocollantes. Je mis précipitamment la ceinture hygiénique que j'avais prise en horreur et y fixai la volumineuse protection en maudissant le fait d'être née femme. Ensuite, revêtue d'un short et d'un haut, j'achevai ma besogne et descendis dans la cuisine, les bras chargés d'un tas de serviettes.

Ma mère emballait les derniers sandwiches à la mortadelle dans du papier sulfurisé, quand elle m'aperçut.

— Tu as retiré ton maillot ?

— Je reste ici à cause de ce machin stupide...

— Ma pauvre chérie ! s'exclama maman.

Elle s'approcha pour me serrer dans ses bras, mais elle souriait, ce qui me fit douter de sa sincérité.

— Viens quand même à la plage !

— Tout le monde me demandera pourquoi je reste habillée.

Elle haussa les épaules comme si c'était un problème trivial.

— Si on te pose des questions, réponds simplement que tu n'as pas envie de te baigner.

Izzy entra à cet instant ; elle dodelinait de la tête en écoutant les Four Seasons chanter *Sherry* dans le transistor.

— Le parasol est dans la voiture.

— Baisse le son, je t'en prie, marmonna notre mère.

J'eus un sursaut, de peur qu'Isabel ne se rebelle.

Maman et elle étaient perpétuellement en conflit, la plupart du temps à propos de l'heure du coucher et des vêtements qu'Izzy voulait porter. Ces altercations me lassaient, mais, pour une fois, ma sœur se contenta de tourner le bouton de la radio en continuant à se trémousser. Elle était belle et même sexy, selon le terme employé par les garçons pour parler d'elle. Son deux-pièces rose vif cachait à peine son nombril et sa peau avait un ton ocre, qui se transformerait en un somptueux bronzage après quelques jours au bord de la mer. J'avais hâte d'atteindre son âge !

Elle cessa brusquement de se déhancher pour me regarder fixement.

— Pas encore prête, Jules ?

— Si...

— Oh, fit-elle, sincèrement compatissante, tu as tes règles ?

— C'est si gênant !

— Tu n'as pas de chance, mais je t'apprendrai à utiliser un tampon.

— Non, Julie est trop jeune ! intervint maman.

Elle prit dans le placard les petits badges de plastique que nous devions porter sur notre maillot pour fréquenter la plage privée.

Peu m'importait qu'Isabel m'apprenne ou non à utiliser un tampon ; le fait qu'elle m'ait accordé son attention et proposé son aide comptait beaucoup plus.

— C'est *mon* drap de bain, déclara-t-elle brusquement.

Elle me l'arracha des bras et je lâchai la pile que je serrais contre moi. Je ramassai.

— Quelle importance ?

— Aucune ! marmonna Izzy en m'adressant un clin d'œil destiné à me réduire au silence.

Je crus comprendre, car je n'avais jamais vu ce drap particulièrement grand et doux. Il était imprimé d'une girafe. Sans aucun doute, un cadeau de Ned.

Nous nous entassâmes dans la voiture pour les deux minutes de trajet. Lucy avait placé une serviette sous ses jambes, afin de se protéger du siège brûlant ; sa bouée était déjà autour de sa taille, comme si elle craignait de se noyer dans la chaleur. Je l'ai aidée à accrocher l'insigne à l'une de ses bretelles.

En ce jour de semaine, la plage était peu fréquentée, ce qui me déçut. Du parking, au sol en coquillages broyés, nous avons marché vers l'eau à travers le sable chaud. Pas un garçon ni une fille de mon âge ! Finalement, j'en aperçus un, allongé sur le ventre, qui fourrageait dans une masse d'algues à l'aide d'un bâton. Ethan ! Comment avais-je pu être l'amie d'un type aussi godiche ?

Nous atteignîmes un emplacement jugé parfait par maman. Après avoir posé ses affaires par terre, Isabel planta le parasol et l'ouvrit. Maman et moi avons étalé une ou deux couvertures dessous. Lucy s'est assise aussitôt, affublée de sa bouée, et, les jambes croisées, s'est mise à lire.

— Tu peux étaler ce plaid à côté de l'autre, a suggéré maman à Isabel.

Ma sœur a tourné les yeux vers le perchoir du surveillant et j'ai compris à l'instant que ce dernier n'était autre que Ned Chapman. Voilà pourquoi il était si bronzé ! Il portait des lunettes de soleil et avait le nez enduit d'oxyde de zinc. Ses cheveux blonds paraissaient encore plus clairs que deux jours auparavant et les poils de ses jambes nues scintillaient au soleil. J'éprouvais ce tiraillement étrange qui me surprendrait chaque fois que je reverrais Ned ensuite. Au bout d'une vingtaine de minutes, je me suis plongée dans l'univers réconfortant d'Alice et de ses insondables mystères. Ce désir inconnu qui montait en moi, lié à mon tempérament impétueux et à mon besoin d'excitation, me paniquait, mais Alice me procurait un réel apaisement.

Comme si Ned devinait mes pensées, il a regardé dans

notre direction et nous a fait signe. Je lui ai rendu son salut, tout en sachant que ce n'était pas à moi qu'il s'adressait.

— Je peux rejoindre Mitzi et Pam ? a demandé Izzy.

— S'il te plaît ! a ajouté maman.

— S'il te plaît...

— Bien sûr ! Veux-tu un verre de limonade avant d'y aller ?

— Non merci.

Isabel s'éloignait déjà, avec sa radio et son drap de bain. Maman s'était-elle aperçue que Ned était dans les parages ? A grandes enjambées, ma sœur a rejoint les adolescents qui se doraient au soleil, au pied du poste d'observation de Ned, en faisant beugler leurs transistors. Que n'aurais-je pas donné pour être à la place d'Izzy ! Je voulais apprendre à utiliser un tampon, avoir les jambes longues et bronzées, et les seins épanouis. J'aspirais à ce que les garçons se retournent sur mon passage, comme ils le faisaient sur celui d'Izzy.

Le groupe l'accueillit. Pamela Durant s'est redressée et a tiré sur une bretelle de son maillot de bain, glissée le long de son épaule. Elle a tapoté sa couverture en souriant et Isabel y a pris place. La bande comptait une dizaine de jeunes gens : silhouettes élancées, torses nus, poitrines bronzées, cheveux ondulés et brillants, peau enduite d'huile solaire teintée. La plupart fumaient, mais je n'imaginais pas Izzy avec une cigarette.

Je connaissais certains de ses copains, car elle les fréquentait depuis plusieurs années. Mitzi Caruso était la plus gentille, mais la plus timide et la moins jolie. Elle avait les cheveux noirs et plutôt crépus, et une certaine tendance à l'embonpoint. Pamela Durant était splendide ;

peut-être encore plus jolie que ma sœur. Elle avait une longue queue-de-cheval blonde sur le côté de la tête et me rappelait Cricket, le personnage joué par Connie Stevens dans *Hawaiian Eye.* Bruno Walker, l'ami de Ned, ne m'était pas inconnu. En fait, il se nommait Bruce, mais seuls les adultes l'appelaient ainsi. Il avait les yeux verts, les lèvres boudeuses, le corps robuste et musclé. J'avais entendu Isabel et Pam dire qu'il ressemblait à Elvis Presley. Il passait pour un fonceur : un jour où il avait trop bu, il avait roulé *sur* le capot d'un copain. Un beau garçon, ce Bruno, mais il ne m'intéressait pas autant que Ned.

Je vis ce dernier sauter dans le sable pour s'approcher d'Isabel. Il posa une main sur son épaule et se pencha en lui chuchotant quelque chose à l'oreille. Elle rit et s'amusa à tirailler le sifflet noir qui pendait au cou de Ned. Une fois de plus, mon ventre fut chamboulé. « Un surveillant de plage est censé se concentrer sur les baigneurs ! » pensai-je en moi-même. Je m'allongeai sur la couverture, de manière à tourner le dos à Izzy et Ned, et fermai les yeux. J'étais purement et simplement jalouse.

Je savais, au sujet d'Isabel et Ned, une chose que tout le monde ignorait et dont je pourrais tirer profit, le cas échéant. La veille, Izzy et moi lisions sur la véranda, tandis que maman ébauchait un paysage sur son chevalet. On aurait dit qu'elle se préparait à représenter la cabane de l'homme au coq. Qu'elle sache ou non qui habitait là, je n'avais pas l'intention de lui parler de ma visite à ce vieillard.

Isabel avait levé les yeux de son livre.

— Je peux aller faire un tour en bateau avec Ned aujourd'hui ?

Je m'attendais à l'habituel « s'il te plaît » de maman, mais elle se contenta de regarder de l'autre côté du canal, comme si elle était plongée dans ses pensées.

— Si tu veux, à condition qu'Ethan ou Julie vous accompagne.

Quelle chance ! Je mourais d'envie de monter dans le Boston Whaler des Chapman. Peut-être ferions-nous du ski nautique. Mais Izzy ne l'entendait pas ainsi.

— C'est absurde ! dit-elle en refermant son bouquin.

Elle se leva et rentra dans la maison.

— Rappelle-toi, lui cria maman, que tu dois trouver un job pour l'été.

Elle se remit ensuite à peindre, comme si de rien n'était. Déçue, je me replongeai dans *Alice et le clavecin.* Plus tard dans la journée, comme je marchais seule jusqu'à la plage, j'aperçus Isabel, debout sur le ponton de la petite marina, à l'extrémité du canal. Je l'appelai ; elle ne sembla pas m'entendre. Je vis ensuite Ned approcher à bord du Boston Whaler. Il tendit la main et Isabel sauta dans la vedette.

Je restai figée sur place, bouche bée, car je n'aurais pas cru ma sœur capable de désobéir aussi effrontément à notre mère. Dévorée de jalousie, je vis l'engin prendre de la vitesse et foncer vers le large. J'engrangeai aussitôt cette image dans ma mémoire, en prévision du jour où j'en aurais besoin.

— Viens, Lucy ! dit brusquement maman. Allons nous baigner !

J'ouvris les yeux. Elle avait disposé les sandwiches, la Thermos, la lotion solaire et ses livres sur la couverture.

— Je lis, grommela Lucy.

Bien qu'elle fût hors de mon champ visuel, j'aurais

juré qu'elle n'avait pas levé les yeux de sa lecture. Maman s'agenouilla devant elle.

— Un nouvel été commence, Lucy. Tu as huit ans et tu ne devrais plus avoir peur de l'eau.

Lucy resta muette.

— Poule mouillée ! lançai-je en soulevant un instant les paupières.

— Chut ! fit maman. Ça n'arrangera rien.

Je me redressai, un peu honteuse : je ne voulais pas être une « méchante grande sœur », d'autant plus que je faisais moi-même cette cruelle expérience.

— Va te baigner, Lucy, et je t'emmènerai ensuite sur les balançoires, murmurai-je.

Lucy se leva avec un soupir trop déchirant pour une enfant.

Après avoir glissé ses boucles sous son bonnet de bain, ma mère aida Lucy à enfiler le sien, comme si elle risquait d'avancer assez loin pour se mouiller les cheveux.

Elles s'approchèrent, la main dans la main, de la zone délimitée par une corde. Maman désigna un avion volant au-dessus de la baie, qui traînait derrière lui une publicité pour Coppertone. Comme je l'avais supposé, Lucy s'arrêta net dès qu'elle eut de l'eau jusqu'aux genoux. Je n'entendais pas les paroles de ma mère, mais j'aurais juré qu'elle cherchait à convaincre ma sœur de continuer, tandis que celle-ci refusait en hochant la tête. Finalement, maman renonça.

Elle plongea dès que ce fut assez profond et évolua au-delà du périmètre protégé, parallèlement au rivage, avec de longs gestes fluides. Une femme devenue sirène. Elle m'avait appris à nager quand j'avais l'âge de Lucy ; j'eus une soudaine envie de la rejoindre.

J'observai Lucy un instant. Debout dans son maillot de bain jaune chiffonné, toujours sec, elle regardait notre mère d'un air pathétique. Navrée, je faillis verser une larme.

— Lucy chérie ! appelai-je d'une voix câline.

Elle se tourna vers moi.

— Reviens sur la couverture, lui suggérai-je.

Elle m'obéit, retira sa bouée et son bonnet de bain, puis s'assit à mes côtés pour lire.

— Allonge-toi, je te mettrai de la lotion solaire !

Maman avait déjà procédé à l'opération, mais je voulais manifester ma tendresse à Lucy. Elle s'allongea sur le ventre et j'étalai le produit parfumé à la noix de coco sur son dos. Ses omoplates pointaient sous mes paumes. Que Lucy me semblait fragile ! J'aurais voulu me pencher vers elle et la serrer dans mes bras pour lui transmettre un peu de ma hardiesse – car j'en avais à revendre.

Comme je rebouchais le tube, je remarquai M. et Mme Chapman derrière nous. Ils étaient assis sur des sièges de plage en toile rayée et Mme Chapman, les yeux fermés, jouissait du soleil. Elle avait de jolis cheveux blonds, coupés en calotte autour de la tête. M. Chapman bouquinait, mais il dut sentir mon regard, car il retira ses lunettes en se tournant vers moi.

— Bonjour, Lucy, fit-il sans enthousiasme.

— Je suis Julie.

— Julie, bien sûr !

Je jetai un coup d'œil vers l'endroit où j'avais aperçu Ethan ; il n'y était plus. Il se tenait au loin, sur la jetée, serrant une ficelle dont l'extrémité disparaissait sous la surface de l'eau. Il pêchait probablement des crabes. Si je l'avais encore supporté, je lui aurais volontiers tenu compagnie.

— Charles... ton père... est-il reparti pour Westfield, cette semaine ? s'enquit M. Chapman.

Je lui adressai un signe de tête affirmatif.

— Vous ne rentrez pas, vous aussi ?

— Ce n'est plus nécessaire depuis que je siège à la Cour suprême. Nous faisons une pause en été.

Troublée à l'idée que M. Chapman occupait une si haute fonction, je crus bon de me battre pour la cause de mon père.

— Pourquoi avez-vous interdit les prières à l'école ?

— Comment ?

M. Chapman se mit à rire. Ses traits s'adoucirent et je surpris en lui un peu du charme de Ned.

— La Cour suprême des Etats-Unis a tranché en ce sens. Quant à moi, je suis président de celle du New Jersey.

— Oh ! fis-je, gênée par mon ignorance.

— Mais j'aurais pris la même décision, si j'avais dû me prononcer.

Je compris soudain pourquoi papa ne semblait pas avoir beaucoup d'affinités avec M. Chapman. On ne les voyait jamais bavarder ensemble !

— Tu ne vas pas commencer, Ross, grommela Mme Chapman, toujours souriante, sans interrompre son bain de soleil.

— Je pense qu'on doit prier au début de chaque journée scolaire...

Comme je me sentais adulte et reconnaissante à mon père de m'indiquer le droit chemin !

M. Chapman se pencha vers moi. Ses yeux avaient la couleur de la cafetière d'étain de ma mère.

— Tu as raison de prendre parti, Julie, quelle que soit ton opinion ; mais je ne suis pas d'accord avec toi. Il n'y a pas que des chrétiens dans notre pays ; il y a des juifs, des musulmans et des athées. Penses-tu sincèrement que leurs enfants doivent réciter des prières chaque matin ?

Je ne connaissais qu'une fille juive et n'avais jamais rencontré de musulmans. L'argument de M. Chapman était imparable, mais je croyais trop farouchement à l'infaillibilité de mon père pour faire machine arrière.

— Les athées sont stupides, proclamai-je, les joues écarlates, consciente de l'ineptie de ma remarque.

— Ils pourraient en dire autant à propos de tes croyances, Julie.

— Etes-vous athée ? demandai-je à M. Chapman, supposant que c'était là l'explication de sa prise de position.

— Non, je suis catholique comme toi, mais il peut y avoir des désaccords, au sein des membres d'une même communauté, sur des sujets importants.

Mme Chapman me regarda, une main en visière, puis elle s'adressa à son mari :

— Cesse de titiller cette petite !

— Nous avons une saine discussion.

J'étais ravie que M. Chapman exprime ce point de vue, malgré mes commentaires navrants.

— Comment vas-tu, Julie ? me demanda aimablement Mme Chapman. Nous n'avons pas encore eu l'occasion de voir ta famille, cet été. Où est ta mère ?

Je pointai un doigt vers la baie, mais maman était déjà sortie de l'eau. Elle retira son bonnet de bain et ses boucles sombres encadrèrent son visage. Comme la plupart des femmes de son âge, elle portait un maillot noir à jupette, alors que ses cuisses longues et minces n'avaient nul besoin d'être dissimulées. Je me sentis fière de sa beauté...

Elle prit une serviette sur notre couverture et s'épongea le visage.

— Bonjour, Joan ! Bonjour, Ross !

— Maria, fit M. Chapman en s'inclinant.

— Comment est l'eau ? s'enquit Mme Chapman.

— Glacée... mais agréable. Maman se tourna vers Lucy et moi.

— Si nous déjeunions, les filles ?

Elle s'assit sur le plaid, le dos tourné aux Chapman. Je ne pouvais donc plus les voir. C'est ainsi que se termina ma « saine discussion » avec M. Chapman.

Nous étions en train de manger nos sandwiches pain de mie-mortadelle, quand je regardai du côté d'Isabel et de ses copains. Plus personne. Je savais où ils avaient émigré ! Assis sur le perchoir du surveillant de plage, un garçon inconnu manipulait maintenant le sifflet noir. La bande s'était entassée sur le lourd radeau ancré dans les eaux plus profondes, maintenu à flot par des bidons d'essence vides. La place était à peine suffisante pour l'accueillir dans son ensemble. De loin, j'entendais les rires et la musique.

Comment le groupe avait-il fait pour emporter une radio sans la mouiller ? Ma sœur et une autre fille dansaient en rythme. En équilibre sur le bord, Bruno Walker fit sous mes yeux un plongeon parfait, nagea et revint se hisser au sec, à la force des poignets. J'admirai au passage ses bras musclés. Il s'assit à côté de l'une des filles que je ne connaissais pas.

J'ai mastiqué longuement mon sandwich, fascinée par

le spectacle. Je n'étais jamais montée sur la plateforme, mais en mourais d'envie. Bonne nageuse, j'aurais été capable de me percher à la manière de Bruno, si je n'avais pas été intimidée par tous ces jeunes gens, Isabel incluse. C'était leur territoire et une gamine de douze ans n'y avait pas sa place. En les observant, comment aurais-je pu songer que ma sœur, si resplendissante, serait morte avant la fin de l'été, et que ce radeau, un jour, hanterait mes rêves ?

8

Maria

Je désherbe mon jardin chaque jour. En cette fin du mois de juin, je voyais déjà des mauvaises herbes poindre à travers la paille que Julie et Lucy avaient étalée pour moi. Les gens ont généralement horreur de désherber ; ce n'est pas mon cas. J'adore m'exposer au soleil – sans doute à cause de mes origines italiennes – et mon goût pour la vie au grand air a peut-être accru le nombre de mes rides, mais je m'en moque. Le grand âge est un privilège qui n'est pas donné à tout le monde. J'éprouve de la reconnaissance pour chaque instant de mon existence.

Je m'efforce d'entretenir parfaitement les plates-bandes en arrachant les mauvaises herbes autour des bégonias rouges et des pivoines roses. L'ordre surgit ainsi du chaos ! A cet égard, Julie est comme moi. Avec Lucy, c'est une autre histoire. Je la trouve négligente et compliquée. J'essaie de ne pas me demander comment aurait été Isabel, car ce genre de pensée peut mener droit à la folie.

Ce matin-là, assise sur le petit siège à roulettes que m'a offert Julie, je m'occupais de la bordure à côté des marches de la véranda, quand une voiture s'est engagée dans l'allée. Un véhicule imposant, avec un long capot, comme en conduisent les vieux messieurs. Un homme d'à peu près mon âge en est sorti.

J'ai posé mon déplantoir et me suis levée lentement. Je sais par expérience que j'ai intérêt à me mettre debout sans précipitation quand j'ai travaillé au soleil, sinon tout s'obscurcit pendant quelques secondes. Après avoir retiré mes gants de jardinage, je les ai jetés sur le paillis. J'ai vu un vieillard, appuyé sur une canne, s'approcher clopin-clopant.

— Bonjour ! ai-je lancé en faisant quelques pas sur la pelouse.

— Bonjour, Maria.

Il m'a adressé un signe et mon esprit s'est emballé, comme chaque fois qu'une personne dont le visage ne m'est pas familier semble me reconnaître. J'ai gardé une assez bonne mémoire visuelle, mais ai parfois du mal à situer les gens que je rencontre hors de leur contexte. Avais-je croisé cet inconnu à l'église ? Au McDo ? La main en visière, je l'ai scruté un moment. Il était grand et maigre, avec des cheveux blancs très clairsemés sur le sommet du crâne. Sa canne n'avait rien d'une coquetterie, car il avançait vers moi en boitillant.

Quand il m'a souri, quelque chose m'a paru familier dans la courbe de ses lèvres, mais je restais incapable de l'identifier.

— Tu ne me reconnais pas ? fit-il sans acrimonie.

— Non, je suis navrée... Seriez-vous par hasard un paroissien de Holy Trinity ?

Il m'a tendu sa main droite.

— Ross Chapman.

Bien que je me sois redressée sans hâte, j'ai senti ma

tête tourner. Agrippée aux doigts de Ross, je ne pouvais plus articuler un mot.

— Ça fait un bail, a-t-il murmuré.

— Oh oui !

— Toujours éblouissante...

La remarque m'a surprise, car je portais ma salopette de jardinage et avais probablement le visage maculé de terre.

— Merci.

Je n'ai pas pu retourner le compliment à Ross ; s'il avait été, jadis, un très bel homme, il s'était flétri au cours des quarante et une dernières années. Après notre ultime séjour à la villa, en 1962, j'avais eu l'occasion d'apercevoir son visage dans les journaux ou à la télévision, car il était une personnalité du New Jersey. Ancien candidat au poste de gouverneur ! Mais il ne ressemblait plus au brillant politicien qu'il avait été.

— Tu passes tes journées à jardiner ? s'est-il enquis, un doigt pointé vers les fleurs.

— Je travaille aussi au McDonald's de Garwood et suis bénévole à l'hôpital.

Il a affiché un air approbateur.

— Au McDonald's ? C'est extraordinaire... Tu as toujours été très active.

Un lourd silence a plané un moment.

Que faire de Ross ? Je n'avais aucune envie de l'inviter à entrer, mais la nécessité s'est imposée à moi.

— Puis-je t'offrir quelque chose à boire ? ai-je finalement lâché.

— Volontiers.

J'ai gravi les marches pour lui ouvrir la porte. Ces quatre degrés de ciment l'ont mis dans un tel embarras que j'ai détourné le regard et fait mine de ne pas remarquer sa fragilité.

— Veux-tu t'asseoir ici ?

Je lui ai indiqué le fauteuil du salon et ai passé en revue les boissons dont je disposais. Il m'a demandé de l'eau glacée.

Dans la cuisine, j'ai sorti posément les verres et les ai emplis de glaçons. Que signifiait la venue de Ross ? Pourquoi cette initiative ? Je me serais volontiers passée, jusqu'à la fin de mes jours, de la visite de mon ancien voisin.

De retour dans le séjour, je constatai qu'il ne s'était pas assis ; il regardait les photos sur le manteau de la cheminée. Entre autres, celle de nous quatre – Charles, Julie, Lucy et moi –, quand les filles avaient quinze et onze ans. La dernière de Charles, car il était mort brusquement d'une crise cardiaque, dans la cuisine, quelques semaines après. Il y avait aussi des clichés de la remise de diplôme de Julie et de Lucy, et de celle de Shannon, en terminale.

Ross la prit et se tourna vers moi, un sourire aux lèvres :

— Tu as une petite-fille ?

— Shannon, la fille de Julie.

Je fus tentée de préciser qu'elle avait été admise à Oberlin et de vanter ses mérites, mais jugeai préférable de ne pas prolonger la conversation plus que nécessaire.

— Charmante !

Ross a ensuite pointé un doigt vers Julie.

— Julie, n'est-ce pas ? Intelligente et fonceuse...

Je tressaillis. Julie était certainement intelligente, mais elle s'était assagie depuis longtemps. A l'époque où Ross l'avait connue, elle débordait effectivement d'énergie.

— Oui, admis-je pour abréger. Elle avait toujours un projet en tête.

Ross boitilla jusqu'au fauteuil et s'assit.

— J'ai une petite-fille et une arrière-petite-fille, dit-il en prenant le verre que je lui tendais, mais ce n'est pas le motif de ma présence.

Après avoir posé un sous-verre sur la table basse à côté de lui, je m'installai sur l'agenouilloir, face à l'autre siège.

— Pourquoi es-tu ici ?

Je frottai ma nuque un peu raide ; ma peau était moite, plus en raison de l'anxiété que de la chaleur.

— Sais-tu que Julie et Ethan déjeunent ensemble, aujourd'hui ?

— Comment est-ce possible ?

Je faillis laisser choir mon verre, car, d'après ce que j'en savais, Julie et Ethan Chapman n'étaient plus en contact depuis 1962.

Ross haussa les épaules.

— Ethan m'a appris récemment qu'il pensait à elle et souhaitait la rencontrer. Ils se sont donné rendez-vous à Spring Lake.

— Après tout, dis-je, à peine remise du choc, pourquoi pas ? Ils s'entendaient bien, lorsqu'ils étaient enfants.

— Quand Ethan m'a annoncé qu'il allait revoir Julie, je me suis mis à penser à... ta famille et à la manière dont j'ai...

Ross posa son verre et me regarda droit dans les yeux.

— Je m'y suis mal pris, Maria. A tout point de vue, j'ai...

— De l'eau a coulé sous les ponts... Il est inutile de revenir sur le passé.

— Je pense que non !

Ross avait l'air grave qu'il arborait lorsqu'il faisait campagne pour devenir gouverneur.

— Je suis vieux et las, reprit-il, et je suppose que mes jours sont comptés... Je voudrais réparer mes torts auprès des personnes que j'ai blessées par mégarde au cours de mon existence.

Il était si maigre... Souffrait-il d'un cancer ?

— Quel est ton problème ? Serais-tu malade ? Il balaya ma question du revers de la main.

— J'ai perdu Joan l'année dernière !

Son regard plana vers les photos exposées.

— Et Ned est mort depuis quelques semaines...

Je mesurai soudain à quel point Ross était affecté. Ned devait approcher de la soixantaine, mais le deuil d'un enfant est toujours douloureux.

— Ross ! Je suis navrée...

— J'ai mieux compris ce que tu as ressenti quand Isabel a disparu.

— Oui...

— J'ai donc pris la décision de te parler. Je tenais à te présenter mes excuses...

— Très bien, c'est chose faite !

Je me méfiais de ma compassion envers ce vieil homme, car Ross était avant tout un politicien, capable de tenir les propos les plus contradictoires.

Il me fixa avec une telle intensité que je me détournai.

— Allons ! fis-je en me levant, bien qu'il ait à peine eu le temps de toucher au verre d'eau.

Il souhaitait manifestement m'en dire plus, mais je ne

voulais pas l'entendre. Je lui tendis la main pour l'aider à se redresser et il s'en empara.

Pendu à mon bras, il descendit les marches de la véranda et je le raccompagnai jusqu'à sa voiture dans un profond silence. Nous aurions eu pourtant beaucoup de choses à nous dire, si le courage ne nous avait pas manqué.

Je lui ai ouvert la portière, soucieuse à l'idée que quelqu'un dans son état conduise. Je ne lui avais même pas demandé où il habitait et quelle distance il devait parcourir.

— De quoi est mort Ned ? ai-je murmuré.

— L'alcool... Il noyait son chagrin dans la boisson. Je pense qu'il ne s'est jamais remis de la mort d'Isabel.

La remarque me fit tressaillir. Ross démarra. Je regardai la voiture s'éloigner, avant de reprendre place sur mon siège dans le jardin. Puis j'enfilai mes gants et enfonçai le déplantoir dans le sol, aveuglée par les larmes.

« Je pense qu'il ne s'est jamais remis de la mort d'Isabel », me répétai-je en moi-même.

— Moi non plus, Ross ! m'écriai-je. Moi non plus.

9

Lucy

J'ai passé presque tout l'après-midi à discuter avec Shannon de son dilemme. C'était étrange pour moi de la voir osciller entre la joie et les larmes au sujet de l'amour de sa vie. Même enfant, elle m'avait toujours paru sérieuse et stable, mais en l'écoutant parler de Tanner, j'avais la sensation qu'elle s'était transformée en une autre personne, à laquelle une secte aurait fait un lavage de cerveau. Si la belle jeune fille assise dans mon salon avait bien l'apparence de celle qui avait apporté une telle joie dans notre famille, les propos qu'elle tenait n'étaient absolument pas son style. Allait-il falloir la déprogrammer ?

Elle me quitta vers quatre heures, pour aller donner une leçon de violoncelle ; à peine quinze minutes plus tard, Julie surgissait à ma porte. J'avais essayé de la joindre par téléphone pour savoir comment s'était passé son déjeuner en compagnie d'Ethan. N'obtenant que sa boîte vocale, j'avais sorti mon violon, avec l'intention de travailler au prochain concert des Zyda Chicks.

— Je te dérange ? s'enquit Julie.

La rougeur moite de ses joues lui allait bien, même si elle était due à des bouffées de chaleur, qui appartenaient encore à mon avenir.

De ma main libre, je l'entraînai dans mon appartement.

— Je n'ai même pas commencé ! répondis-je en rangeant l'instrument dans son étui. Alors, comment ça s'est passé ?

— Pas mal.

Julie s'affala sur le canapé.

Deux verres vides traînaient encore sur la table basse. Je les emportai prestement dans la cuisine, avant que Julie me demande si j'avais reçu une visite ; mais elle ne sembla pas les avoir remarqués.

— Ça va ? fis-je en revenant dans la pièce.

Julie pressa ses paumes sur ses pommettes, presque aussi écarlates que son haut.

— Je suis un peu à côté de mes pompes...

— Des vapeurs ?

Ma question était absurde. Julie venait d'avoir une conversation au sujet d'Isabel ; il lui en fallait moins pour la chavirer.

— Je n'en sais rien, marmonna-t-elle. C'est possible...

Elle fit glisser ses sandales et allongea les jambes.

— J'ai convaincu Ethan de remettre la lettre à la police.

— Formidable !

Soulagée, je m'installai dans un fauteuil, genoux relevés, et les recouvris de ma jupe.

— Tu as eu du mal à le convaincre ?

— Nous avons discuté longuement. C'était difficile pour lui et il m'a fait de la peine.

Julie regardait ses pieds, qu'elle fléchissait de haut en bas, puis elle me fixa.

— Il ne supporterait pas qu'on découvre la culpabilité de son frère, après tant d'années...

— Evidemment ! A ton avis, que vont faire les policiers ?

— Tout le problème est là, m'expliqua Julie. Ethan a un ami, au commissariat, à qui il a demandé son point de vue – sous forme d'hypothèse –, pour se faire une idée. Ce mec pense que l'enquête repartirait de zéro, ce qui me semble vraisemblable. Il faudrait alors interroger de nouveau toutes les personnes concernées. Pas de problème pour moi, mais il y aurait aussi Ethan, les copains de Ned et d'Izzy, M. Chapman... Et peut-être maman...

Julie se mordit les lèvres en me transperçant du regard.

— Oh !

— J'espère qu'on n'en viendrait pas là ! Il vaudrait mieux qu'elle reste en dehors de cette histoire. Imagine qu'on la harcèle de questions et qu'elle ait une crise cardiaque ou une attaque...

— *Julie !* protestai-je en riant.

Ma sœur écrit des pages palpitantes, car elle est capable d'imaginer l'issue la plus tragique en toute circonstance. Quel scénario inventerait-elle dès qu'elle apprendrait la grossesse de Shannon ? Sa manie de tourner le moindre événement en catastrophe était l'un des nombreux reproches que lui adressait Glen. « Elle s'inquiète sans cesse ; pas question de se détendre ! » me confiait-il. Bien qu'il y ait du vrai en cela, j'étais furieuse qu'il se permette de critiquer ma sœur, au lieu de chercher à comprendre l'origine de ses angoisses.

— Si maman était interrogée, elle s'en tirerait très bien. Elle souhaiterait connaître la vérité !

Je parlais avec assurance, tout en espérant, moi aussi,

que notre mère ne serait pas mêlée à une nouvelle enquête.

Julie sortit un mouchoir de la poche de son pantalon et retira ses lunettes pour les nettoyer.

— Je préférerais qu'elle n'ait pas à souffrir plus qu'elle n'a déjà souffert.

— Ne t'inquiète pas ! lui conseillai-je. Crois-tu qu'on voudra me questionner ?

Julie exposa ses verres en pleine lumière.

— J'en doute. Quels souvenirs as-tu gardés de cette époque ?

— Pratiquement aucun ! J'ai du mal à me rappeler le bord de mer... Je passais mon temps à trembler dans mon coin, pendant que les autres nageaient et faisaient du bateau, ou je ne sais quoi.

C'était comme si je n'avais pas été là. J'avais probablement refoulé presque toutes les images de cet été tragique.

— Pourtant, ajoutai-je, je me suis rappelé, l'autre jour, que tu avais attrapé une anguille géante et qu'Ethan voulait les viscères.

Julie éclata de rire et rougit, ce qui éveilla mes soupçons. Peut-être n'aurais-je pas interprété aussi facilement son expression enamourée si je n'avais lu la même sur le visage de sa fille.

— Est-il toujours aussi godiche ? repris-je, histoire de sonder Julie.

Elle évita mon regard.

— Je l'ai trouvé sympathique et il m'a semblé en forme... Je ne l'ai pas reconnu tout de suite. Il est charpentier et a un corps d'athlète.

— Tu plaisantes ?

Je ne parvenais pas à imaginer que le gamin gauche et maigrichon du passé se soit transformé à ce point.

— Il a dû se faire opérer au laser, poursuivit Julie, car il ne porte plus de lunettes. Ses yeux sont vraiment bleus.

Je fis volte-face sur mon siège et posai les pieds sur le sol.

— Aurais-tu le béguin pour lui ? demandai-je à Julie, qui ne s'était intéressée à aucun homme depuis son divorce.

— Je l'ai trouvé mieux que je ne pensais, c'est tout.

— Si c'est toi qui le dis ! fis-je en souriant.

La vie et la couleur étaient revenues sur le visage de Julie ; j'en étais ravie. Sa rencontre avec Ethan Chapman lui avait fait du bien ; ce serait une tout autre affaire quand elle reverrait sa fille. Je ne cessai de songer à Shannon jusqu'au départ de Julie. J'étais dépositaire d'un secret qui allait bouleverser ma sœur – la même sensation que lorsqu'on voit un visage souriant à la page de la rubrique nécrologique. Si seulement on avait pu avertir la personne concernée qu'elle serait renversée par un camion le 3 mars de l'année en cours ! Plus j'écoutais Julie, plus je souffrais de me taire. Shannon devait parler à sa mère au plus vite, dans mon intérêt, sinon dans le sien.

10

Julie

Shannon était installée chez Glen depuis mardi. A peine trois kilomètres... Une distance que je pouvais parcourir à pied, mais ce n'était pas mon intention, car Shannon avait déménagé pour vivre sa vie et échapper à ma discipline. Je devais absolument prendre mes distances... Il me semblait parfois que le seul moyen de protéger ma fille était de la garder dans ma ligne de mire. Si seulement nous mettions au monde des enfants avec l'assurance qu'ils resteront en bonne santé et nous survivront !

Ce matin-là, j'étais entrée dans la chambre de Shannon alors qu'elle faisait ses bagages.

— Je me débrouille, m'avait-elle dit en souriant, quand je lui avais proposé mon aide.

Mais son sourire sonnait faux...

Elle avait étalé les éléments de son ordinateur sur son lit double et les protégeait avec des serviettes. Je pointai un doigt sur la partie demeurée vacante.

— Tu me permets de m'asseoir ?

— Bien sûr !

Tandis que Shannon enveloppait soigneusement l'imprimante, je l'observai, avec le sentiment d'être en quête d'une chose indéfinissable. Tous les parents sont-ils bouleversés à ce point quand leurs enfants les quittent ? J'avais l'impression de vivre un moment gravissime. L'instant fatidique était venu, pour Shannon et moi, de nous dire ce que nous pensions depuis toujours sans oser l'exprimer.

Je tentai ma chance...

— Tu vas me manquer, Shannon.

— Je ne serai pas loin, maman.

Elle en avait fini avec le matériel et vidait maintenant le tiroir central de la commode.

— Je n'emporte qu'une valise, mes CD, mon ordinateur et mon violoncelle. Ce n'est pas comme si je partais pour l'université !

— Il y a une question que j'aimerais te poser.

Shannon resta silencieuse. Après avoir plié un short, elle l'avait posé dans son bagage en le lissant, comme pour supprimer le moindre pli invisible. Ses cheveux faisaient écran devant son visage.

Je me préparai à une explication que je différais depuis deux ans.

— Nous n'avons jamais abordé le sujet, mais j'ai besoin de savoir... Me blâmes-tu d'avoir divorcé ?

Shannon me décocha un regard en attrapant une pile de tee-shirts, puis les lança sur son lit.

— Bien sûr que non !

— Et ton père ?

— Je suppose que les torts sont réciproques.

— As-tu une idée de ce qui s'est passé ?

Je me demandais souvent si Shannon avait deviné quoi que ce soit à propos de la liaison de Glen. Elle haussa les épaules.

— Il me semble que ça ne me regarde pas !

— Ma chérie, je voulais m'assurer... que tu n'as pas l'impression d'y être pour quelque chose... et que tu ne te sens pas fautive.

Une légère irritation perça dans sa voix.

— Pas le moins du monde ! Tu en as eu ras le bol de papa, et réciproquement. C'est tout !

La réaction de Shannon me déconcerta, car je ne m'étais pas plainte à elle.

— Sais-tu ce que je lui reproche ?

Les mains sur les hanches, Shannon me dévisagea d'un air profondément contrarié.

— M'man, je prépare mes affaires ! Je dois les déposer chez papa et aller travailler à la garderie avant midi.

— J'aimerais pourtant t'expliquer, insistais-je maladroitement. Tant que je n'aurai pas la certitude que...

— A mon avis, papa s'est conduit comme un malotru ; tu ne l'as pas supporté. Et toi, tu as toujours peur de tout ! Il ne l'a pas admis non plus.

— Je n'ai pas *peur de tout,* Shannon.

Elle saisit un tee-shirt, qu'elle fourra sans le plier dans sa valise.

— Tu vis en ermite, m'man ! Tu passes des journées entières cloîtrée dans ton bureau, en compagnie de personnages qui n'existent pas.

— Je te trouve injuste ! protestai-je, avec le sentiment d'être incomprise.

La seule chose que je redoutais vraiment – à part le fait qu'il arrive malheur à une personne aimée – était l'eau. Pas celle de la baignoire ou d'une piscine ; mais mon cœur s'emballait à l'idée de l'océan ou d'un lac. Même si je n'avais pas remis les pieds sur un bateau depuis la nuit de la mort d'Isabel, je n'avais pas l'impression de *tout* craindre.

— Je prends régulièrement l'avion, ajoutai-je. Je fais les tournées de promotion de mes livres, pour le moins stressantes, pendant plusieurs semaines d'affilée. Je parle en public, je teste des plats exotiques.

Je m'entendis hausser le ton malgré moi.

— Il m'arrive de marcher, la nuit, dans Westfield, j'enseigne l'écriture d'autobiographies à la maison de retraite et je fais du bénévolat à l'hôpital. Tu ne peux pas prétendre que je vis en *ermite* et que l'anxiété m'oblige à me terrer à la maison !

— Tu as raison. Excuse-moi.

L'intonation de Shannon me fit comprendre qu'elle avait hâte de clore notre conversation.

— Mon unique angoisse est de te perdre ! m'écriai-je en passant la main au sommet de la pile, sur le tee-shirt que j'avais rapporté à Shannon de Seattle.

Cet aveu m'avait échappé ! Elle me dévisagea, quelques soutiens-gorge suspendus à l'extrémité des doigts.

— Sais-tu quel fardeau pèse sur moi ? J'ai toujours l'impression que chacun de mes actes doit tenir compte non seulement de mon bien-être mais du tien !

Je baissai les yeux : Shannon avait raison et je compris, peut-être pour la première fois, à quel point il était difficile d'être ma fille. Que dire de plus, dans ces conditions ?

Shannon ferma le rabat de sa valise et tira la fermeture Eclair.

— J'ai terminé mes bagages ; il ne me reste plus qu'à les descendre dans la voiture.

— Je vais t'aider, dis-je en me levant. J'espère que

nous reprendrons cette discussion, un jour ou l'autre. Evitons de nous fâcher au moment de ton départ !

— Ce n'est pas moi qui ai abordé le sujet.

— Je t'aime, marmonnai-je, et j'espère que tu vas passer un bon été avec papa.

J'ai aidé Shannon à charger ses affaires dans sa petite Honda et suis allée me réfugier dans mon bureau. Je m'y sentais effectivement en sécurité, « en compagnie de personnages qui n'existent même pas », mais n'éprouvais plus aucun plaisir à écrire depuis quelques jours. Sous le titre « chapitre quatre », je ne savais pas comment remplir mon écran vide. Ce matin-là, mes héros me semblaient ridicules et dénués d'intérêt.

Je venais d'écrire et d'effacer quatre paragraphes quand le téléphone a sonné. Ethan était à l'appareil.

— J'ai déposé la lettre hier au commissariat, m'apprit-il.

— C'est bien, Ethan !

Je me levai aussitôt de mon siège et emportai le combiné jusqu'à un fauteuil, plus confortable. J'étais agréablement surprise qu'Ethan ait pris l'affaire en main aussi vite.

— Quelle réaction ? ajoutai-je.

— Comme prévu, on va rouvrir le dossier. Sur le chemin du retour, je me suis arrêté au supermarché. Le temps que j'arrive à la maison, il y avait déjà un message, sur ma boîte vocale, m'annonçant une perquisition au domicile de Ned.

Un éclair de culpabilité me traversa. J'avais persuadé Ethan de remettre le document à la police et déjà l'intimité des Chapman était compromise, alors que personne ne pourrait jamais troubler ma quiétude.

— Qu'espèrent trouver les enquêteurs chez Ned, une quarantaine d'années après l'événement ?

A l'instant où je posais la question, la réponse me vint à l'esprit : l'ADN, bien sûr.

— On ne sait jamais... reprit Ethan. Un journal, peut-être. Autant que je sache, Ned n'en tenait pas. Des courriers ? Des souvenirs ? En tout cas, je leur ai dit que nous avons déjà fait le tri, Abby et moi. Nous avons jeté des sacs entiers de broutilles et il est sûrement trop tard pour dénicher quoi que ce soit. Nous avons placé les objets de valeur dans des caisses que je comptais déposer au garde-meuble, avec le mobilier, en attendant de voir ce que je veux vendre ou garder. Celles-ci sont encore chez Ned ; les flics ont l'intention d'explorer leur contenu.

— Je suppose qu'ils s'intéressent à l'ADN.

— A quoi bon, après une si longue période ?

— Je ne sais pas exactement. Ils ont peut-être gardé certains éléments... De nos jours, on ensache les mains des victimes, pour que le matériel génétique appartenant au suspect se dépose dans le sac ; j'ignore si ça se faisait déjà en 1962.

— Mais Isabel était dans...

Ethan s'interrompit par égard pour moi et je terminai la phrase.

— Dans l'eau... Je me demande en quoi cela affecte le relevé des indices.

Je ne tenais pas à m'attarder sur ce point, surtout par égard pour Ethan.

— Tu m'en veux ? ajoutai-je.

— Non, bien que nous souhaitions, toi et moi, une issue différente. Je me sens pourtant soucieux.

— Au cas où les policiers découvriraient que Ned est coupable ?

— C'est impossible ! protesta Ned avec un certain entêtement, malgré la douceur de sa voix. Mais ils risquent de tomber sur des traces qui leur suggèrent, à tort, cette conclusion. Dans l'hypothèse où ils pourraient prélever de l'ADN sur ta sœur, je suppose que ce serait celui de Ned, car elle et lui étaient inséparables.

« Sur ma sœur, ou *en* elle », faillis-je dire.

— Par ailleurs, insista Ethan, je n'aimerais pas que mon père soit mêlé à l'enquête.

— Je comprends combien c'est pénible pour toi ; alors, pourquoi anticiper ? Un pied après l'autre !

— Tu as raison. Et il y a au moins une bonne chose à tirer de ça.

— Laquelle ?

— Le plaisir de te revoir, Julie. Nous n'avons pas eu une conversation facile, mais j'ai été ravi de déjeuner avec toi.

— Moi aussi ! m'écriai-je avec une excitation imprévisible.

— J'ai certains souvenirs à ton sujet. Es-tu restée une extraordinaire nageuse ?

— Non, je ne nage plus depuis cet été-là...

— Dommage... Tu étais si bonne ! Je me rappelle le jour où nous avons fait la course sur le canal.

Quant à moi, j'avais oublié : nous avions à peu près dix ans, l'été où Ethan et moi avions cessé d'être de vrais amis. Nous étions de bons nageurs, pour notre âge. Nous avions attendu la marée, mais avions eu un tas d'ennuis, ce jour-là.

— On m'a interdit de m'approcher de l'eau pendant une semaine ! me rappelai-je.

— Et moi, j'ai dû passer l'aspirateur dans toute la maison.

— Je crois que je n'ai plus nagé que dans le dock, quand le bateau était sorti.

— Erreur ! objecta Ethan.

— Que veux-tu dire ?

— Je te revois en train de flotter sur le canal avec une chambre à air.

Brusquement, je me remémorai la scène et me mis à rire, bien que l'épisode éveillât en mon cœur autant de joie que de tristesse.

Isabel, en effet, y avait participé.

Ethan et moi avons ensuite évoqué d'autres souvenirs d'enfance, avant de raccrocher ; mais celui-là me poursuivit la journée entière.

11

Julie
1962

Un jour de semaine à Bay Head Shores... Mon père était donc à Westfield. Nous venions de terminer le petit déjeuner ; grand-père s'affairait déjà au garage, tandis que grand-mère débarrassait, malgré l'avis contraire de ma mère, qui lui avait conseillé de souffler un instant. Je me levais pour l'aider, quand maman m'a fait signe de ne pas bouger.

Elle a allumé une Kent et soufflé une bouffée de fumée au-dessus de la table encombrée.

— J'ai une idée pour aujourd'hui, mes chéries, nous a-t-elle déclaré à toutes les trois.

— Quoi ? a fait Lucy, méfiante.

Quel que soit le projet de maman, elle se préparait à lui opposer un refus.

— Vous avez vu le courant ?

J'ai tourné la tête et constaté qu'il se dirigeait vers la baie.

— Alors ? a marmonné Isabel.

Elle tenait une mèche devant son visage, sans doute en quête de cheveux fourchus.

— Quand nous aurons un peu digéré, je vous propose

que nous prenions les grandes chambres à air et que nous nous laissions porter jusqu'à la baie.

— Oh oui ! me suis-je écriée, car je trouvais l'idée géniale.

— Tu plaisantes ? a marmonné Izzy, intriguée malgré tout.

Faire participer Isabel à une activité familiale n'était pas chose facile et j'étais impressionnée que notre mère ait imaginé un projet assez excitant pour éveiller l'intérêt de sa fille aînée.

Oubliant un instant de vaquer à ses occupations, grand-mère a repris place à côté de nous en riant.

— Je me rappelle que vous faisiez ça, Ross et toi, a-t-elle dit.

J'ai apprécié sa manière de rouler joliment le « r » de « Ross », mais ai surtout été étonnée par sa remarque. Isabel a questionné maman :

— M. Chapman et toi jouiez à ça ?

— Oui, quand nous étions gosses !

J'oubliais toujours que ma mère avait passé les étés de son enfance dans la villa, que son père – notre grand-père – avait construite lui-même dans les années vingt. Les Chapman s'étaient installés peu après. Comme Ethan et moi, M. Chapman et maman avaient sympathisé.

— Nous avions sans doute une quinzaine d'années, ajouta ma mère. Un jour, nous nous sommes laissé entraîner jusqu'à la rivière...

— Te souviens-tu de mon mécontentement quand je m'en suis aperçue ? gloussa grand-mère.

Ma mère exhala une bouffée de fumée par-dessus son épaule.

— J'ai survécu...

— Je ne viendrai pas ! annonça Lucy.

Cela ne surprit personne.

— Le canal était différent, à l'époque, précisa grand-mère. Comme il n'y avait pas de ponton, on y accédait directement depuis le jardin. Et, bien sûr, les bateaux étaient moins nombreux.

Je scrutai l'eau une fois encore et l'imaginai venant frôler l'extrémité de notre terrain sablonneux. Quel dommage que cela ait changé !

— Les chambres à air sont un peu molles, indiqua Isabel.

Nous en avions quatre, immenses, stockées dans le garage. D'habitude, nous nous installions à cheval dessus, Ethan et moi, bras et jambes pendant sur le côté. Mais cette année-là, je n'y avais pas touché, car jouer seule ne présentait aucun intérêt ! Ma solitude s'accroissait de jour en jour. J'avais beau inventer des histoires au sujet de l'homme au coq, je ne savais qui effrayer avec mes délires. Et je n'osais pas les raconter à Lucy, de peur de la rendre encore plus paranoïaque !

— Si vous alliez, Julie et toi, les faire regonfler à la station-service ? suggéra maman. Le temps que vous reveniez, le courant devrait être parfait pour l'expédition.

Izzy et moi sommes sorties et avons chargé les quatre bouées improvisées dans la voiture. Izzy a mis le contact et tourné le bouton de la radio pour trouver Johnny Angel, puis nous avons chanté en chœur. Un lien précieux entre sœurs ! Tandis qu'Izzy faisait une marche arrière dans l'allée, j'admirais la peau douce et brune de ses bras nus ; comparés aux siens, les miens me semblaient flasques et pâles.

Izzy était mécontente de son bronzage, cet été-là ; elle travaillait en ville, au grand magasin Abramowitz, ce qui l'empêchait de se dorer chaque jour sur la plage. Selon moi, elle volait, car elle revenait avec de nouveaux vêtements, une ou deux fois par semaine. La veille, elle avait rapporté des soutiens-gorge. Quand elle était sortie avec Mitzi et Pam, j'en avais essayé un, dont j'avais bourré les bonnets de papier-toilette – et je m'étais trouvée pour le moins ridicule. J'avais aussi mis un tampon, afin d'être prête la prochaine fois que j'aurais mes règles. Dans son tube en carton, il m'avait paru énorme et aussi rigide que la brique. D'où mon inquiétude ! Je n'aurais peut-être jamais de relations normales avec un homme, et donc pas d'enfants !

— La plus grande est pour moi ! proclama Isabel, faisant allusion aux chambres à air.

— Ça m'est égal.

Celle qu'elle avait choisie était si vaste et stable qu'on avait l'impression de flotter sur un nuage, mais je n'avais pas l'intention de discuter.

Rue Mirador, Isabel a sorti un paquet de Marlboro de son sac et l'a secoué. Dès qu'une cigarette est apparue, elle l'a saisie entre ses lèvres, puis a enfoncé l'allume-cigare dans le tableau de bord pour le porter à incandescence.

— Maman te permet de fumer ? ai-je demandé, éberluée.

— Elle n'a rien à dire, puisqu'elle en fait autant. Tu veux essayer ?

Izzy m'a tendu les Marlboro. Après un instant d'hésitation, j'en ai pris une maladroitement, que j'ai portée à ma bouche.

— Je ne vais pas l'allumer...

— Alors, pourquoi t'es-tu servie ?

Izzy a retiré l'allume-cigare et quand elle a inspiré, l'extrémité de sa clope est devenue orange.

Je lui ai répondu que je l'ignorais, mais je *savais* que je voulais être avec ma sœur, partager ses expériences et lui ressembler.

— C'est moi qui couche dans la véranda, ce soir ! a-t-elle proclamé.

— Je sais.

Nous avions décidé d'y dormir chacune à notre tour quand le temps le permettait. Je devais toujours placer mon dessus-de-lit en boule sous la couverture pour rassurer Lucy. Elle avait probablement deviné ma ruse mais s'en accommodait et jouait le jeu, à condition que je laisse la lumière allumée.

— Qu'est-ce que tu caches dans le jardin ? a repris Izzy alors qu'elle s'engageait sur Bridge Avenue.

J'ai feint l'innocence.

— Moi ?

— Oui, je t'ai vue enfouir quelque chose au coin de la maison. Qu'est-ce que c'est ?

Si je lui mentais, elle irait probablement creuser pour satisfaire sa curiosité et découvrirait mon trésor.

— C'est ma boîte Alice, avouai-je.

— Hum !

Izzy me dévisagea en laissant échapper de la fumée par les narines. Un vrai dragon !

— Quand je trouve un truc qui pourrait servir d'indice dans une affaire policière, je le range dans une boîte que grand-père a enterrée là pour moi.

— Quel *indice* ?

— Je ne sais pas encore. On tombe sur certaines choses et quand un mystère survient, on s'aperçoit qu'elles peuvent aider la police.

Izzy éclata de rire.

— Une vraie tarée ! Tu conserves les vieux machins que tu croises sur ton chemin, en attendant qu'une affaire mystérieuse et sinistre se produise ?

— Pas les « vieux machins » ! rectifiai-je, vexée.

J'eus une pensée pour la balle de ping-pong repêchée dans le canal. Je n'étais peut-être pas assez sélective, mais on ne découvre pas facilement de bons éléments. Je ne voulais pas que ma sœur sème le doute dans mon esprit. Au fond de moi, je savais que l'événement insensé tant attendu n'arriverait jamais, mais faire semblant d'y croire m'amusait. Grand-père l'avait bien compris.

— Sais-tu que tu te comportes comme une gamine de douze ans ?

— C'est justement mon âge ! Et je parie que tu en faisais autant !

Je croisai les bras et cassai au passage la Marlboro non allumée.

Malgré ma protestation, je croyais à la supériorité d'Izzy : elle avait toujours été ma sœur aînée sophistiquée. Jamais je ne l'égalerais... A dix-sept ans, je continuerais à lire *Alice* et à inventer des histoires de grand méchant loup.

A la station-service, nous avons approché les chambres à air de la pompe et j'ai jeté ma clope dans une poubelle.

— C'est un secret, ai-je murmuré.

— Un secret ?

Izzy a levé la tête vers moi et j'ai aperçu mon reflet pitoyable dans ses lunettes de soleil.

— La boîte Alice est un secret !

— Ne t'inquiète pas, Jules. Personne ne risque de s'intéresser à tes prétendus *indices*.

Humiliée par le dédain d'Izzy, j'ai senti ma gorge se serrer. J'étais au bord des larmes quand nous avons procédé à l'opération de gonflage en silence. Au retour, nous avons écouté *Sealed with a Kiss* à la radio. L'air le plus triste du monde... En chantonnant, je me suis tournée vers la vitre pour cacher mon chagrin à Izzy ; si elle avait vu mes yeux, elle aurait eu une raison de plus de se moquer de moi.

Une fois sur la route, elle a sorti la girafe bariolée de son sac.

— Je vais m'arrêter sur la plage, m'a-t-elle confié. Tu n'auras qu'à courir jusqu'au perchoir du surveillant et donner ce jouet à Ned.

— Je le lui ai déjà donné ! Comment l'as-tu récupéré ?

— Il me l'a rendu.

L'explication était censée me satisfaire.

— Tu me trouves infantile, mais cet objet que vous vous passez est vraiment ridicule.

— Ça ne te regarde pas.

— Si, si je suis votre messager !

Izzy m'a arraché la bestiole de la main.

— Tant pis, je m'en chargerai.

A l'idée d'apercevoir Ned, j'ai reconsidéré la question. Peut-être allait-il effleurer mes doigts, par mégarde, quand je lui tendrais l'animal...

— J'y vais ! m'écriai-je.

— Merci.

Izzy s'est garée sur le parking de la plage ; les pneus ont crissé au contact des coquilles broyées. Après avoir sauté de la voiture, j'ai couru sur le sable, qui volait en paquets derrière moi, car il avait plu pendant la nuit.

Au loin, le groupe habituel paressait sur des couvertures, autour du perchoir de Ned. *Sweet Little Sheila* passait à la radio.

— Salut ! a lancé Bruno Walker en me voyant arriver. Où est Izzy ?

— Elle viendra plus tard.

Pas question d'avertir qui que ce soit de notre expédition sur le canal !

Pam Durant était allongée sur le ventre à côté de Bruno, les yeux fermés. Le haut de son maillot de bain dégrafé et les bretelles glissées sur les épaules, elle semblait presque avoir les seins nus. Choquée, j'ai détourné le regard machinalement et me suis approchée du poste d'observation de Ned.

— Salut, Ned !

Il a baissé la tête vers moi. Ses yeux étaient dissimulés par des lunettes de soleil, mais il m'a adressé un sourire radieux. Eblouie, j'ai senti mes jambes flageoler.

— Isabel m'a demandé de te donner ceci, lui ai-je dit en lui tendant la girafe.

Il a laissé son regard planer vers le parking et adressé un signe en direction de notre voiture. Avec son nez couvert d'oxyde de zinc et sa cigarette à la main, il était si sexy... « Une femme qui fume, ce n'est pas beau, pensai-je, mais un homme... Quelle allure ! »

Ned s'est penché très bas pour prendre le jouet et l'un de ses doigts a dû effleurer les miens ; je n'aurais pu en jurer.

— Tu es une chic fille, Julie. Merci.

— Il n'y a pas de quoi. Mais pourquoi vous passez-vous cette girafe ?

— Tu ne pourrais pas comprendre.

Ned a regardé loin vers le large, puis il s'est levé, a donné un coup de sifflet et agité son bras : des enfants s'étaient éloignés du rivage et il leur signifiait de se rapprocher, pour qu'il puisse les surveiller. Il avait de longues jambes minces, couvertes de poils blonds et frisés. Pour un peu, j'aurais tendu le bras afin de les effleurer.

— Mais si, je comprendrais ! protestai-je, quand Ned se fut rassis.

Se souvenait-il des paroles que nous venions d'échanger ? Apparemment, il m'avait écoutée avec une grande attention, car il me questionna sans quitter la baie des yeux.

— Y a-t-il une chose à laquelle tu tiens particulièrement ?

Il y en avait tant que je ne sus par où commencer. Les indices, bien sûr. Ma collection des *Alice.* Je possédais aussi une boîte à musique, offerte par ma copine Iris pour mon neuvième anniversaire. Elle avait une forme ovale et quand on l'ouvrait, une fillette tournait à bicyclette sur une petite piste.

— Une boîte à musique...

Ma réponse sembla satisfaire Ned.

— Eh bien, quand tu seras plus grande, si tu rencontres un être qui compte beaucoup pour toi, tu auras envie de partager cet objet favori avec lui.

— Oh !

J'avais du mal à m'imaginer confiant ma boîte à

musique à un quelconque soupirant, mais feignis de comprendre.

— Alors, Isabel... Tu tiens beaucoup à elle ?

— Tu ne le diras à personne, n'est-ce pas ?

J'eus l'impression que Ned m'adressait un clin d'œil derrière ses verres solaires.

— Ta vieille en ferait une maladie, si elle le savait !

Ta vieille... C'était la première fois que j'entendais quelqu'un employer ce terme pour désigner maman.

— J'ai vu Isabel monter sur ton bateau, l'autre jour.

Ces mots m'avaient échappé brusquement. Le sourire de Ned s'évanouit et son regard bleu me transperça.

— J'espère que tu es capable de garder un secret.

La main sur le cœur, je jurai de me taire en m'abstenant de tout commentaire mélodramatique. Je m'imaginai dans le confessionnal, imprégné d'une odeur d'encens. Serait-ce un mensonge de cacher de telles informations à mes parents ?

Ned remit ses lunettes pour s'assurer que tout allait bien du côté des baigneurs.

— Vous n'êtes plus copains, Ethan et toi ? Inutile que tu répondes à cette question ! reprit-il en me souriant pour la seconde fois. Il est vraiment godiche, cette année...

J'aurais voulu prendre la défense d'Ethan, mais n'y parvins pas.

— Hum, marmonnai-je.

Ned fit encore un geste en direction de la voiture.

— Dis à Izzy que je la verrai plus tard. D'accord ?

— D'accord !

Ned m'avait donné congé... mais quelle conversation extraordinaire ! Nous partagions des secrets, lui et moi, et avions parlé presque comme des adultes.

Dans la voiture, flottait l'odeur de caoutchouc chaud des chambres à air.

— De quoi avez-vous discuté si longtemps ? s'enquit ma sœur d'un air soupçonneux en tournant la clé de contact.

— Je racontais à Ned que je t'ai vue le rejoindre sur sa vedette, à la marina.

A travers la vitre, j'ai posé les yeux avec nonchalance sur le perchoir de Ned.

Izzy s'est agrippée au volant et a murmuré d'une voix étouffée :

— Quelle a été sa réaction ?

— Il m'a demandé de n'en parler à personne et je lui ai promis le silence.

Les mains d'Isabel se détendirent.

— Merci ! Prends une cigarette, a-t-elle ajouté en me tendant son paquet de Marlboro.

Maman, Isabel et moi avons lancé les chambres à air sur le canal puis nous sommes débattues en riant pour y grimper, après avoir sauté à l'eau.

— Personne ne prend des photos, au moins ! s'est exclamée Izzy en se hissant sur la sienne.

Maman et moi étions déjà installées, les fesses, les avant-bras et les mollets au frais.

— Adieu !

Maman a salué grand-père, grand-mère et Lucy, debout dans le jardin pour nous souhaiter bon voyage. Grâce au courant, nous naviguions sans effort. Avec les mains en guise de pagaies, nous restions près des pontons pour éviter de chavirer. Quelques pêcheurs noirs nous adressèrent des signes depuis la rive opposée du canal, ainsi que certaines personnes à bord des bateaux. Nous faisions des soubresauts dans le sillage des yachts et des canots automobiles. C'était sublime.

Quand nous avons atteint la baie, nous avons basculé sur le ventre pour longer la côte, en direction de notre plage. Grand-père et Lucy, accrochée à sa main, nous attendaient sur la jetée ; j'étais impressionnée qu'il ait réussi à l'emmener. Si papa avait été à la villa avec nous, il aurait sans doute participé à l'expédition. Il suffirait de recommencer un prochain week-end ! Malheureusement, le projet ne s'est jamais réalisé.

Une fois au lit, ce jour-là, j'avais encore l'impression de flotter. Quelle sensation merveilleuse de se laisser entraîner par les flots ! Une idée a germé dans mon crâne. Si le flux était orienté vers la baie le matin, il en allait de même le soir... Pourquoi n'en profiterais-je pas pour sortir discrètement l'embarcation du dock ? Dès que je me serais éloignée, je lancerais le moteur. Ainsi, je ne réveillerais personne. Le retour, en revanche, risquait de me poser un problème, car je doutais de m'absenter assez longtemps pour que le courant ait changé de sens ; mais le moteur n'était bruyant qu'au démarrage. Il n'émettrait qu'un doux ronflement quand je rejoindrais ma base... Ni vu ni connu !

Quel plan subtil ! Je serais privée de sortie à vie si on me surprenait, mais le jeu en valait la chandelle. En descendant l'escalier grinçant, j'ai pensé que j'aurais une faute de plus à confesser le samedi suivant. Le dernier de mes soucis, à cet instant.

Comme nous n'avions pas d'éclairage extérieur, j'ai pris la torche dans un tiroir de la cuisine, avec une spirale antimoustique et une boîte d'allumettes, puis je me suis dirigée vers la véranda. En ouvrant la porte-écran, je me suis rappelé brusquement qu'Isabel s'y trouvait. J'ai retenu mon souffle : le croissant de lune n'était pas très lumineux, mais Izzy risquait de m'apercevoir, si elle ne dormait pas. J'ai vu de loin qu'elle était allongée sur le côté, sous la couverture, la tête dans la direction opposée ; je n'avais donc rien à craindre.

J'ai descendu l'échelle pour me glisser dans le canot et ai quitté le dock à la rame, redoutant le clapotis de l'eau contre le ponton. Sur le canal, j'ai continué à ramer, car le courant déviait l'embarcation ; j'ai même craint un instant qu'elle n'échappe à mon contrôle. Mais ça s'est arrangé et, quelques minutes après, je parvenais dans la baie. De rares lumières brillaient encore sur le rivage, car il était bientôt minuit. Les reflets nacrés de l'eau m'ont procuré un merveilleux sentiment de béatitude. Au lieu de mettre le moteur en marche, je me suis laissée dériver pour ne pas troubler le silence. J'étais curieuse de voir où cela me mènerait.

Un moustique m'a piquée à l'épaule. J'ai allumé la spirale près de moi, au fond du bateau, et quand je me suis relevée, j'ai distingué notre plage. De loin, un minuscule croissant de sable, parfaitement lisse. Soudain, des rires ont attiré mon regard vers le radeau, au large. Deux silhouettes s'y dressaient. Je me suis approchée pour mieux voir, et j'ai reconnu les longs cheveux sombres de la jeune fille et le dos musclé du garçon.

Je n'en croyais pas mes yeux. N'avais-je pas vu Izzy endormie ? Je me souvins du stratagème que j'employais pour faire croire à Lucy que j'étais couchée. Isabel avait eu recours à la même ruse, car elle était manifestement sur la plate-forme, en compagnie de Ned. Elle portait un deux-pièces dont je ne distinguais pas la couleur. Ils se sont rapprochés et j'aurais juré qu'ils s'embrassaient. Quand Ned a repris ses distances, la lueur lunaire éclairait les seins nus de ma sœur.

Dieu du ciel ! D'une main tremblante, qui semblait échapper à mon contrôle, j'ai tiré le câble trois fois avant que le moteur se déclenche avec un grondement métallique. J'ai imaginé le regard surpris d'Isabel et de Ned, en direction de la baie. Izzy se baisserait-elle précipitamment pour se dissimuler, tandis que je m'éloignais dans la nuit ? J'ai prié Dieu qu'elle n'ait pas imaginé que je l'avais espionnée.

Avant de regagner le canal, j'ai décrit une courbe harmonieuse. Le moteur n'émettait plus qu'un crépitement léger lorsque je suis entrée dans le dock. Je l'ai coupé et ai jeté la spirale antimoustique à demi consumée à l'eau ; enfin, je suis sortie du canot et l'ai amarré.

Ma main tremblait encore quand j'ai ouvert la porte-écran. La pseudo-Isabel n'avait pas bougé et mon arrivée n'a réveillé personne. J'ai pris soin de ranger la torche dans la cuisine avant de remonter au grenier. Lucy respirait paisiblement quand je suis passée devant son lit sur la pointe des pieds. J'ai attendu d'être sous la couverture, à l'abri du rideau, pour m'autoriser à penser.

Une question me hantait : Izzy et Ned étaient-ils allés « jusqu'au bout » ? L'expression « faire l'amour » m'était inconnue. J'avais quelques notions élémentaires concernant les relations sexuelles, mais aucune idée précise de l'acte lui-même. Mon imagination m'a ramenée au radeau, où je prenais la place d'Isabel...

Mes seins, soudain plus épanouis, étaient nus comme

les siens. Ned y posait les mains. Il retirait le bas de mon maillot et m'allongeait sur le bois humide pour m'embrasser tendrement. Il enlevait alors son slip de bain, j'allongeais les jambes, l'invitais à me pénétrer – j'oubliais l'expérience désastreuse que j'avais eue avec le tampon... Cela relevait du miracle, à mon avis, mais Ned y parviendrait. Il me disait qu'il m'aimait. Je brûlais d'envie d'être Isabel et de m'abandonner, la poitrine exposée à la lumière lunaire, aux ardeurs de mon amoureux.

Je suis sortie plusieurs fois de la baie en catimini, au cours de ce mois de juillet, mais une seule en août. Quelle erreur !

12

Lucy

Au sous-sol de l'église méthodiste de Westfield, je me préparais à jouer avec les Zyda Chicks, à l'occasion d'un concert des cafés philanthropiques. Adossée à une colonne près du podium, je regardais le local se remplir. Il s'agissait de l'ultime manifestation de la saison et nous préférions, dans la mesure du possible, terminer l'année sur place pour nos fans. Les recettes étaient destinées à des fins charitables et nous jouions une agréable musique de variétés, fusion harmonieuse de zydeco[1], de folk et de blues. Trois seulement d'entre nous étaient des Chicks, point qui m'obligeait toujours à fournir de longues explications au milieu de la prestation.

Une odeur de café flottait dans l'air, tandis que je voyais certains de mes précédents voisins de Westfield s'installer. Quelques amis de Plainfield arrivaient également, et surtout plusieurs de mes élèves d'anglais en seconde langue. Trois garçons et deux filles, d'origine hispanique, m'adressèrent un signe en souriant. Leur présence me touchait. Ils paraissaient un peu incongrus et légèrement mal à l'aise, malgré leur air fanfaron. Il y

1. Musique populaire interprétée par les Noirs et les créoles de Louisiane. *(N.d.T.)*

avait aussi deux de mes anciens amants ; par chance, ils avaient choisi des tables aux extrémités opposées de la salle, mais j'aurais intérêt à me montrer vigilante, après le concert. Alors que la plupart de mes ex se connaissaient et n'éprouvaient aucune agressivité réciproque, ces deux-là entretenaient une relation assez conflictuelle. Ne pas oublier de les saluer individuellement !

Quelques minutes avant de monter sur scène, j'aperçus enfin Julie et Shannon. Julie était allée chercher Shannon chez Glen et je me demandais comment cela s'était passé. Une des musiciennes de l'orchestre m'avait déposée à l'église et Julie me ramènerait chez moi. J'espérais que nous irions prendre un dessert quelque part toutes les trois, ce qui me permettrait peut-être de susciter une discussion entre mère et fille. Je savais que Shannon n'avait toujours pas annoncé sa grossesse à Julie ; pourtant, elle ne se préparait guère à mincir...

De loin, Julie semblait tendue, mais elle se mit à rire en échangeant quelques mots avec une femme et, ainsi embellie, parut dix ans de moins.

Mon regard se posa sur la taille de Shannon, qui cachait merveilleusement sa grossesse. Elle portait pour la première fois une large blouse paysanne blanche, que je lui avais rapportée, il y avait des années, d'un voyage au Guatemala. Un parfait camouflage, car le vêtement, ample et aérien, était orné de broderies sophistiquées à l'encolure, qui attiraient l'attention. Shannon affichait une expression sérieuse, mais lui arrivait-il encore de sourire ? Sa vie avait pris un tour grave. Peut-être souriait-elle quand elle parlait à son amoureux, Travis... Taylor... Tanner ! Quel que fût son nom, il ne m'inspirait nulle confiance.

La salle était comble et surchauffée, quand vint pour nous le moment de monter sur scène. J'ai tout chassé de mon esprit, à part la musique ! Notre interprétation ne me donna pas entière satisfaction car nous avions toujours tendance à devenir trop sûres de nous à la fin de chaque saison. Nous faisions alors un couac au milieu d'un air que nous aurions dû jouer les yeux fermés. Les auditeurs ne s'en rendaient probablement pas compte : ils buvaient du café glacé, battaient la mesure et certains fans chantaient en chœur avec nous. Beaucoup de gens étaient debout et la salle vibrait d'excitation. J'aimais que le public réagisse ainsi.

Ensuite, j'ai bavardé avec mes étudiants et quelques relations ; par miracle, aucun de mes ex ne se trouvait dans les parages. Puis j'ai retrouvé Julie et Shannon devant la porte d'entrée.

— Excellent concert ! a déclaré Julie.

Elle m'a pris mon étui à violon, comme si elle avait deviné que j'apprécierais de le lâcher.

— Il ne te manque qu'une violoncelliste ! a observé Shannon, taquine.

Elle prétendait, en effet, qu'un violoncelle était un bienfait indiscutable pour tout orchestre.

J'ai passé un bras autour de ses épaules quand nous sommes sorties dans la chaleur de la nuit.

— Que dirais-tu d'une glace ?

— Je dois rentrer directement à la maison, m'a-t-elle répondu... enfin, chez papa.

Elle vivait chez Glen depuis quatre jours et je m'étais réjouie qu'elle accepte de sortir avec sa mère, ce soir-là. Mais elle n'avait pas l'intention de prolonger la soirée.

— Allons, Shannon ! ai-je insisté, sans desserrer mon étreinte. Juste un petit moment...

— J'attends un coup de téléphone important !

Son regard en disait long sur la personne qui devait l'appeler, au cas où je n'aurais pas deviné.

Julie est intervenue.

— Tu pourras rappeler plus tard. Lucy doit mourir de faim.

— C'est vrai ! Comme tu sais, je n'avale rien avant un concert, ai-je renchéri.

Hors de ma présence, Shannon se serait probablement querellée avec Julie, mais elle a cédé à mes arguments.

— Westfield Diner ? a suggéré Julie en ouvrant la portière.

— Très bien. Tu veux monter devant, Shannon ?

— L'arrière me convient parfaitement ! a-t-elle rétorqué d'un ton maussade.

Elle me soupçonnait d'avoir l'intention d'évoquer son cas devant une coupe glacée Chantilly, ce qui était exact

Nous nous sommes installées dans un des box du restaurant. Shannon, assise à côté de moi, sur le banc, dissimulait le léger renflement de son ventre derrière la table.

— Contente de ton travail ? ai-je lancé.

— Ça va.

Elle a évité mon regard d'une manière délibérée en parcourant la carte.

— Joues-tu toujours du violoncelle à l'hôpital ?

— J'y suis allée hier ; j'ai croisé Nana.

Nous étions toutes les quatre bénévoles. Je me chargeais des traductions pour les patients d'origine hispanique ; maman tenait la boutique de cadeaux ; Julie rendait visite aux personnes alitées et leur faisait souvent la lecture ; quant à Shannon, elle créait une animation musicale dans les couloirs. Le désintéressement était une tradition, dans la famille.

— Que dois-je faire de ton courrier, ma chérie ? a demandé Julie. Tu vas certainement en recevoir un bon paquet d'Oberlin pendant l'été.

Shannon aurait dû sauter sur l'occasion pour parler à sa mère. Je lui ai pressé le genou en douce, mais elle a éloigné sa jambe avec une contrariété évidente. La conversation que j'appelais de mes vœux n'aurait pas lieu ce soir-là.

— Entasse-le dans un sac, s'il te plaît, a grommelé Shannon en baissant les yeux. Je le prendrai quand je viendrai !

Julie a passé les desserts en revue.

— Très bien ! Si ça me paraît important, je te préviendrai. D'ici quelques semaines, tu vas sans doute apprendre qui est ta camarade de chambre. Tu pourrais prendre contact avec elle, pour savoir ce qu'elle compte apporter...

« Tais-toi, Julie », ai-je pensé.

— Hum !

Shannon s'est plongée dans le menu, qu'elle connaissait probablement par cœur.

Nous avons commandé des coupes glacées, Julie et moi ; Shannon s'est contentée d'une glace au chocolat. Ensuite, Julie s'est éclipsée aux toilettes.

J'ai pris du recul sur le banc pour mieux voir Shannon.

— Dis-moi, pour de bon, comment ça va ?

— Pas de problème !

— Ça se passe bien chez ton père ?

— J'ai l'impression de vivre encore chez maman : elle me téléphone au moins dix fois par jour.

— Si tu lui annonçais la nouvelle maintenant, en ma présence ? Je pourrais amortir le choc.

— N'insiste pas, Lucy. Laisse-moi agir à mon rythme, je t'en prie.

— Quel est-il ?

— Je ne sais pas, m'a répondu Shannon, les dents serrées.

— Excuse-moi.

— Merci, a-t-elle soupiré, comme si je venais de lâcher prise après l'avoir plaquée à terre.

— Pourrais-tu me donner... Comment s'appelle-t-il ? Tanner ?

Intriguée par ma requête, Shannon m'a dévisagée un moment.

— Peux-tu me donner l'adresse du site Internet de Tanner, Shannon ?

— Pourquoi ?

— Pour que je m'y connecte, en tant qu'ancien professeur d'histoire.

— Tu ne vas pas lui écrire, au moins ?

— Non.

— Tu le jures ? a insisté Shannon, après un instant de réflexion.

— Je te donne ma parole ! J'aimerais juste, par ce biais, cerner cet homme qui compte tant pour toi. Rien de plus...

Je me sentais coupable, comme si j'avais échafaudé des projets indiscrets – ce qui n'était pas mon but. Shannon a finalement déchiré un morceau de sa serviette et sorti son stylo de son sac pour griffonner les coordonnées du site.

J'ai glissé ledit papier dans une poche de mon jean.

— Merci.

— C'est un site sympa, m'a annoncé Shannon, soudain radieuse. Tanner est hypercalé en informatique.

Julie est revenue s'asseoir à notre table.

— Qui est hypercalé en informatique ? Papa ?

— Non, un ami, a répliqué Shannon. La serveuse a pris la commande.

— Des nouvelles d'Ethan ? ai-je lancé.

Shannon a haussé les sourcils.

— Ethan ?

— Ethan Chapman, lui a rappelé Julie. Je t'ai fait part de la visite de sa fille, au sujet...

— Oui, la lettre !

— Eh bien, Ethan l'a remise à la police. Les policiers ont fouillé la maison de Ned, le frère d'Ethan, sans rien trouver. Du moins, ils n'ont rien révélé à Ethan.

Bien que ces informations n'aient rien de spécialement réjouissant, Julie souriait. Que se passait-il ? J'avais cru voir briller une étincelle dans ses yeux quand elle prononçait le prénom d'Ethan. J'étais maintenant certaine qu'elle avait le béguin pour lui.

— Il m'a parlé du jour où maman, Izzy et moi avons flotté jusqu'à la baie, sur des chambres à air.

— Depuis quel endroit ?

— Depuis la villa ! s'est exclamée Julie. Tu étais là quand nous avons sauté dans le canal et tu accompagnais grand-père quand il est venu nous chercher dans la baie.

J'ai hoché la tête : je devais avoir une existence virtuelle, à huit ans, car je ne gardais pratiquement aucun souvenir de cette époque.

Abasourdie, Shannon a dévisagé sa mère.

— *Tu flottais sur une chambre à air* ?

— Oui !

Shannon s'est penchée en arrière quand la fille a posé les crèmes glacées devant nous.

— C'est incroyable, a dit Shannon, sa cuillère en l'air. Toi qui as si peur de l'eau !

Julie a haussé les épaules.

— A l'époque, ce n'était pas le cas !

— Ta mère ne reculait devant rien, Shannon, alors que j'étais une poule mouillée.

— Ça a dû être sympa de descendre le canal ainsi...

Shannon n'avait jamais vu le coin et n'était allée qu'une ou deux fois dans la baie avec des copains, autant que je sache. En tout cas, Julie ne l'y avait pas emmenée, jusqu'alors...

— C'est probablement illégal de faire ça, maintenant, a observé Julie.

— Et peut-être déjà alors, ai-je suggéré.

La dégustation achevée, nous avons déposé Shannon chez son père. Debout sur le pas de la porte, il nous a adressé un salut, auquel j'ai répondu, alors que Julie s'en abstenait, m'a-t-il semblé. Apparemment, Glen et elle ne se parlaient plus, sauf au sujet de Shannon. Ils avaient coordonné les visites aux différentes universités et assistaient ensemble aux réunions de parents d'élèves, mais leur relation appartenait au passé. Leur animosité et leur chagrin s'étaient mués, pour une grande part, en indifférence, ce dont je me réjouissais. Mes ruptures m'avaient appris à quel point cette attitude est parfois confortable.

— Je parie que Glen n'exerce aucun contrôle sur Shannon, a murmuré Julie lorsque j'ai démarré.

Selon moi, le cheval s'était échappé de l'écurie depuis longtemps !

— Est-ce que, par hasard, tu t'intéresserais à Ethan Chapman ? insinuai-je pour faire diversion.

Je crus voir Julie rougir.

— J'ai eu plaisir à lui parler ; il a une voix très agréable.

— En grande forme, une voix très agréable, et tu as eu plaisir à lui parler... Que veux-tu de plus ?

— Rien du tout ! S'il n'était pas Ethan Chapman, je m'intéresserais peut-être à lui, mais je n'ai rien à faire d'un homme qui vit à Bay Head Shores et qui est le frère du probable meurtrier de ma sœur.

Impressionnée par la véhémence de Julie, j'ai préféré changer de sujet.

— Je me suis rappelé quelque chose, quand tu as parlé du canal.

— Quoi ?

— Papa était allé te chercher sur l'autre rive, quand tu pêchais avec la famille Lewis...

— Oui, il n'était pas content.

— Il lui arrivait d'être dur avec toi, tu sais. C'est comme ça que j'ai appris à ne pas faire de vagues autour de lui.

— Et il passait tout à Izzy !

Ce n'était pas la première fois que Julie faisait ce genre de remarque.

— Ça te contrariait ? lui ai-je demandé.

— Pas vraiment. Je crois que papa n'admettait pas certaines choses de ma part... Par exemple, que je fréquente les Lewis.

Julie s'est garée en silence devant mon immeuble et je lui ai proposé de monter.

— Non, a-t-elle murmuré en souriant. Je suis fatiguée... C'était un superbe concert. J'ai été ravie d'y assister. Vous avez un tel entrain...

— Merci... Toi, ça va ? ai-je insisté, soucieuse.

Julie a fixé un instant ses mains, posées sur le volant.

— Tu viens de me faire penser à George.

— Désolée, Julie !

— Je me dis que, si je n'étais pas allée traîner là-bas, George ne serait pas mort en prison.

Je me suis penchée vers ma sœur pour l'étreindre.

— Oh, Julie ! Il aurait mieux valu qu'Ethan et sa fille s'occupent eux-mêmes de cette lettre, sans t'en informer.

Elle a souri bravement quand j'ai desserré mon étreinte.

— Ça va... Ne t'inquiète pas pour moi !

J'ai ouvert la portière et je me suis retournée vers Julie.

— A propos d'Ethan...

Elle a attendu que je poursuive en haussant les sourcils.

— Fais-toi plaisir, Julie. C'est l'essentiel.

Avant d'aller au lit, j'ai passé une heure sur le site Internet de Tanner Stroh. Il était excellent, d'une indéniable érudition et d'une telle impartialité que je n'aurais su dire si je partageais ou non son point de vue. En tout cas, quand j'ai éteint l'ordinateur, j'avais comme idée que Shannon avait peut-être tiré le bon numéro.

13

Julie
1962

Nous étions en compétition, grand-père et moi. A quelques mètres l'un de l'autre, derrière la clôture du jardin et face au soleil matinal, nous attendions de voir, canne à pêche en main, qui de nous deux attraperait le plus gros poisson mangeable. J'avais mis mon maillot de bain une pièce. Après quelques semaines au soleil, j'avais la peau aussi sombre que grand-mère. Celle de grand-père était restée pâle ; d'ailleurs, il ne semblait jamais bronzer. Il portait un pantalon marron, selon son habitude – il devait en posséder au moins six – et une chemise blanche à manches courtes, et était chaussé de sandales. Je ne l'avais jamais vu pieds nus.

Au bout d'une demi-heure, je n'avais rien pris, alors que grand-père avait remonté deux poissons-lunes, que nous considérions comme moins que rien, car ils étaient trop dangereux pour être consommés. Ils contenaient, m'avait-on dit, une toxine mortelle. Quand grand-père eut rejeté le second dans le canal, une intrigue policière me vint à l'esprit : les Noirs installés sur la rive opposée mouraient les uns après les autres et s'effondraient dans les roseaux. Il s'avérait qu'ils avaient été empoisonnés par l'homme au coq, qui leur avait fait manger des foies de poissons-lunes frits. L'idée me plut et je la méditai.

Bien plus tard dans la matinée, je sentis une chose lourde et volumineuse peser sur ma ligne, et remontai un grondin. Une créature abominable, avec de longues nageoires osseuses autour du corps ! Grand-père éclata de rire, tandis que je faisais la grimace en regardant la bête frétiller. L'idée d'y toucher pour la retirer de l'hameçon me rebutait.

— Je parie que ce spécimen plairait à Ethan, a dit grand-père en désignant le jardin des Chapman d'un signe de tête.

J'aperçus Ethan, assis dans le sable, un énorme tas de moules devant lui, alors que je n'avais même pas remarqué qu'il était dehors.

Quand je l'ai appelé, il a levé le nez. Le soleil se réfléchissait dans ses lunettes, m'empêchant de voir ses yeux. J'ai dressé ma canne : le poisson faisait battre sa queue et ses nageoires en forme d'ailes.

— Tu le veux ?

— Génial !

Ethan a pris un seau bleu et s'est approché de nous.

— A toi de le décrocher !

— Très bien, a répondu Ethan sans se troubler.

A l'aide d'un chiffon que j'avais fourré dans le grillage, il a extrait l'hameçon avec une aisance impressionnante, puis m'a adressé un sourire aussi béat que si je lui avais offert une barre de chocolat.

Il a jeté la prise dans le seau et est reparti vers chez lui.

Nous nous sommes remis à pêcher, grand-père et moi. Mais, fatigués d'être debout, nous avons traîné deux sièges de jardin pour nous asseoir. Je me suis affalée dans le mien et ai posé mes pieds nus contre la clôture, l'âme en paix.

— Il me semble que nous sommes du mauvais côté du canal, a lâché grand-père au bout d'un moment en laissant planer son regard vers les Noirs.

— Qu'est-ce que tu veux dire ?

— Je les ai vus faire quelques bonnes prises, par là.

— Probablement des poissons-lunes. Papa m'a raconté que les Noirs en mangent par ignorance.

— Charles a dit ça ? s'est étonné grand-père en regardant droit devant lui.

— Il prétend que les Noirs sont moins intelligents que nous. Comme ils sont pauvres, ils se nourrissent de ce qu'ils trouvent !

Grand-père est resté longtemps silencieux, ce qui n'avait rien d'inhabituel de sa part, puis il a repris la parole avec une gravité particulière.

— As-tu jamais pensé que si les Noirs consomment ces bestioles, ce dont je doute, c'est parce qu'ils sont plus malins que nous ? Ils savent peut-être éliminer la partie toxique. Nous serions donc plus bêtes qu'eux et les plus gaspilleurs...

— J'imagine que papa n'est pas de cet avis.

— Quand j'avais ton âge, sais-tu que j'habitais dans le Mississippi ?

— Tu n'es pas né à Westfield ?

— J'avais quatorze ans à mon arrivée dans le New Jersey. Quand j'étais enfant, mes parents vivaient avec la famille de ma mère dans le Mississippi. Ils avaient une domestique noire dont le fils, du même âge que moi, s'appelait Willie. Il était mon meilleur ami...

— Ton meilleur ami était *noir* ?

J'avais du mal à y croire, moi qui n'avais jamais parlé à une personne de couleur.

Grand-père a hoché la tête en souriant.

— Nous nous amusions beaucoup ensemble ! Nous allions pêcher et nager dans le lac ou explorer les environs. Nous ne fréquentions pas la même école, à cause de la ségrégation.

J'avais entendu parler de cette disposition discriminatoire, mais il était facile de ne pas y penser, à Westfield, car je ne connaissais que des Blancs.

— L'école de Willie, a repris grand-père, était bien inférieure à la mienne. Il était aussi intelligent que moi, voire plus, dans certains domaines, mais on ne lui a pas donné sa chance... Et, pire encore...

Je me suis penchée vers grand-père pour ne pas perdre un détail du « pire ».

— Un jour, nous étions allés en ville, près de chez nous... Nous avions huit ou neuf ans et voulions acheter des friandises. Les Noirs n'avaient pas le droit de pénétrer dans le magasin.

— C'est vraiment injuste.

— Bien sûr ! Je suis donc entré seul et ressorti avec des bonbons, que nous avons mangés, Willie et moi, au bord du trottoir. Ensuite, il a eu un besoin pressant. Les toilettes, à l'extérieur de la boutique, étaient interdites aux Noirs. Je suis allé demander à la caissière si elle pouvait faire une exception pour Willie, qui avait de plus en plus de mal à se retenir. Elle n'a pas voulu ! Même scénario ailleurs. Finalement, Willie a mouillé son pantalon.

— Oh ! fis-je, navrée pour le copain de grand-père.

— Ensuite, un homme s'est mis à le frapper en l'insultant et en racontant que...

Grand-père a hésité un moment, comme s'il cherchait à épurer le vocabulaire ordurier de cet individu.

— Il a prétendu que les Noirs n'avaient pas accès aux endroits civilisés parce qu'ils se souillent... Tu imagines l'humiliation de Willie ?

Quelle horrible histoire ! Qu'aurais-je ressenti, si on m'avait empêchée d'entrer dans l'épicerie, au coin de la rue, où j'allais à bicyclette acheter pour quelques centimes de sucreries ? Et si une pancarte avec l'inscription « interdit aux enfants blancs » m'avait privée de l'accès aux toilettes ?

La conversation me perturbait. Grand-père me disait, en effet, d'une façon indirecte, que mon père était dans l'erreur, qu'il avait des préjugés... Mon père, dont j'admirais la bonté... Comment admettre qu'un homme que j'aimais et respectais était néanmoins sectaire ?

— Jamais papa n'empêcherait un enfant d'aller aux toilettes s'il en avait besoin ! m'exclamai-je, dans l'espoir d'obtenir l'approbation de grand-père.

Il m'a souri.

— Tu as raison. Ton père est un homme équitable, mais il n'a aucune expérience dans ce domaine ; voilà pourquoi il se trompe. Ceux qui ont des idées préconçues sont souvent mal informés.

La remarque me soulagea : j'avais craint, un instant, que grand-père n'aime pas papa.

— Sais-tu que beaucoup de gens du New Jersey méprisaient ta grand-mère quand elle était petite ? Ils la trouvaient stupide.

— Pourquoi ? Ce n'est pas une personne de couleur.

— Elle est d'origine italienne et ne parlait pas l'anglais parfaitement. Pour certains, c'est une déchéance !

J'appréciais d'avoir une grand-mère italienne. Elle

se montrait affectueuse avec mes amis, cuisinait des lasagnes fantastiques et, à Noël, des biscuits parfumés aux amandes ou à l'eau de rose. Pouvait-on ne pas l'aimer ?

Soudain, une poussée sur ma canne me l'arracha presque des mains. Grand-père rangea la sienne sous son siège et vint m'aider.

— C'est bon, cette fois-ci, Julie !

Il a maintenu la perche de son mieux, pendant que je remontais le plus beau flet jamais pêché dans le canal en hurlant de joie et en trépignant. Nous l'avons jeté sur le sable, par-dessus la clôture ; il a oscillé plusieurs fois, exposant son dos brun, doté de deux yeux, puis son ventre blanc. Maman et grand-mère sont sorties de la maison pour voir de quoi il retournait. Lucy, qui les suivait, s'est blottie près de la porte de la véranda, car elle avait peur du poisson, de l'hameçon ou de l'eau. Dieu seul le sait !

J'ai soigneusement retiré l'hameçon et déposé ma prise dans notre seau ; elle y entrait à peine.

— Quelle merveille ! s'est exclamée maman.

— Tu as gagné ! a reconnu grand-père. Je vais le vider dans une minute.

En effet, cette tâche incombait au perdant. Assez fière de moi, je regardais mes grands-parents rentrer à la maison, quand j'ai senti une présence derrière mon dos.

Ethan était là et sa réaction a été immédiate.

— Je n'ai jamais vu un spécimen aussi énorme ! Tu me donneras les boyaux, Julie ?

Le lendemain matin, assise sur le ponton, j'observais, armée d'une paire de jumelles, les bateaux bondir sur les eaux tumultueuses en passant sous le pont de

Lovelandtown. Grand-père m'avait offert ce cadeau, après qu'il eut préparé ce qu'il dénommait « le plus gros flet jamais pêché dans l'Intercoastal Waterway ». Il attendait un événement spécial, m'avait-il confié, et cela lui avait semblé « l'occasion ou jamais ».

Je suppose que ma conversation avec lui m'incita à lorgner du côté des Noirs, sur l'autre rive. J'aperçus alors une fillette près du dock séparant la zone de pêche de la cabane de l'homme au coq : penchée en avant sur sa canne, elle accrochait probablement l'hameçon. Je la scrutai après avoir tourné la rondelle de réglage pour me focaliser sur elle. A première vue, elle devait avoir mon âge.

Je bondis au garage, pris ma canne à pêche, mon couteau à appâts, mon seau et une des boîtes de calmars rangées dans le réfrigérateur, et sautai dans le canot avant d'avoir pris conscience de ce que je faisais. Tendue, mais assez excitée, j'accostai près de la gamine. Si elle avait le goût de l'aventure, nous pourrions devenir amies, comme jadis grand-père et son cher Willie.

Après avoir amarré l'embarcation à l'échelle, j'ai grimpé sur le ponton avec mon matériel, les jumelles au cou. Six personnes étaient là. Près de moi, ma présumée future copine, puis un garçon plus âgé et une femme, sans doute leur mère ; plus loin, trois hommes. Tous me fixaient. Devant ces visages noirs, j'avais l'impression d'avoir accosté en Afrique. De ma vie, je ne m'étais jamais sentie aussi blanche et aussi peu à ma place.

D'un pas hésitant, je me suis approchée de la fillette et j'ai claironné d'une voix beaucoup trop forte et joyeuse :

— Salut ! Ça mord ?

Devant son air interloqué, j'ai songé qu'elle ne

comprenait pas l'anglais. Elle avait la peau très sombre et de grands yeux du même brun. Ses cheveux étaient couverts de barrettes en plastique multicolores, en forme de rosettes. Plus petite que moi, elle était peut-être plus jeune que je n'avais cru ; elle me parut mignonne.

Apparemment, elle n'avait pas grand-chose à dire et mon salut resta sans réponse dans la chaleur de juillet.

Le garçon me toisa.

— Qu'est-ce que tu fais ici ?

— Je voulais pêcher de ce côté-ci, pour changer.

— On a assez de mal comme ça ! Tu n'as pas besoin de venir prendre notre place.

— Chut, George ! fit la femme en posant une main sur son avant-bras musclé. Je m'appelle Salena. Et toi ?

— Alice.

Je m'adressai alors à la fillette de mon âge.

— Tu t'appelles comment ?

— Wanda.

Elle avait la voix haut perchée, encore plus aiguë sur la seconde syllabe de son prénom.

— Quel âge as-tu ?

— Onze ans.

J'avais un vague souvenir d'avoir eu onze ans, en un temps reculé.

— Moi, douze ! Je peux pêcher un moment près de toi ?

— Ouais.

— Tu as des appâts, Alice ? s'enquit Salena.

— Oui.

Je plongeai une main dans mon seau, coupai un morceau de calmar avec mon couteau et le fixai à l'hameçon en tremblant.

— Tu utilises quoi ? demandai-je à Wanda.
— Des vers.
— Moi aussi, quelquefois.
Je lançai ma ligne avec précaution : si elle avait frôlé la tête de mes compagnons, leur hostilité à mon égard n'aurait plus eu de bornes. Ils avaient des cheveux totalement différents des miens. Ceux de Salena et de Wanda, encore plus foncés que ceux d'Isabel, étaient longs. Chez Wanda, ils formaient, à cause des barrettes, de petites queues de cochon autour de son crâne. Je ne voyais pas très bien les trois hommes, car ils étaient trop éloignés, mais George me parut avoir une tignasse drue. Il portait un tee-shirt blanc et un pantalon ample. Son corps musclé, luisant de transpiration, lui donnait l'allure d'un sportif.
— Tu sais lire ? demandai-je à Wanda.
— Bien sûr qu'elle sait lire ! a grogné George. Tu crois qu'on passe la journée à cueillir du coton ?
— Tais-toi, George ! a lancé Wanda.
— Tu as lu des *Alice* ? repris-je.
— Quelques-uns.
— Quel est ton préféré ? insistai-je, histoire de mettre la sincérité de Wanda à l'épreuve.
J'avais du mal à croire qu'une enfant noire se plonge dans *Alice.* Quelle impression avait Wanda, quand elle bouquinait un ouvrage empli de personnages à la peau blanche ? Et quand elle regardait un spectacle à la télévision ? Seul le show de Jack Benny présentait une personne de couleur : Rochester, le maître d'hôtel, pour autant qu'il m'en souvenait.
— J'ai pas de préférence, marmonna Wanda en remontant sa ligne chargée d'un paquet d'algues. Je les aime tous...

J'étais persuadée qu'elle mentait. Comment aurait-elle pu ne pas avoir de préférence ?

— Moi, je préfère *Alice et les marionnettes,* c'est un nouveau.

— Je l'ai pas encore lu, fit Wanda en posant le bas de sa canne dans le sable pour dégager les algues ; mais j'aime celui où elle s'engage dans un cirque.

J'ouvris des yeux ronds.

— *Alice écuyère* ?

— Oui.

Wanda me désigna son poignet.

— Avec un cheval en amulette...

— Je vois, admis-je, honteuse d'avoir mis sa parole en doute et désireuse de récompenser son honnêteté par la mienne. Je ne m'appelle pas vraiment Alice... Mon nom est Julie.

— Pourquoi tu m'as dit Alice ?

— Parce que j'aime les énigmes policières.

— Y en a pas, ici ! Tu ferais mieux de retourner d'où tu viens, m'enjoignit George.

Après l'avoir fait taire, Wanda me regarda en faisant rouler ses yeux.

— Tu as des frères ?

Je hochai négativement la tête en souriant.

— Quelle chance pour toi !

Le ver étant resté accroché à l'hameçon, Wanda lança à nouveau sa ligne d'un geste vif.

— Tu as une sœur, en tout cas, marmonna George.

— Deux : Lucy et Isabel.

— Laquelle porte un Bikini ?

— Aucune.

J'avais compris qu'il parlait d'Isabel ; pourtant, le bas

de son maillot de bain dépassait le niveau du nombril. Seule Pamela Durant, à ma connaissance, arborait un véritable Bikini.

— Tu mens ! protesta George. Il y a une fille qui a un deux-pièces. Elle s'assied quelquefois sur le ponton et parle aux garçons qui passent en bateau.

— C'est Isabel ; elle a dix-sept ans.

— Une belle fille !

— Ne parle pas comme ça de ma sœur, fis-je, contrariée par l'intonation de George.

— Ça veut dire quoi : « comme ça » ?

— Tu sais bien !

Des gloussements de volailles me firent brusquement dresser l'oreille. Après avoir tourné la tête vers la cabane, à peine visible au milieu des hautes herbes et des roseaux, j'interrogeai Wanda et George :

— Vous connaissez l'homme au coq ?

— Qui ?

Je sentis un petit coup saccadé sur ma ligne. Quand je la sortis légèrement de l'eau, il n'y avait rien au bout, même plus l'appât ! Mais je m'en fichais, car j'étais en train de me faire de nouveaux amis.

— Il vit dans cette baraque, annonçai-je en pointant la masure du doigt, de l'autre côté du dock.

— Je l'ai déjà vu. Un jour, j'ai voulu pêcher là-bas avec George. Il nous a chassés...

— A mon avis, il cache quelque chose.

— Ma fille, tu vas t'attirer des ennuis ! ricana George.

— Il a un coq et des poules qu'il laisse courir dans sa maison.

Salena s'approcha avec un grand saladier rempli de framboises et m'en offrit. J'en pris une poignée que je fourrai dans ma bouche.

Elle me questionna alors :

— Ta maman sait que tu es ici, petite ?

— Non, mais j'ai le droit d'aller où je veux sur ce tronçon du canal.

Une demi-vérité, car si j'étais autorisée à circuler à ma guise, il n'avait jamais été question que j'accoste et rende visite à des inconnus.

— Demande la permission, la prochaine fois, petite ! J'acquiesçai.

— Tu n'auras qu'à dire : « M'man, est-ce que je peux aller pêcher avec les nègres ? » fit George.

Me voyant choquée par l'usage de ce mot, il éclata de rire.

— Hé, petite, je te faisais marcher.

Salena rit à son tour ; Wanda jeta un regard écœuré à son frère.

— Espèce d'abruti ! Il a eu dix-huit ans hier, mais n'a jamais été aussi bête, ajouta-t-elle à mon intention.

Salena, Wanda et George étaient très différents de mes autres connaissances, ce qui m'intriguait. J'ai donc traversé le canal plusieurs fois, cette semaine-là, car j'aimais être sur la rive opposée. Contrairement à ma première impression, Salena était la cousine de Wanda et George, et non leur mère. J'appris que tous les Lewis, y compris les hommes qui se tenaient assez à l'écart, étaient cousins. Wanda et George n'avaient pas de père, et leur mère étant malade, ces parents plus âgés les avaient pris en charge.

Le frère et la sœur se faisaient beaucoup enrager – selon l'expression de George –, et il me fallut un certain temps pour comprendre qu'il s'agissait d'une marque d'affection. Je leur donnais mes prises et découvris qu'ils rejetaient, eux aussi, les poissons-lunes et les grondins. Je leur prêtai à tour de rôle mes jumelles et partageai avec eux un saladier de mûres, cueillies sur l'aire sablonneuse, devant notre maison. J'apportai un jour *Alice et les marionnettes* pour faire la lecture à Wanda, assise sur un seau retourné. Pas une fois elle ne me proposa de lire et j'évitai de le lui suggérer, de peur de l'embarrasser, si elle était moins « bonne » que moi. A vrai dire, je mettais si bien le ton que même Salena et George m'écoutèrent un moment.

Munie d'un gilet de sauvetage supplémentaire, j'emmenai Wanda faire un tour en canot. J'aurais aimé la présenter à ma famille, mais il me sembla préférable de m'abstenir, car je n'avais rien dévoilé de mes occupations matinales. Il aurait suffi d'un coup d'œil attentif vers la berge pour me voir, mais personne n'eut cette curiosité : l'habitude d'ignorer les pêcheurs de couleur était trop bien ancrée.

Un jour, pourtant, j'étais debout à côté de Wanda, en train d'appâter avec un *killie,* quand un Blanc a surgi du chemin, au milieu des herbes. Je me suis retournée. J'étais si loin de penser aux miens que, sans le léger boitillement de l'intrus, je n'aurais pas reconnu mon père.

— Papa ! ai-je crié. Qu'est-ce que tu fais ici ?

Il s'est approché de moi et j'ai remarqué que ses cheveux bruns grisonnaient. Il a contourné un seau de poissons et évité George de justesse. Celui-ci lui a lancé un regard mauvais, comme s'il se préparait à lui planter un couteau dans le flanc : un aspect de sa personnalité que je n'avais pas encore cerné.

— Rentre à la maison !

Mon père me parlait d'une voix calme malgré sa

fureur. Il se montrait rarement violent en actes ou en paroles, mais rien n'est plus troublant qu'une colère froide.

— Pourquoi ?

Etrange question, car je connaissais la réponse ! L'appât dans une main, l'hameçon dans l'autre, j'avais les bras paralysés.

— On te cherchait. Tu sais bien que tu dois nous dire où tu vas. Jette ce *killie* dans le canal !

Gênée, je m'exécutai.

— Je te présente Wanda Lewis, papa. Son frère, George, et sa cousine, Salena.

— Vous avez une gentille petite fille, dit Salena. Elle est la bienvenue, si elle a envie de pêcher avec nous.

— Merci !

Papa posa une main sur mon épaule. J'essayai d'évaluer son énervement d'après la pression qu'il exerçait : neuf sur une échelle de un à dix. Avant de le suivre, j'ai rassemblé mon matériel en tremblant.

— Et le bateau ? demandai-je.

— Grand-père viendra le chercher plus tard.

Je fis volte-face après avoir salué les Lewis. Mon père me devançait déjà sur l'allée menant à l'espace sablonneux où il avait garé la voiture.

Il attendit d'avoir mis le contact pour reprendre la parole. Tout en parlant, il hochait la tête lentement, comme s'il avait peine à croire que j'étais sa fille.

— Que faisais-tu de ce côté du canal ? s'est-il enquis d'une voix glaciale.

— Je pêchais.

— Crois-tu que les Noirs ont des poissons différents des nôtres ?

Je le pensais, en effet, mais j'adoptai une autre tactique.

— Grand-père m'a dit que je devrais essayer de m'en faire des amis.

N'avais-je pas honte de rejeter la responsabilité sur autrui ? Je regrettai aussitôt mes propos ; d'ailleurs, mon père n'en crut rien.

— Tu deviens beaucoup trop menteuse, Julie ! fit-il en s'engageant sur la route. Ton imagination risque de te jouer de mauvais tours. Je te conseille de faire la différence entre les histoires inoffensives que tu peux inventer et les mensonges.

— Je n'ai pas de copines, ici, marmonnai-je, au bord des larmes.

— Tu n'as qu'à jouer avec Lucy.

— Elle ne veut jamais rien faire !

Le visage de papa s'assombrit et il me caressa les cheveux. Sa fureur avait fait place à une expression soucieuse qui me troubla encore plus.

— Ma chérie, je sais que tu es un peu seule, cet été, mais évite de fréquenter les Noirs ! Il n'y a rien de bon à en attendre.

— Wanda lit *Alice.*

— Elle peut s'intéresser à Dostoïevski, si ça lui chante !

Qui était Dostoïevski ? Je n'en avais pas la moindre idée.

— Je te demande de ne jamais retourner là-bas, conclut mon père. D'accord ?

— Si c'était Izzy, tu lui permettrais !

— Si c'était Izzy, je l'enfermerais à clé dans la maison une année entière.

Papa tourna le volant pour prendre la rue menant au pont de Lovelandtown, puis il posa son regard sur moi.

— Tu penses que j'ai une préférence pour Isabel ?

— J'en suis *sûre.*

Il traversa le pont en silence, tandis que le tablier métallique grondait sous nos pneus.

— Isabel est mon premier enfant, dit-il alors d'une manière sereine. Elle occupe une place à part dans mon cœur, mais je vous aime autant qu'elle, Lucy et toi. Je suis navré que tu en doutes.

Bien que je n'aie pas eu l'intention de manipuler mon père, mon accusation semblait avoir tourné à mon avantage. Papa me serra dans ses bras en sortant de la voiture et me déclara que son sermon me tiendrait lieu de punition. Je sanglotai alors pour de bon : quoique je lui sois attachée de tout mon être, je me sentais incapable de devenir la fille soumise qu'il souhaitait.

L'après-midi, assise sur le ponton, les pieds au-dessus de l'eau, j'ai regardé les Lewis plier bagage, avant de rentrer chez eux. Nous avons échangé un simple salut, George, Wanda et moi.

— Ton père est allé te chercher, hein ?

Je reconnus la voix immédiatement.

— Dégage, Ethan !

— Tu as eu raison de passer de l'autre côté !

Surprise, je me suis retournée. Adossé à la clôture, Ethan portait des lunettes de soleil aux verres aussi épais que ceux de sa paire habituelle.

— Ton père et le mien se sont drôlement disputés.

Je pivotai sur moi-même en remontant les jambes.

— Qu'est-ce que tu racontes ?

— Ton père te cherchait. Le mien était dehors, alors ton père lui a demandé s'il t'avait vue, par hasard. Il lui a répondu : « Comme tous les jours, elle est en train de pêcher sur la berge opposée. »

— Il m'a mouchardée !

— Ton père a dit qu'il allait te récupérer sur-le-champ. Papa lui a déclaré que tu avais une certaine liberté d'esprit, dont il allait te priver. Ton père a traité le mien de « trou du cul libéral » et l'a prié de ne plus se mêler de ses affaires. Pas mal, non ?

Pas mal, à condition de ne pas être l'objet d'une telle dispute, pensai-je. Cette altercation était cependant l'événement le plus excitant survenu sur le canal depuis des semaines. Jamais je n'aurais cru papa capable de prononcer l'expression « trou du cul ».

J'ai cessé de rejoindre Wanda et George pendant neuf longs jours, puis j'ai recommencé. Je faisais croire à Salena que j'en avais la permission. J'ai encore offert des mûres à mes amis et mangé leurs framboises, ainsi que de gros quignons d'un pain de maïs cuit par Salena. Je partageais mes jumelles avec eux et faisais la lecture à Wanda, mais je n'apparaissais que lorsque mon père était à Westfield.

En même temps, je me préparais à confesser, le samedi suivant, que j'avais désobéi à mes parents chaque jour de la semaine.

14

Julie

Le lendemain du concert, je suis arrivée le matin chez maman ; j'étais en train de prendre mes gants de jardinage, ma crème solaire et mon insecticide, quand Lucy s'est garée derrière moi.

— J'ai apporté des bagels, m'a-t-elle annoncé en sortant de voiture.

— Bonne idée ! Je n'y avais pas pensé.

Elle m'a tendu le sac, puis s'est approchée de moi en effleurant le bord de mon chapeau de paille.

— Ça te va bien, avec ta coupe de cheveux.

— Merci. Où est le tien ?

— Je l'ai oublié. Maman en a sûrement un à me prêter.

Nous avons longé le trottoir jusqu'à la maison à deux niveaux où nous avons passé notre enfance.

Plusieurs fois par an, nous nous réunissions pour aider notre mère à jardiner. Elle entretenait de superbes plates-bandes devant la façade et, à notre grand regret, tondait elle-même la pelouse à l'aide d'un monstrueux engin que nous n'avions pu lui soustraire, malgré de nombreuses tentatives. Je lui avais proposé de payer une entreprise, qui se chargerait de cette tâche à sa place, car elle risquait de passer sous la tondeuse ou de tomber de celle-ci, mais elle avait trouvé mes inquiétudes absurdes. Comment ferions-nous pour la persuader, un jour ou l'autre, de renoncer ? Elle avait au moins accepté notre aide pour le potager au fond du jardin et c'était notre objectif de la matinée.

Quand nous avons sonné, j'ai aperçu nos reflets dans la double porte, presque aussi nets que dans un miroir. Il me sembla que nous avions, ma sœur et moi, un point commun essentiel : la forme ovale de nos lunettes de soleil. Les miennes sont aussi correctrices... Nous nous ressemblons fort peu, mais l'apport de nos parents transparaît vaguement sur notre visage. Les cheveux de Lucy ne tarderaient pas à être entièrement argentés. A l'exception de sa lourde frange, ils étaient tressés en une longue natte qu'elle portait dans le dos. Sous leur teinture et leurs reflets, les miens étaient-ils maintenant de la même couleur ?

— Maman, on est là ! marmonna Lucy en sonnant une seconde fois.

Nous avons attendu encore une bonne minute. Malgré l'heure matinale, la température était déjà élevée sur les marches exposées au soleil.

— La voiture est à l'intérieur ?

Lucy s'était tournée vers le garage, comme si elle pouvait voir à travers les murs.

— J'ai téléphoné à maman hier, avant le concert, pour lui annoncer notre visite, dis-je avec un soupçon d'inquiétude. Ma clé est dans ma poche !

Je poussai la porte, heureuse de constater qu'elle n'était pas verrouillée, puis ouvris la suivante.

— M'man ? appela Lucy, dans la relative fraîcheur de notre vieille demeure.

Aucune réponse. J'entrai dans la cuisine et pénétrai dans le garage : la Taurus argent y était garée.

J'allais monter au premier étage quand Lucy m'annonça que maman était *là*. Elle me désignait les parois vitrées coulissantes de la salle à manger, donnant sur le patio. Quel soulagement de voir notre mère assise devant la table à dessus de verre ! Vêtue d'un léger peignoir d'été et les pieds encore dans ses chaussons en éponge, elle nous tournait le dos.

Elle nous avait donc oubliées.

Nous avons fait glisser un battant. Maman a sursauté et tourné la tête sans parvenir à nous apercevoir. J'étais navrée de l'avoir effrayée.

— C'est nous, m'man, ai-je dit promptement en me penchant pour l'embrasser.

Elle parcourait un vieil album de photos, qu'elle a tenté de refermer à la hâte d'une main tremblante, en vain. Parmi les clichés en noir et blanc, j'en reconnus un d'Isabel : debout, en robe claire, sur le ponton, elle adressait un signe en direction de l'appareil. Dieu que Shannon lui ressemblait ! Il y avait derrière elle un bateau voguant sur le canal, en direction de la baie. Avant que maman ait eu le temps de réagir, j'avais pu saisir au passage le sourire ourlé de fossettes d'Izzy.

— Salut, les filles ! a lancé notre mère avec une gaieté forcée. Que faites-vous ici ?

Lucy m'a adressé, en douce, un regard anxieux. Maman n'était habituellement pas plus étourdie que moi, mais il était clair que nous l'avions surprise à un moment inopportun.

— Nous venons travailler dans le jardin, a annoncé Lucy.

— Oui, c'est juste !

Maman s'est levée. Nous faisions toutes les trois mine d'oublier l'album qu'elle serrait contre sa poitrine. C'était ainsi dans la famille : nous étions passées maîtres dans l'art d'ignorer l'éléphant campé au milieu de la pièce. Si nous ne tenions pas compte de sa présence, il ne risquait pas de nous mettre en péril...

— Je m'habille et je viens vous aider, a lâché maman.

Elle est passée à côté de nous, la tête baissée, dans l'espoir que nous n'allions pas remarquer ses yeux rougis. Elle avait besoin de s'isoler pour se remettre d'aplomb. Emue par son malaise, j'avais envie de la toucher, de l'étreindre dans mes bras, de lui demander ce qui la troublait à ce point, mais elle n'aurait pas apprécié que je la retienne, même un instant.

— J'ai apporté des bagels, a signalé Lucy, sans doute faute d'inspiration.

— Il y a des jus de fruit dans le réfrigérateur, a indiqué maman en poussant la porte à glissière.

Dès qu'elle fut rentrée dans la maison, nous nous sommes regardées, Lucy et moi.

— Nous aurions peut-être dû téléphoner avant de débarquer, a chuchoté ma sœur.

— Je trouve bizarre qu'elle se replonge maintenant dans ces photos.

— Que veux-tu dire ?

— Tu sais... La lettre de Ned, ma conversation avec Ethan, l'évocation de la mort d'Isabel... Tout ça...

— Une pure coïncidence ! Quoique... Tu as sans doute raison ; c'est étrange.

Lucy me tendit le sac de viennoiseries.

— Cannelle-raisins, pain au son ou nature.

Nous avons mangé chacune la moitié d'un bagel dans la cuisine et laissé le reste sur le comptoir pour notre mère. Lucy s'est coiffée d'un vieux chapeau de paille, trouvé dans le placard du vestibule. Puis nous nous sommes aspergées d'insecticide, avant d'aller chercher nos outils au fond du jardin, dans la cabane imprégnée de l'odeur de moisi.

— Des nouvelles d'Ethan ? m'a demandé Lucy en posant deux binettes et deux sarcloirs dans la brouette.

J'ai ri malgré moi.

— Il y a... à peine dix heures, tu m'as posé la même question !

J'ai senti une chaleur moite me brûler le sommet du crâne, puis irradier vers mes joues et mon cou. J'ai retiré mon chapeau pour m'éventer.

— Une petite allusion à Ethan, et voilà ce qui t'arrive ! a plaisanté Lucy.

J'ai éprouvé une vague contrariété.

— Attends quelques années ! Quand tu auras des bouffées de chaleur, toi aussi, je me souviendrai de ton manque de compassion pour moi dans cette épreuve...

J'ai remis mon couvre-chef en place et nous avons poussé la brouette devant nous.

— Tu crois que des relations sexuelles te poseraient des problèmes ? s'est enquise Lucy.

— Qu'est-ce que tu racontes ?

Ma sœur est capable d'aborder les sujets les plus délicats avec une candeur absolue.

— Tu es ménopausée... Mais tu pourrais surmonter tes réticences à coucher avec Ethan...

— Permets-moi d'en douter ! Et même si j'envisageais

cette possibilité, je ne crois guère qu'il ait ce genre d'intentions à mon égard.

J'ai laissé la brouette sur le côté et pris une binette, puis commencé à la passer entre les rangées de plants de tomates. La terre était aussi fertile que dans notre enfance, mais semblait exiger plus d'efforts de notre part qu'autrefois.

— D'ailleurs, ajoutai-je, le sexe ne m'intéresse plus beaucoup, ces temps-ci.

Une demi-vérité. J'avais fini par me considérer comme asexuée au cours des dernières années de ma vie conjugale avec Glen. Cette indifférence était peut-être une partie de notre problème de couple dont j'étais responsable... Pourtant, ma réaction lors de ma rencontre avec Ethan – et même simplement au son de sa voix – m'incitait à remettre en cause mon point de vue.

— Je crains de n'avoir le même problème, fit Lucy en déposant le coussinet sur lequel elle s'agenouillait à côté des laitues.

— *Toi ?*

Je prêtais à Lucy un appétit sexuel insatiable, jusqu'à sa mort et peut-être même après.

— Dommage, non !

Elle se mit en position de travail, un déplantoir à la main. Son chapeau s'abaissa sur ses lunettes de soleil et elle ajouta :

— Qui aurait cru qu'un jour j'en arriverais là ?

Nous nous sommes retournées en entendant la porte coulisser. Notre mère se dirigeait vers nous, en bien meilleure forme, me sembla-t-il, qu'une demi-heure auparavant. Elle portait la salopette de jardinier que je lui avais offerte quelques années plus tôt, des chaussures en caoutchouc vert et un chapeau de paille.

— Maman, lui ai-je suggéré, tu devrais, pour une fois, t'asseoir et te reposer ! Nous nous chargeons de la tâche, Lucy et moi.

Elle s'est immobilisée.

— Bonne idée ! Je vais aller chercher un café et une part de bagel, et m'installer sur un siège pour bavarder avec vous.

Elle a pivoté sur elle-même et disparu dans la maison. A nouveau, nous avons échangé un coup d'œil, Lucy et moi.

— Qu'est-ce qui lui arrive ? a marmonné Lucy.

Même si nous n'y voyions aucun inconvénient, maman n'avait pas l'habitude de nous laisser travailler sans elle.

J'ai chassé un insecte de mon avant-bras moite.

— Elle a peut-être fini par comprendre qu'elle n'a plus la force de jardiner, par une telle chaleur.

J'ai déposé la binette à terre et rapporté du patio un fauteuil, que j'ai mis à l'ombre, près de l'endroit où Lucy et moi nous activions.

— Comment peut-elle boire du café par cette température ? a grommelé Lucy.

Maman avait reparu, portant une tasse et un demi-bagel sur une serviette. Elle s'est posée, souriante.

— Je regrette de n'avoir pas assisté à ton concert hier soir, Lucy. C'était comment ?

— Amusant.

— Formidable, comme toujours ! ai-je observé en reprenant mon outil.

Maman avait prévu de nous accompagner, Shannon et

moi, mais y avait renoncé en alléguant une fatigue passagère. Cela ne m'avait pas inquiétée sur le coup, mais je me demandais à présent si c'était en rapport avec sa tristesse de ce matin. Quant à moi, j'étais encore un peu excitée par les moments intenses passés avec ma fille. Elle me manquait à chaque instant de la journée et je savais que mes nombreux coups de téléphone l'irritaient, mais je résistais à l'appeler neuf fois sur dix quand je pensais à elle.

— Lucy t'a dit que je souhaite organiser quelque chose pour fêter en même temps l'anniversaire de Shannon et son départ pour l'université ? a lancé maman.

— C'est une excellente idée !

— J'envisageais de nous réunir au McDo, mais Lucy préfère que ça ait lieu ici.

Je glissai un sourire à ma sœur en articulant silencieusement « merci », avant de murmurer :

— Très bien.

— Je pense à une soirée-surprise. Pourrais-tu me donner une liste des amis de Julie ?

— Bien sûr !

Appuyée sur la binette, je pris le temps de réfléchir.

— Veux-tu que je m'occupe des invitations, pour te décharger de ce souci ? Regardons sur le calendrier la date qui conviendrait. Shannon doit être à Oberlin fin août...

— Une soirée-surprise ne me paraît pas une si bonne idée, intervint Lucy.

— Pourquoi ? m'étonnai-je en grattant la terre et les mauvaises herbes.

— Je ne sais pas... Il me semble que Shannon souhaiterait avoir son mot à dire au sujet des invités. Ce serait ma réaction, si j'étais à sa place.

— Eh bien, vous n'avez qu'à lui parler et me tenir au courant. Et puis...

Maman avala une gorgée de café et hésita si longtemps que je me demandai si elle comptait terminer sa phrase.

— J'ai une question pour Julie, reprit-elle enfin.

— Laquelle ?

— J'attendais de voir si tu finirais par me dire que tu as déjeuné avec Ethan Chapman.

Muette de stupéfaction, j'interrogeai Lucy du regard : « As-tu parlé à maman ? » Apparemment aussi surprise que moi, elle me fit signe que non.

— Comment le sais-tu ? m'enquis-je en interrompant ma tâche.

Notre mère glissa une mèche de ses cheveux blancs sous son chapeau.

— J'ai mes sources d'information.

— Lesquelles, m'man ?

— Son père m'a rendu visite.

Je me souvins de M. Chapman, la dernière fois que je l'avais vu à la télévision : un bel homme élancé, entre deux âges, serrant les mains, embrassant les bébés et faisant des promesses tandis qu'il était en campagne pour le poste de gouverneur. Sans doute à la fin des années soixante.

— Tu plaisantes ! Pourquoi aurait-il fait ça ?

— Ethan lui a dit qu'il allait te rencontrer. Il a alors pensé à notre famille et décidé de venir me voir.

— Bizarre, fit Lucy.

Elle avait cessé de désherber et était assise sur le coussinet, les jambes serrées entre les bras.

— Comment ça s'est passé ?

— Bien. Pas très costaud, le pauvre... Il a beaucoup vieilli. A mon avis, il ne devrait plus conduire.

J'eus une pensée soudaine pour l'album que notre mère feuilletait à notre arrivée. La venue de Ross Chapman l'avait replongée dans le passé...

— De quoi avez-vous parlé, m'man ?

— Nous n'avons pas dit grand-chose. Ross Chapman n'est resté que quelques minutes... Mais j'aimerais bien savoir ce que vous vous êtes raconté, Ethan et toi.

Maman pouvait-elle être au courant de la lettre ? La pensée qu'Ethan n'en avait pas fait mention à son père me tranquillisa.

— Rien de particulier ! Il voulait prendre des nouvelles... Nous étions amis d'enfance et je suppose qu'il s'est souvenu de moi. Ce sont des choses qui arrivent.

— Il vit seul ?

— Oui, il est divorcé.

— Alors, il s'est mis en quête d'une nouvelle Mme Chapman.

— Oh, m'man, je ne crois pas que ce soit son problème.

— Au cas où j'aurais deviné juste, j'espère que tu ignorerais ses avances.

— Pourquoi ? s'étonna Lucy.

Notre mère soupira profondément, avala une gorgée de café et épousseta une miette de bagel, tandis que Lucy et moi attendions sa réponse.

— Parce que, dit-elle enfin, les Chapman me rappellent une époque que je préférerais oublier.

Il me sembla que l'éléphant nous adressait un coup de trompe et piétinait les plants de tomates.

Maman a posé la tasse sur l'accoudoir du fauteuil et joint les mains sur ses genoux.

— Eh bien, a-t-elle conclu, nous n'avons plus qu'à décider si la fête en l'honneur de Shannon sera une surprise ou non.

15

Lucy
1962

Un souvenir m'est revenu.

Je ne sais pas exactement ce qui l'a déclenché. Peut-être l'allusion de maman à M. Chapman. Peut-être l'une de ces anciennes photos, aperçue avant qu'elle referme l'album. Prise du canal, c'était une vue de notre maison, voisine de celle des Chapman : deux constructions en sandwich entre les docks. Tandis que j'arrachais les mauvaises herbes jusqu'à la fin de la matinée, les bras au soleil, le passé a repris corps progressivement.

Quand j'étais enfant, maman était obsédée par l'idée de m'apprendre à nager. Excellente nageuse, elle s'inquiétait de savoir l'une de ses filles en danger sur la plage. Je souhaitais de tout mon cœur lui donner satisfaction, mais une mystérieuse angoisse m'en empêchait. De l'eau jusqu'aux genoux, je frissonnais, figée sur place... La peur des crabes, prêts à me mordre les orteils ? Du mouvement du sable sous mes pieds ? D'une éventuelle noyade ? Je l'ignore aujourd'hui et, même à l'époque, aurais été bien en peine de dire ce qui me terrifiait. L'hiver, maman m'emmenait à la piscine, où elle me confiait à un maître nageur, censé initier les plus récalcitrants. Mais au jeu de « avance encore un peu, ma petite », j'étais capable de battre tout le monde. Après deux ans d'efforts, cet homme capitula. Tout le monde avait capitulé, sauf maman.

Un jour de l'été 1962, elle échafauda un nouveau plan. On venait de m'offrir mon premier violon – un dérisoire instrument en plastique blanc, acheté au bazar – et je ne demandais qu'à rester assise sur la véranda, pour jouer les airs simples du livret musical qui l'accompagnait.

Mais maman insistait...

— J'ai l'impression que c'est le bon jour, m'annonça-t-elle avec son enthousiasme habituel.

Face à moi, dans son maillot de bain à pois noir et blanc, agrémenté d'une jupette, elle brandissait une ceinture de sauvetage orange pour enfants.

— Lucy, j'en suis persuadée ! J'ai demandé à M. et Mme Chapman l'autorisation d'utiliser leur dock : il est en pente, ce qui te permettra de progresser pas à pas. Parfait, non ?

A travers la porte-écran, je voyais le haut du Boston Whaler dépasser du ponton.

— Leur vedette est ici !

— Ils ont un double dock. Il y a la place nécessaire pour le bateau et toi.

J'ignore ce qui m'a incitée à poser mon instrument et à m'affubler de la ceinture. Soupirais-je de résignation en suivant ma mère ou éprouvais-je quelque espoir que le jour J soit arrivé ? En tout cas, j'ai traversé notre jardin et celui des Chapman. Je me revois, glissant pieds nus sur le sable. J'avais adopté cette démarche depuis le jour où je m'étais piquée avec une feuille de houx chez les Chapman et c'était, selon moi, le meilleur moyen pour éviter que cela ne se reproduise.

Dans le dock, Ned avait déplacé le Boston Whaler de manière à nous laisser un maximum de place. Les mâles de la famille étaient présents, y compris Bruno Walker. Ned et lui nettoyaient l'intérieur du bateau avec des chiffons et un détergent ; un transistor posé sur le ponton diffusait *Sherry*. Ned était aussi bronzé que son copain et je remarquai pour la première fois que certains blonds brunissaient comme les individus à peau mate. La présence de Ned me sécurisait légèrement, car il était surveillant de plage.

Ce maigrichon d'Ethan était dans l'eau pour m'encourager et M. Chapman, adossé à un arbre, nous regardait approcher.

— Décidée à te lancer, Lucy ? m'a-t-il demandé.

— Peut-être...

Ma mère m'a pris la main pour descendre la pente, dont le ciment disparaissait sous la vase verdâtre. Craignant de glisser, je me suis agrippée.

— Agréable, non ? a dit maman, quand j'eus de l'eau jusqu'aux chevilles. Ce n'est pas trop froid...

J'ai hoché la tête en rivant mon regard sur la surface sombre du dock. Impossible de voir en dessous ! Dans notre dock, Julie avait pêché des millions de crabes ; celui-ci devait en contenir autant. Mes pieds me semblaient exposés et vulnérables.

— J'ai besoin de mes tongs.

— Pourquoi ? a interrogé maman.

— A cause des crabes.

— Ils ont mieux à faire que de te manger les orteils, a ricané Bruno.

Agenouillé à la proue du Boston Whaler, il nettoyait le pare-brise. Il ne portait que son caleçon de bain ; son corps musclé me parut admirable.

— Je te prête mes tongs, m'a crié Ethan.

Il m'a montré du doigt l'endroit où il les avait abandonnées sur le sable, l'une sur l'autre. Après que je fus arrivée jusqu'à elles tant bien que mal, je les ai enfilées. Elles étaient trop grandes pour moi, mais je m'en contenterais.

Debout au bas de la pente – du moins, me semblait-il –, Ethan m'a appelée dès que j'ai repris la main de maman.

— Regarde, Lucy ! Ici, je n'ai de l'eau que jusqu'à la taille.

Il a tendu les bras et j'aurais pu compter ses côtes.

— Avançons un peu, a dit ma mère.

Résolue à faire preuve de bonne volonté, j'ai progressé d'un pas minuscule, frissonnant quand l'onde a atteint mes mollets. J'ai commencé à serrer les mâchoires et à sautiller pour tenir les crabes à distance, car je ne distinguais plus mes pieds. Les sandales en plastique ne suffisaient pas à ma sécurité ; j'aurais dû porter mes baskets !

— C'est plus facile d'entrer d'un seul coup, a affirmé Ned, expert en la matière.

Je savais qu'il avait raison, mais c'était plus fort que moi.

— Encore un pas ! a suggéré ma mère.

J'ai obtempéré en retenant mon souffle. La flotte frôlait mes genoux et mes dents claquaient si fort que tout le monde devait les entendre. J'avais, en plus, la chair de poule.

— Bravo, Lucy ! s'est exclamé Ethan. Continue !

Il tapotait la surface comme on tapote un coussin pour inciter un ami à s'asseoir sur un canapé.

— Il y a des crabes autour de toi ?

— Non ! Ils sont trouillards. Ils s'enfuient dès qu'on vient les déranger.

Cette remarque d'Ethan ne m'a pas rassurée : j'aurais voulu entendre qu'il n'y avait *aucun* crabe.

— Ils ne vont pas me mordre ?

— Grand bébé ! s'est exclamé Bruno, perché sur la poupe.

Ned lui a dit de me ficher la paix.

— Comment peux-tu être aussi patiente avec elle, Maria ? s'est étonné M. Chapman.

— Tu n'as jamais eu peur de ta vie, Ross ?

— Pas à ce point !

En les entendant, je me suis sentie comme une bête de cirque et j'ai chuchoté :

— J'en ai assez, m'man. On rentre à la maison !

— Voyons, Lucy !

Ma mère me suppliait presque et j'aurais voulu lui faire plaisir, mais je tremblais et restais pétrifiée.

— M'man, j'peux pas...

Ma mère finit par céder. Elle a remercié Ethan de son aide. Il a reculé un peu. Pourquoi n'osais-je pas le rejoindre ? Pourquoi étais-je si timorée ?

Nous avons remonté la pente, maman et moi, et j'éprouvais du soulagement d'être revenue en terrain sûr. Après avoir débouclé ma ceinture de sauvetage, j'ai envoyé promener les tongs d'Ethan.

A peine avions-nous fait quelques pas en direction de la maison, que je me suis sentie soulevée dans les airs. J'ai sans doute hurlé.

— Ross ! a crié maman.

J'ai vu le ponton défiler en un éclair sous mes yeux et me suis retrouvée dans la partie la plus profonde du dock des Chapman. Projetée sous l'eau, je battais des bras et des jambes dans un monde aquatique vert et glauque. Je distinguais des voix, des cris étouffés. Haletante, je suis enfin remontée à la surface, avec l'aide de ma mère ; ses cheveux noirs et bouclés, humides, encadraient son visage.

— Ça va, ma chérie, a-t-elle murmuré, les mains autour de ma cage thoracique.

J'ai posé ma tête contre son épaule en sanglotant.

— Pourquoi as-tu fait ça, papa ? a demandé Ethan.

— C'est le meilleur moyen de surmonter la peur. Il suffit de foncer. Tu vois, Lucy, a poursuivi M. Chapman en s'adressant à moi, tu étais au fond et tu ne t'es pas noyée !

Il me parlait d'une voix affable, mais plus jamais je n'ai osé l'approcher.

Maman m'a pratiquement portée jusqu'au niveau de la pente. Elle m'y a déposée, puis m'a pris le bras pour me guider sur le ciment gluant. J'ai vu alors qu'elle pleurait. Arrivée sur la terre ferme, elle m'a lâchée et s'est dirigée vers M. Chapman, qu'elle a frappé rudement à l'épaule.

— Comment as-tu osé ?

— Si tu consultais un psychiatre, ce qui ne serait pas une si mauvaise idée, il te conseillerait d'agir comme je l'ai fait !

Ma mère a empoigné ma main.

— Lucy n'est pas *ta* fille ! a-t-elle articulé en repartant vers chez nous.

Je pouvais sentir sa colère à travers la pression de ses doigts sur les miens.

— Ne porte plus jamais la main sur l'un de mes enfants ! a-t-elle repris, furieuse, par-dessus son épaule.

A la maison, j'ai profité au maximum des bénéfices secondaires de cet événement traumatisant. Grand-mère m'a aidée à retirer mon maillot, tandis que je me lamentais sur le terrible traitement que m'avait fait subir M. Chapman. Elle a saupoudré mon corps de son talc spécial, en boîte rose, Cashemere Bouquet, puis m'a revêtue de mon pyjama vert favori. J'entendais ma mère se plaindre à grand-père de ce qui s'était passé et la voix apaisante de celui-ci. J'ai eu le droit de jouer tard dans la soirée sur mon violon en plastique et Julie a dû se coucher à la même heure que moi – pour que je m'endorme sans faire de cauchemars, malgré le chiffon, pareil à une tête, glissé entre les fils de fer.

A neuf ans, j'ai sauté dans la piscine d'un voisin et me suis mise à nager. J'avais pris tant de leçons que je connaissais le mécanisme par cœur. Il ne me manquait que la pratique – et le courage. Courage que me donna le fait d'avoir survécu au plus atroce des événements imaginables : la mort de ma sœur.

16

Maria
1927-1939

Bizarrement, quand approche l'automne de la vie, on se retrouve parfois plongé dans des souvenirs des toutes premières années. J'avais cinq ans quand nous avons passé notre premier été à la villa, mes parents et moi. Le canal n'était construit que depuis un an et il y avait fort peu de maisons à Bay Head Shores. Tout le monde se connaissait, c'est pourquoi je suppose que ma mère, Rosa Foley, a dû avoir beaucoup de mal à se faire accepter. Elle devait sembler exotique, avec sa beauté sombre et son accent italien ; mais mon père était si américain qu'il nous a facilité les contacts avec les enfants d'autres familles. Je n'ai pas tardé à avoir plusieurs camarades de jeu.

Quand Ross Chapman est arrivé dans la maison voisine, j'avais huit ans, lui neuf. Il est devenu mon meilleur ami. Nous allions pêcher dans le canal et nager à la plage. A onze ans, il m'a appris à jouer au tennis ; à douze, je lui ai appris à danser. Les Chapman passaient le reste de l'année à Princeton, tandis que nous vivions à Westfield. Nous ne nous voyions donc jamais, Ross et moi, en dehors des vacances, et n'échangions aucune correspondance. Mais, l'été venu, nous nous retrouvions comme si nous ne nous étions pas quittés.

Quand j'ai eu quatorze ans, je me suis mise à voir Ross sous un autre jour. Il était grand et mince, ce qui ne manquait pas de charme. Adolescente, je commençais à rêver d'un flirt, et Ross et moi avions beau n'être que copains, je fantasmais volontiers à son sujet. Je pensais à lui pendant la période scolaire et le présentais sous les traits d'un amoureux à mes compagnes de Westfield. Elles m'enviaient en s'imaginant que j'avais vécu un été brûlant. Ross m'aurait sans doute tabassée avec sa raquette, s'il avait su en quels termes je parlais de lui, car il me considérait comme une simple voisine.

Quand mes filles étaient adolescentes, elles fréquentaient des garçons, mais les choses se passaient différemment, de mon temps. Les jeunes formaient des groupes. En vacances, ma « bande », comme disait mon père, comprenait une douzaine de membres. Nombre d'entre nous disposaient d'un bateau, et nous naviguions entre la baie et la rivière.

A seize ans, Ross est arrivé au volant d'une Ford Phaeton décapotable. Que de bons moments nous avons eus grâce à cette voiture ! Elle était conçue pour quatre passagers, mais nous nous y tassions à six ou sept – certains debout sur le marchepied, au péril de leur vie. Nous étions déchaînés – bien sûr, pas selon les critères actuels. La vie semblait moins périlleuse, alors... Aucun de nous n'a été victime d'un accident ni ne s'est noyé dans l'océan ; et, naturellement, nul n'a été assassiné. Nos existences sereines ont changé quelques années après, avec le krach de 1929 et la Seconde Guerre mondiale, mais nous avons vécu une adolescence facile et joyeuse.

Dès que plusieurs d'entre nous ont su conduire, nous avons fréquenté le Jenkinson's Pavilion, sur la promenade.

Nous y passions des heures à danser, le soir ; à nager, pendant la journée, dans l'immense piscine d'eau de mer ; et à nous dorer au soleil. Sans ma peau mate, que j'avais héritée de ma mère, j'aurais risqué mille fois un cancer !

J'eus pourtant un prix à payer pour mon physique de brune.

L'été de mes dix-sept ans, mon attirance pour Ross frôlait l'obsession. Il ne se contentait pas d'être beau, il était aussi brillant et avait obtenu d'excellentes notes dans son école privée, qui lui avaient valu d'être admis, l'automne suivant, à Princeton. Il étudierait le droit, comme son père ! Apparemment, nous ne serions jamais plus que des amis. Quand il me raccompagnait, après les soirées, nous discutions des personnes qui nous attiraient et avec qui nous souhaitions sortir. Je mourais d'envie de lui avouer mes sentiments. Je souffrais de l'entendre me parler de son penchant pour Sally ou Delores, alors que je me languissais pour lui. Jouant pourtant le jeu, je prétendais avoir le béguin pour Fred Peters, le plus beau garçon du groupe. Ross me répondait que Fred s'intéressait à moi, lui aussi.

Un changement survint quand je fus couronnée reine du Summertime Gala, un événement annuel à Point Pleasant. Au cours d'une parade, j'apparus sur un petit char, traîné par quelques camarades. J'étais vêtue de blanc et portais une couronne ; mes copines, envieuses, me manifestèrent une certaine froideur, mais quinze minutes de gloire semblèrent modifier le point de vue de Ross à mon égard.

Après la manifestation, il me ramena à la maison. Sur Shore Boulevard, au lieu de poursuivre sa route, il gara la Ford devant les bois.

— Que fais-tu ? m'étonnai-je.

Il me sourit presque timidement.

— J'ai quelque chose à te dire, Maria.

— Quoi ?

— Tu étais une très belle reine...

Ross ne m'avait *jamais* rien dit de tel. Depuis que je le connaissais, il ne m'avait pas fait le moindre compliment.

— J'espère que tu ne vas pas me trouver idiot, reprit-il, parce qu'on est simplement amis depuis toujours... Mais j'ai pensé à toi, cet hiver, et j'ai songé que ce serait formidable de te retrouver pendant l'été.

— Moi aussi, j'ai pensé à toi.

— C'est vrai ?

J'acquiesçai d'un signe de tête.

— Tu sais, murmura Ross, j'ai connu des filles, à Princeton, mais je ne t'ai pas oubliée un instant. J'ai souvent regardé les photos que mes parents ont prises de nous, en train de faire de la voile ou de jouer au tennis.

Mon cœur débordait de béatitude. Ross prononçait enfin les mots que je n'entendais que dans mon imagination – et dans les mensonges destinés à mes congénères de Westfield.

Ross se concentra.

— Aujourd'hui, quand j'ai vu le regard d'autres hommes se poser sur toi, j'ai compris que je devais te faire part de mes sentiments. Je ne voudrais pas risquer que tu m'échappes. Je suis amoureux de toi, Maria, conclut Ross en prenant l'une de mes mains entre les siennes.

Mon sourire a dû illuminer l'habitacle de la Ford. Je me suis dégagée pour serrer Ross dans mes bras et, mes lèvres contre les siennes, je lui ai avoué que je l'aimais depuis des années.

Il a pris un peu de recul puis s'est penché pour m'embrasser, si tendrement que j'ai à peine senti le contact de sa bouche. Quand il a effleuré mes seins, à travers ma stupide robe blanche de reine, une étincelle a traversé mon corps.

— Je te veux, m'a-t-il soufflé en lissant mes cheveux derrière mon oreille.

— Moi aussi...

— Ce soir, nous nous séparerons du groupe au Jenkinson's Pavilion et irons dehors, sous les étoiles.

Il a posé un baiser dans ma paume et j'ai dit oui. Je savais à quoi je m'engageais. C'était un péché, mais je ne m'en souciais guère.

Ce soir-là, nous avons dansé ensemble mais aussi avec d'autres, pour ne pas nous faire remarquer. Vers neuf heures, nous nous sommes glissés sur la véranda, puis avons descendu les marches menant à la plage. Avant même que nos pieds nus touchent le sable, nous nous étions jetés l'un sur l'autre.

Nous avons fait l'amour sous la promenade en planches, tandis que l'orchestre jouait des airs de Benny Goodman et Glen Miller, au-dessus de nous. C'était la première fois pour moi, mais certainement pas pour Ross. Je lui ai sacrifié ma virginité, mais je lui avais donné mon cœur depuis des années déjà.

Nous avons commencé, Ross et moi, à sortir sans la bande. Il venait me chercher et mes parents, qui l'appréciaient, étaient ravis que je sois avec lui. Comme de juste, ils ne se doutaient pas le moins du monde de la nature de nos rapports. Ils invitaient Ross à dîner ou à jouer aux cartes avec nous et j'étais fière qu'il s'intègre si bien à la famille. Notre relation, toujours à base d'amitié, devint de plus en plus sensuelle. Nous terminions les soirées en faisant l'amour, la plupart du temps dans l'espace sablonneux, derrière nos maisons, où des buissons de ronces nous procuraient un abri adéquat. Rien à voir avec les tendres ardeurs que j'avais imaginées jusqu'alors ; il s'agissait plutôt d'une passion brutale et dévorante. Pendant la journée, quand j'aidais ma mère dans la maison, mes souvenirs de la nuit précédente me coupaient brusquement le souffle.

Nous parlions peu, Ross et moi, de la rentrée suivante, où il irait étudier à Princeton et où je commencerais des études d'institutrice au New Jersey College for Women ; mais nous évoquions des projets plus lointains.

— Je préférerais que tu étudies les beaux-arts, me souffla Ross une nuit.

Abandonnée dans ses bras, j'avais drapé ma robe sur ma peau nue. Je portais, passée à une chaîne autour du cou, la bague de son établissement, qu'il m'avait offerte la veille et que je n'arrêtais pas de tripoter.

— A quoi me mènerait une formation artistique ? répliquai-je. J'ai toujours désiré enseigner.

Il m'embrassa le bout du nez et je devinai un sourire dans sa voix.

— Parce que tu te croyais obligée de gagner ta vie !

— Qu'est-ce que tu racontes ?

— Comme tu sais, je ne suis pas en mesure de demander ta main maintenant ; mais si nous nous marions, un jour ou l'autre, tu n'auras pas à travailler. J'aurai besoin que tu m'aides dans ma carrière en recevant mes futurs confrères.

Je souris à mon tour, blottie contre lui. Mon avenir se profilait devant moi. *Notre* avenir. Une élégante demeure à Princeton, de beaux enfants – un garçon et une fille – et moi, vêtue d'une exquise robe d'hôtesse, accueillant nos invités de marque.

— On verra, fis-je, charmée par cette vision.

Toutefois, mes parents m'avaient insufflé l'envie de réussir et je n'étais pas encore prête à y renoncer.

Nos amis n'ont pas tardé à s'apercevoir que nous formions un couple, malgré notre tentative initiale pour ne pas ébruiter notre liaison. Dès que la vérité fut connue, les filles se sentirent moins en rivalité avec moi et redevinrent mes copines. J'en fus ravie, car leur complicité me manquait.

Je me souviens d'une nuit où nous étions tous au Jenkinson's Pavilion, faisant la queue au stand des orangeades. Les garçons plaisantaient, leurs partenaires gloussaient en guise de réponse. Le marchand était un Italien, à l'accent très proche de celui de ma mère, en plus sonore. James, l'un des types, lui a donné un billet d'un dollar pour payer une consommation à dix cents. J'ignore ce qui s'est passé exactement, mais il l'a persuadé de lui rendre deux dollars de monnaie. La plupart d'entre nous se sont mis à pouffer en s'éloignant. James était plié en deux.

— Crétin de Rital ! a-t-il ricané.

J'ai scruté le visage de Ross ; il souriait. Ses lèvres retroussées, ses dents, son expression amusée... Ces détails m'ont hantée pendant le reste de la soirée. Je ne voyais plus que cela sur la figure de Ross ! Maman était une pure Italienne. Pourquoi n'ai-je pas osé dire à Ross que son attitude m'avait blessée ? S'il fut étonné que mon ardeur faiblisse, ce soir-là, il n'en a rien montré. Je m'attendais à ce qu'il me demande la raison de ma contrariété ; je lui aurais ainsi répondu que je m'étais sentie trahie. Mais il ne m'a pas posé la moindre question. J'ai donc enfoui ma tristesse le plus profondément possible en moi.

Quelques jours après, ma mère a retrouvé un sachet de pignons dans le garde-manger et préparé une double fournée de *pignoli.* Après en avoir disposé une douzaine sur une assiette, elle m'a priée de les apporter aux Chapman.

Je suis allée frapper à la porte de leur véranda. Ross jouait au golf avec son père, mais Mme Chapman était à la maison.

Elle m'a ouvert.

— Bonjour, Maria. Comment va la reine de la parade, aujourd'hui ?

— Bien. Merci, madame.

J'allais souvent chez Ross quand j'étais enfant, mais, depuis quelque temps, on se voyait surtout chez moi. Ross devait trouver, à juste titre, mes parents plus chaleureux et accueillants que les siens.

— Maman m'a chargée de vous offrir ces *pignoli...*

— Comme c'est aimable de sa part ! Laisse-les dans la cuisine.

Je suis allée mettre les biscuits sur la table, dans un coin de la pièce ; quand j'ai levé les yeux, Mme Chapman ne souriait plus.

— Qui t'a donné cet anneau ?

Mes doigts se sont envolés vers mon cou. Ross n'avait donc rien dit à sa mère ?

— Ross.

Mme Chapman m'a transpercée du regard, ébahie.

— En quel honneur ?

— Parce que nous sortons ensemble, ai-je répondu franchement en lâchant soudain ma chaîne.

— Il a pourtant un flirt à Princeton.

J'avais entendu parler de Veronica ; M. et Mme Chapman incitaient vivement Ross à la fréquenter.

— Il n'est pas amoureux de Veronica, ai-je articulé en évitant de paraître sur la défensive.

Mme Chapman s'est détournée de moi pour ranger une tasse oubliée sur le plan de travail en marmonnant d'un ton sec :

— Je ne savais pas. Il semblait s'intéresser toujours à elle.

— Vous feriez bien de lui parler, ai-je suggéré, avec le sentiment que Ross m'avait trahie.

Je suis rentrée à la maison, furieuse que mon amoureux ne m'ait pas, au moins, prévenue que ses parents n'étaient au courant de rien nous concernant.

J'aidais ma mère à épousseter, quand la voiture des Chapman est passée en cahotant sur le chemin près de la maison. Je suis sortie sur la véranda pour surprendre leur conversation, fort animée. Il y eut bientôt des cris et je ne pus distinguer une seule parole. Si seulement Ross m'avait avertie, j'aurais dissimulé son présent ! Dans ma naïveté, je supposais que les Chapman reprochaient simplement à leur fils de ne pas leur avoir annoncé qu'il n'avait plus de vues sur Veronica et que nous étions ensemble. Leur discussion avait, en fait, un tout autre contenu.

Plus tard, Ross est venu me proposer une promenade en tête à tête. J'ai accepté, impatiente de savoir ce qui s'était passé entre ses parents et lui.

Il m'a pris la main sur Shore Boulevard et ses paroles m'ont fendu le cœur.

— Je dois rompre avec toi, m'a-t-il déclaré.

— Pourquoi ? A cause de Veronica ?

— Non, pas du tout. Je me fiche pas mal de Veronica, tu le sais ! Je t'aime, Maria, et t'aimerai toute ma vie. Peut-être qu'un jour, quand nous serons indépendants, nous pourrons recommencer à nous voir, mais c'est impossible maintenant.

— Pourquoi as-tu caché la vérité à notre sujet à tes parents ? ai-je demandé, la voix cassée.

Il a pétri ma main si fort que j'ai senti ma peau brûler.

— Je ne veux pas te peiner.

— Dis-le-moi !

— Parce que tu es italienne, a murmuré Ross, après un silence.

— Et alors ? Je ne suis qu'à moitié italienne...

— Ta mère a émigré d'Italie sur un bateau et pour mes parents c'est... Je ne sais pas... Ils ont une vision démodée des choses...

— Tu as toujours connu mes origines, ai-je protesté. Ça ne t'a pas empêché de faire l'amour avec moi quand tu en avais envie.

— Ma chérie, tes origines ne me posent pas de problème.

— Alors, pourquoi te laisses-tu dicter ta conduite ?

— Papa menace de me couper les vivres, si je continue à te voir.

— C'est absurde ! Il est le premier à souhaiter que tu études à Princeton. Crois-tu qu'il mettrait sa menace à exécution ?

— Je n'en doute pas ! Je suis si furieux contre lui, que je pourrais presque...

Ross n'a pas achevé sa phrase.

— Nous avons toujours été amis, ai-je balbutié, les joues inondées de larmes. Espère-t-il mettre fin à notre amitié ?

— Nous resterons amis, Maria, a soufflé Ross.

Nous étions revenus à notre point de départ, devant nos maisons. Debout face à face, nous pouvions lire notre désir dans nos yeux, malgré l'obscurité. Ross a repris ma main en me désignant les buissons d'un hochement de tête.

— Une dernière fois, a-t-il murmuré.

Il m'a entraînée vers l'espace sablonneux.

Nous savions parfaitement l'un et l'autre qu'il mentait...

17

Julie

Un mercredi après-midi, je me suis mise en route vers la mer. J'avais annoncé mon arrivée à Ethan aux alentours de quatre heures. Le trajet dépassait à peine soixante minutes, mais j'ai quitté Westfield à une heure. Je craignais, en effet, qu'une fois que je serais arrivée à Point Pleasant, il ne me faille un moment pour avoir le courage de poursuivre mon chemin jusqu'à Bay Head Shores. J'avais vu juste.

Garée sur l'immense parking bondé, face à la promenade de Point Pleasant, je n'ai pas pu sortir tout de suite de la voiture. Malgré les vitres baissées et l'air conditionné, je devinais l'odeur de l'océan. Des vacanciers bronzés traversaient l'aire de stationnement en maillot de bain ; ils portaient des serviettes et des sièges de plage, et déambulaient avec des bébés grincheux dans leurs poussettes. J'ai contemplé, droit devant moi, le carrousel sur lequel j'étais montée des dizaines de fois dans mon enfance. Une sortie sur la promenade était un rite, auquel nous procédions à plusieurs reprises, au cours de l'été. Nous faisions des tours de manège, mangions des sandwiches à la saucisse au Jenkinson's Pavilion et de la crème anglaise glacée chez Kohr's. A l'époque, j'attendais ces sorties avec une impatience indicible ; je redoutais, maintenant, de m'extraire de mon véhicule.

Ethan m'avait appelée le lundi après-midi. Je rentrais chez moi, croulant sous les sacs de provisions, quand le téléphone avait sonné. A la vue du prénom d'Ethan sur l'écran d'affichage, j'avais éprouvé un soulagement teinté d'une certaine inquiétude.

— Ethan ?

— Tu parais essoufflée.

— J'arrive juste à la maison. Des nouvelles ?

— Quelques-unes... Les policiers rouvrent effectivement l'enquête. J'ai été interrogé ce matin.

— Oh !

Perplexe, je m'effondrai sur l'un des sièges de la cuisine.

— Ils t'ont posé quel genre de questions ?

— Ils souhaiteraient te voir, fit Ethan, évitant de me répondre.

Je fermai les yeux. J'avais espéré que la police parviendrait à imputer le meurtre d'Izzy à Ned sans ma participation.

— Quand ?

— Cette semaine, vraisemblablement. J'allais t'inviter chez moi... J'ai une place folle et...

— A côté de *notre maison* ? me récriai-je, comme s'il m'avait proposé de dormir dans un arbre.

— Ça te pose un problème ?

Il me fallut un moment pour sortir de mon mutisme.

— Je ne suis pas retournée dans la baie depuis la mort d'Isabel. Cette simple pensée m'est pénible !

— Tu veux dire, s'étonna Ethan, après avoir à son

tour marqué un temps d'arrêt, que tu n'es pas allée sur l'océan depuis quarante ans ?

Je pensai à ma lune de miel aux Caraïbes et à mes voyages en Californie.

— Je suis allée au bord de la mer, mais j'ai évité Jersey Shore !

— Eh bien, il va falloir que tu viennes jusqu'ici pour subir un interrogatoire. Rien ne t'oblige à passer la nuit chez moi, mais il me semble que nous aurions intérêt à réfléchir ensemble. J'ai eu droit à des questions sur les amis de Ned, à l'époque... Nous pourrions peut-être coopérer sur ce point. Si tu descends dans un motel, retrouvons-nous au moins pour dîner.

Ce compromis me parut excellent.

— Parfait ! Dès que les autorités m'auront contactée, je réserverai une chambre et...

— Tu feras bien de loger à l'intérieur des terres. Les établissements sur la côte sont bondés.

— Je verrai ce que je trouve et je te mettrai au courant.

— Cela dit, mon ami du commissariat m'a appris que ses collègues prenaient contact avec la famille de George Lewis.

— Avec Wanda ?

— Je ne sais pas exactement, mais les Lewis ont toujours prétendu que George était innocent.

— J'en ai la certitude ! Ont-ils parlé à Bruno Walker ?

— D'après mon copain, ils ont du mal à retrouver sa trace.

— Bizarre ! La seule personne susceptible de savoir ce qui s'est vraiment passé serait introuvable ?

Nous avons bavardé quelques minutes encore et raccroché. Je rangeais les courses, quand le lieutenant Alan

Meyers, du commissariat de Point Pleasant, m'a appelée. Il ne perdait pas de temps... Nous sommes convenus de nous rencontrer le jeudi suivant. Je cherchais un motel dans la région, sur mon ordinateur, quand je me suis sentie idiote. « Qu'attends-tu pour mûrir ? » ai-je songé. J'ai alors contacté Ethan pour accepter son invitation.

Assise derrière mon volant, au cœur de Point Pleasant, je me demandais si j'avais surestimé mes forces. En sécurité chez moi, je n'avais eu aucun mérite à me montrer courageuse ! Il me fallut un moment pour me ressaisir, puis j'ouvris la portière et, plongée dans la musique du manège et les effluves salins, rejoignis le flot des touristes.

Sur la promenade, je croyais voir Izzy partout. Sur le carrousel, où la force centrifuge la poussait vers l'arrière de la légère coque. Assise sur un banc, à côté d'un jeune homme blond, ses longues jambes étendues et les pieds reposant sur la balustrade. Marchant vers moi, en Bikini vert, bronzée, la tête inclinée tandis qu'elle croquait une gaufrette glacée.

Je pris place sur un banc pour regarder les passants et m'imprégner de la présence d'Isabel. Devenue adulte, comment se serait-elle entendue avec Lucy et moi ? Nous aurait-elle aidées à désherber le jardin de maman ? Notre père serait-il encore en vie, s'il n'avait pas perdu tragiquement sa fille bien-aimée ? Mais pourquoi me torturer avec ces questions insolubles ?

Entre mes dents, je me mis à prier Dieu de m'aider à sortir de cette mauvaise passe.

Je me levai ensuite et marchai d'un pas résolu jusqu'à ma voiture. J'avais encore le temps de faire un tour à travers Point Pleasant. En apercevant Saint Peters, où j'assistais à la messe chaque dimanche matin en été et me confessais le samedi soir, je me souvins de l'une des dernières fois – *la* dernière ? – où j'y étais allée.

Pour une raison ou une autre, maman ne nous avait pas accompagnés. Papa et Isabel étaient assis à l'avant de la voiture, Lucy et moi à l'arrière, et nous parlions de ma confirmation prochaine. Izzy avait retiré ses chaussures. Jupe relevée jusqu'aux genoux, elle laissait ses pieds reposer sur le tableau de bord en scrutant ses mains. Ma sœur se rongeait les ongles et aucun des produits qu'elle avait achetés ne lui avait permis de perdre cette habitude.

— Alors, Julie, me dit-elle, as-tu trouvé ton second prénom de communion ?

Elle-même avait opté pour Bernadette : un choix extraordinairement sophistiqué. Comme j'étais quelqu'un de naturel, j'avais pris ma décision depuis un an.

— Ce sera Alice !

— Moi, je m'appellerai Kathy, fit Lucy, qui s'identifiait fortement au bébé de la famille dans *Papa a raison.*

— Tais-toi, c'est sérieux ! grogna Isabel.

— L'essentiel est que vous vous informiez sur la vie des figures de la religion qui vous intéressent, comme l'a fait Isabel, trancha papa.

« S'il se doutait que sa douce Isabel va probablement *jusqu'au bout* avec Ned ! » pensai-je.

Papa s'est garé devant Saint Peters et je me suis sentie anxieuse. Toute la semaine, la peur de mourir m'avait hantée, car je n'avais pas évoqué la totalité de mes fautes, le samedi précédent. J'étais certaine d'aller droit en enfer, si je mourais !

Je n'avais pas su comment avouer au prêtre mes fantasmes au sujet de Ned Chapman, mais la formule

« pensées impures » m'était finalement venue à l'esprit. J'avais dû la lire quelque part ; peut-être dans le magazine catholique pour lequel écrivait papa. J'avais lu aussi que de telles idées étaient péché, même si elles n'étaient pas suivies d'un passage à l'acte. J'avais donc intérêt à m'en débarrasser au plus vite, mais j'avais peur. Cet acte mauvais n'avait rien à voir avec les mensonges, les querelles avec mes sœurs et les attitudes de désobéissance que je dévoilais habituellement.

Assise sur un banc, entre papa et Izzy, j'attendais mon tour en regardant Lucy entrer d'un côté du confessionnal, pour raconter les peccadilles qu'elle avait commises. Une femme est sortie à l'opposé et Isabel a pris sa place ; puis Lucy a reparu et cela a été à moi.

Mon cœur battait la chamade quand je me suis agenouillée dans l'obscurité. J'ai entendu le grommellement d'une voix masculine : Izzy avait probablement terminé sa confession bâclée et recevait sa pénitence.

Sans me laisser le temps de me préparer, le prêtre a fait glisser le rideau qui masquait la grille de l'isoloir.

— Bénissez-moi, mon père, car j'ai péché, ai-je murmuré en faisant le signe de croix. Depuis la semaine dernière, j'ai mal agi à de nombreuses reprises...

J'énumérai mes manifestations d'indiscipline – les trois fois où j'étais allée pêcher de l'autre côté du canal avec Wanda et George –, un mensonge à ma petite sœur – j'avais affirmé à Lucy qu'il n'y avait pas de crabes dans le dock des Chapman –, certaines pensées impures et deux disputes avec Isabel. Le tour était joué !

— Parle-moi de tes pensées impures.

Dieu du ciel !

— J'ai pensé au garçon qui habite à côté de chez nous.

— Souvent ?

— Oui, admis-je.

En réalité, j'avais été obnubilée par Ned des journées entières.

— As-tu commis le grave péché de masturbation ?

Qu'est-ce qu'il racontait ? N'ayant jamais entendu le mot, je crus qu'il parlait de relations sexuelles. Aucune autre signification ne me venait à l'esprit.

— Oh non, mon père ! me suis-je écriée, si bruyamment que ma famille a dû m'entendre depuis les bancs.

— Bien. Surtout, ne recommence pas !

Jamais ? Je faillis demander si j'aurais le droit quand je serais mariée, mais le père avait l'air si sévère que je n'ai pas osé.

— Non.

— Comme pénitence, tu diras six *Je vous salue Marie* et cinq *Notre Père*, et fais maintenant un acte de contrition.

Je récitai mes prières comme un perroquet, songeant que je m'en étais tirée à bon compte. Au prix de quelques Je vous salue Marie supplémentaires, je pourrais continuer à imaginer des choses au sujet de Ned. Aurais-je été capable de m'en empêcher, si j'avais voulu ?

18

Julie

Etendue dans l'obscurité, sur le lit double de la chambre d'amis d'Ethan, je me souvenais de mes impressions quand j'y étais entrée pour déposer mon sac de voyage sur une belle chaise en bois, dans un coin. Les murs sont d'un bleu sublime – œuf de merle, en plus intense et plus profond. De charmants rideaux à rayures bleu et blanc voltigent devant la fenêtre ouverte. Le tableau accroché en face de moi me rappelle les œuvres de ma mère : une pièce d'eau ou un champ vert, selon le point de vue où on se place. Ce décor simple et raffiné porte-t-il la signature d'Ethan ou celle de son ex-femme ? Je n'ai eu nul besoin de me demander qui a sculpté l'étonnant dosseret de la commode. Le temps de parvenir à la chambre d'amis, j'avais déjà mesuré qu'Ethan est un artisan à nul autre pareil.

Bien des choses ont changé à Bay Head Shores depuis 1962. Quand j'ai traversé la localité, j'ai essayé de rester aussi détachée que si j'étais un chercheur sur le terrain, pas une femme revenant sur les lieux d'un passé obsédant.

La boutique au coin de la rue, où nous allions, mes sœurs et moi, acheter pour quelques centimes de bonbons, est devenue un petit magasin d'antiquités. Lequel est maintenant enfoui sous le pont autoroutier menant à celui qui a remplacé l'ancien pont de Lovelandtown. De nombreuses villas ont surgi, comme dans une grande station balnéaire. Le soleil brille sur leurs façades de styles divers. Les jardins sont tirés au cordeau, avec des galets, du sable et des plantations résistant au sel. La gorge nouée, je me suis engagée sur la route sinueuse, en direction de la « plage des bébés ».

« Sois objective ! me suis-je dit lorsqu'elle a été en vue. Voici le petit terrain de jeu. Ces balançoires peuvent-elles être les mêmes que celles sur lesquelles papa nous poussait ? Peu probable. Voici le perchoir du surveillant de plage. Il y a un monde fou ; des parasols aux vives couleurs ; le coin des enfants, entouré d'une corde. Mais... »

J'ai scruté la surface de l'eau. Plus de radeau ! J'étais contente qu'il ait disparu, car j'appréhendais de le revoir.

Shore Boulevard, mon ancienne rue, a changé encore plus que je n'aurais cru. Plus un seul chemin de terre. Les constructions, les unes sur les autres, s'alignent des deux côtés de la voie. Plus de bosquets non plus ! Deux bâtisses s'élèvent là où croissaient les buissons de ronces. Au lieu de me sentir attristée par ce nouvel environnement, j'éprouve un étrange soulagement à l'idée que le cadre n'est plus du tout le même.

J'ai presque buté contre notre ancienne maison. Les modifications d'ensemble sont telles que je ne m'attendais pas à la voir apparaître sur ma droite. Par chance, aucune voiture ne roulait derrière moi quand j'ai freiné brusquement. La baraque a l'air pimpante et bien entretenue. Elle est maintenant jaune pâle, avec des finitions blanches. Dans le jardin en façade, une ancre repose contre l'arbre. La boîte à lettres, sur mesure, est peinte aux couleurs de l'océan et surmontée d'une maquette de bateau à voiles. Quelqu'un prend soin de la villa construite par mon grand-père ; cet inconnu m'inspire une sincère gratitude.

Entre cette construction et celle, plus récente, à sa droite, on distingue nettement le canal. L'eau exerce un attrait instantané et viscéral sur moi ; elle a cette teinte brun verdâtre dont je me souviens si bien. Le courant est rapide. J'ai baissé ma vitre pour laisser pénétrer l'air humide. « Voici la seule chose qui n'a pas changé dans ce coin du monde, ai-je songé en suivant des yeux le cours du canal jusqu'à la baie : cette eau à l'odeur salée et saumâtre. » J'ai regardé, hébétée, comme pour me protéger de tout ce qui porterait atteinte à mon fragile équilibre. Jusqu'alors, j'ai survécu à cet incroyable retour en arrière.

Je me suis engagée dans l'allée des Chapman et garée derrière un pick-up appartenant sans doute à Ethan.

Il sortait justement de chez lui et a traversé le sable vers moi, pieds nus, vêtu d'un jean et d'un tee-shirt bleu. Il arborait un sourire paisible, que je lui ai envié, et m'a surprise en me donnant l'accolade.

— Te voilà !

Je tentai de lui sourire à mon tour.

— Un sacré voyage...

— La circulation ?

— Non, mais je me suis promenée dans les environs...

— Ah ! Ça a pas mal changé depuis quarante ans, n'est-ce pas ?

La porte-écran s'est ouverte sur une jeune femme, avec un bébé de six mois, au plus, endormi dans ses bras.

Au bout d'un moment, j'ai reconnu Abby – casquette de base-ball sur ses courts cheveux blonds et sac de couches bleu, matelassé, dans une main.

— Salut, Julie !

— Salut, Abby !

Je me suis penchée pour mieux voir l'enfant, dont la tête reposait contre l'épaule de sa mère. De longs cils recourbés ombrent ses joues rondes.

— Et ce bébé ?

— Ma petite-fille, Clare, a proclamé Ethan en lui caressant doucement le dos.

— Elle est superbe.

Abby m'a souri.

— Nous partions, Clare et moi. Je suis contente de vous avoir vue au moins deux secondes, Julie.

— Moi aussi, Abby.

Ethan a passé un bras autour des épaules d'Abby.

— A dimanche midi !

— Très bien, papa. Je t'aime.

Sur la pointe des pieds, Abby a planté un baiser sur la joue de son père et s'est dirigée vers sa Coccinelle, garée devant la maison.

— Je t'aime, moi aussi !

Ethan, souriant, a regardé sa fille et sa petite-fille s'installer dans la voiture, puis il s'est tourné vers moi :

— Quel veinard je suis !

— Abby me paraît charmante.

En réalité, je pensais à Shannon. Quand m'avait-elle dit qu'elle m'aimait pour la dernière fois ? Je le lui avais, pour ma part, répété à maintes reprises. Depuis quand me répondait-elle : « Ah bon ! » ou, dans le meilleur des cas : « Toi aussi ? » quand je lui déclarais mon attachement ?

— Donne-moi ton sac et entrons.

J'ai tendu mon sac de voyage à Ethan et l'ai suivi dans la maison, après avoir troqué mes lunettes de soleil contre celles de vue.

A l'intérieur, je me suis rendu compte que j'avais gardé peu de souvenirs de cette demeure. Enfants, nous allions en général chez moi quand la pluie nous empêchait de sortir et jouions aux cartes sur la véranda ou à des jeux de société sur le linoléum du salon. Je notai pourtant que le mobilier avait changé du tout au tout.

Le premier meuble qui a attiré mon attention est un étonnant ensemble en bois clair, qui va du sol au plafond ; le travail, exceptionnel, dévoile le talent d'Ethan. J'ai remarqué ensuite d'autres créations : tables basses, sièges magnifiques au dossier incurvé et aux accoudoirs polis. Où que je me tourne, j'ai eu la preuve de la maîtrise d'Ethan. Les placards de la cuisine sont en érable clair ; je n'ai pas pu m'empêcher de caresser l'extraordinaire bois strié des plans de travail.

— De l'érable tigré, a précisé Ethan. J'adore ce matériau. Tu en verras partout dans la maison.

Face à la réalité, j'ai admis que le jugement défavorable que j'avais porté sur Ethan était lié au fait qu'il est charpentier. En somme, je l'avais étiqueté « travailleur manuel ». Mais le résultat était là : dans le processus créatif, Ethan a utilisé non seulement ses mains, mais sa tête et, de toute évidence, son cœur.

— L'humidité de cette maison est terrible pour le bois, a-t-il dit en passant un doigt sur la porte d'un placard, mais à quoi bon créer de belles choses si on n'en profite pas ?

Je lui ai souri spontanément. Dieu qu'il est charmant !

Un homme détendu, à la voix posée et au regard bleu. Plus la moindre trace du garçon godiche qui venait réclamer les viscères des poissons ! L'attirance que j'ai ressentie au restaurant de Spring Lake m'a submergée par vagues.

De la cuisine, j'apercevais les stores ouverts de la véranda et, au-delà, le canal.

— Si nous sortions ?

Je ne saurais dire si je tenais à aller dans le jardin que nous avions partagé, jadis, ou si j'avais simplement hâte de surmonter l'épreuve.

— Bien sûr, a approuvé Ethan.

Je clignai des yeux vers l'autre côté du canal. Le ponton en bois a disparu, faisant place à une structure métallique, couleur rouille.

— Qu'est devenu le ponton ?

— Viens ! Je vais te raconter.

Nous avons traversé la véranda, garnie d'une causeuse et d'une chaise longue en osier. Dehors, je constatai qu'une grille ouvragée couleur sable sépare désormais les deux propriétés.

— Qui habite là ?

— Viens, m'a répété Ethan en saisissant mon coude. Asseyons-nous. Je te donnerai toutes les informations que tu souhaites sur mes voisins.

Un beau bateau occupe le double dock d'Ethan. Je ne m'y connais plus du tout dans ce domaine, mais sa puissance m'a sauté aux yeux.

Ethan a rapproché deux sièges de plage en bois, de facture artisanale, et tapoté l'un d'eux afin de m'inciter à m'asseoir.

J'ai pris place devant le grillage qui nous sépare de l'eau.

— Comme c'est étrange ! J'ai l'impression d'avoir été ici la semaine dernière... Tout me paraît si familier...

J'ai regardé la rive opposée et tendu le doigt vers les épais roseaux, là où Wanda, George et leurs cousins allaient pêcher. Personne ne s'y trouvait.

— C'est toujours à l'abandon ?

— Oui, un des rares endroits immuables du coin.

— Pourtant, la cabane de l'homme au coq a disparu...

Des blocs d'immeubles gris s'élèvent à la place.

— Dans ces copropriétés, pour environ huit cent mille dollars, tu peux acheter un deux-pièces.

— Tu plaisantes, Ethan ?

— Si tu savais combien vaut votre ancienne maison !

Je n'en ai pas la moindre idée et la valeur actuelle de ce bien n'a aucune importance : mes grands-parents l'auraient vendu, même s'ils avaient pu lire l'avenir du marché immobilier de la région dans une boule de cristal.

Ethan m'a parlé des vieux pontons tombés en décrépitude et remplacés par des ouvrages métalliques depuis quelques années. Il a aussi évoqué les changements survenus dans notre rue et la hausse vertigineuse des prix dans les années soixante-dix. Nous avons regardé passer un yacht magnifique, chargé de fêtards, et j'ai pris conscience que je ne m'étais pas encore tournée vers *notre* jardin.

— J'ai moins de mal à m'intéresser aux bateaux qu'à ce côté...

J'ai focalisé mon regard sur la droite pour la première fois depuis mon arrivée chez Ethan.

— Bien sûr. Chaque chose en son temps...

Le vieux mobilier d'extérieur de jadis a cédé la place à un salon moderne, installé sur le sable. Un grillage ceint l'espace et j'aperçois un arbre grandiose... Celui contre lequel je laissais mon filet à crabes ? La véranda, qui me semblait si vaste quand j'étais enfant, est telle que par le passé, mais je la croyais plus profonde. Une piscine circulaire repose sur le sol, à l'ombre, et le haut d'un canot automobile est visible dans le dock.

— Qui habite là ?

— Un jeune couple, les Klein. Ce sont des gens très sympathiques. Ils ont emménagé il y a environ quatre ans. Ils ont un petit garçon de sept ans.

Je comprends la raison du grillage : il donne une illusion de sécurité.

J'ai murmuré en moi-même une brève prière pour que le petit Klein devienne un adulte sain et robuste.

— Je leur ai dit que je reçois la visite de quelqu'un qui a vécu dans leur maison, a ajouté Ethan. Ils seront ravis de t'accueillir, si tu veux voir comment ils l'ont transformée.

Je me suis empressée de refuser : pas question que je franchisse le seuil de ce lieu hanté de souvenirs.

— Savent-ils ce qui s'est passé ?

Ethan s'est penché en avant, les coudes sur les genoux, et m'a souri.

— Non. As-tu conscience, Julie, que... je ne m'en souviens plus exactement, mais huit ou neuf propriétaires ont dû se succéder en quarante et un ans ? a-t-il lâché, le regard fixé sur l'eau.

J'ai eu honte de ma naïveté. Pour moi, ce que j'ai vécu dans cette demeure date d'hier. J'ai failli demander à Ethan s'il regrettait de ne plus pouvoir s'asseoir sur le ponton en bois ; car le nouveau n'offre pas cette possibilité ; et aussi si les buissons de ronces lui manquent, ainsi que les bois où nous allions jouer, et le fracas du vieux pont quand il s'ouvrait pour laisser passer les bateaux. Mais j'ai compris que ces changements sont de la vieille histoire, pour lui, comme les *huit ou neuf propriétaires* de notre villa et les immeubles qui ont évincé la masure de l'homme au coq. Ethan vit au présent à Bay Head Shores, alors que je suis encore engluée dans le passé.

— C'est dur pour toi d'être ici, a-t-il murmuré.

Je hochai la tête.

— Une tragédie survient... On essaie tant bien que mal d'aller de l'avant, de continuer sa route ; mais on n'oublie jamais totalement Malgré les apparences, le feu couve sous la cendre. Et soudain... Vlan ! A la faveur de je ne sais quel événement, il faut tout remettre en question... Un truc comme la lettre de Ned.

— C'est toi qui m'as demandé de la confier à la police...

Je transperçai Ethan du regard.

— Ce qui compte, Ethan, c'est qu'elle existait, que tu la donnes ou non aux autorités !

Il me pressa l'épaule de sa main.

— Tu as raison, je ne le conteste pas. Il fallait montrer ce document aux flics ; ils m'ont d'ailleurs reproché de ne pas l'avoir fait plus tôt.

Ethan a scruté ses mains, frotté ses paumes l'une contre l'autre et les a retournées.

Je constatai la marque de son travail sur ses doigts à la peau rêche et calleuse. Comme j'aimerais les presser entre les miens ! Je m'en suis voulu de ma brusquerie, car Ethan n'avait pas eu la tâche plus aisée que moi.

— Je crois, a repris Ethan, qu'ils me soupçonnent

d'avoir pris le temps de déblayer la maison de Ned. Sans doute pour m'assurer qu'ils ne trouveraient rien de compromettant...

— Ont-ils découvert quelque chose ?

— Non, et je n'avais rien remarqué quand j'ai fouillé dans les affaires de mon frère. Ni journal intime ni lettre d'aveux... Mais mon ami du commissariat pense qu'ils trouveront assez de cheveux, entre autres, sur les lieux, pour prélever des échantillons d'ADN.

— Très bien ! dis-je, sans savoir précisément comment l'ADN de Ned pourrait être utilisé. Quelles questions t'ont-ils posées ? Et que vont-ils me demander demain ?

Calé dans son siège, Ethan a mis les mains à plat sur ses cuisses.

— Ils voulaient connaître le nom des relations de Ned. Les copains avec qui il allait boire, les femmes avec qui il sortait, ses camarades de fac, les gens auxquels il aurait pu se confier... Je n'ai pas eu grand-chose à leur répondre. Ned était un solitaire, pas un buveur mondain. Il buvait pour boire, un point, c'est tout !

— Quel genre de rapports avais-tu avec lui ?

— Ils étaient très difficiles. Ned m'évitait parce que je le harcelais au sujet de son alcoolisme. Je voulais qu'il se fasse aider et il refusait d'en entendre parler ! Il évitait aussi papa, ce qui l'a tué à petit feu. Mon père se reproche d'avoir laissé tomber Ned et de ne pas être parvenu à le tirer de l'ornière.

— Oh ! J'ai oublié de te dire quelque chose, fis-je, provoquant un regard interrogateur d'Ethan. Savais-tu que ton père était allé voir ma mère ?

— Quoi ?

— Il a surgi chez elle le jour où nous avons déjeuné à Spring Lake.

— Pour quelle raison, selon toi ?

— Aucune idée. Elle n'était pas disposée à parler... D'après elle, ton père aurait pensé à nous et décidé de lui rendre visite. Serait-il au courant de la lettre ?

— Impossible ! Je l'ai revu depuis notre déjeuner et il n'a pas fait allusion à cette visite à ta mère. Il a conduit depuis Westfield pour aller chez elle ?

— Je suppose que oui.

— Mon Dieu ! Il m'inquiète quand il prend le volant pour se rendre au coin de la rue, alors tout le trajet jusqu'à Westfield... Il faut que je lui en touche un mot. Je me demande pendant combien de temps il pourra rester autonome. Nous arrivions au moins à communiquer dans ce domaine, Ned et moi... Nous établissions la conduite à tenir envers notre père... Je suis seul, désormais !

J'ai eu une pensée attendrie pour Lucy. Quelle chance pour moi d'avoir une sœur pareille !

— Je voudrais... a repris Ethan, les yeux dans le vague, trouver un moyen d'empêcher la police de questionner papa. Elle ne va pas tarder à le contacter, j'en suis sûr, car il est le seul à pouvoir soutenir l'alibi de Ned. Je crains que les enquêteurs ne le harcèlent, car ils doivent supposer qu'il a joué de son influence pour innocenter son fils. L'idée de l'informer de cette missive me fait horreur !

— Je ne m'imagine pas non plus en train d'avertir maman.

— Pourtant, tu n'auras sans doute pas le choix.

Les pupilles d'Ethan étaient d'un bleu si limpide que j'eus envie d'y plonger.

— Je sais, ai-je admis en songeant que j'étais prête à tout pour ne jamais en arriver là.

— Voici, à mon avis, ce que nous pourrions faire pour faciliter l'enquête. Essayons de nous souvenir des amis de Ned et Isabel en 1962, et de ce qui nous paraît important à leur sujet. Les policiers souhaiteront peut-être leur parler.

La tête en appui sur le dossier de la chaise, j'ai repensé aux copains d'Izzy, sur la plage, en cet été 1962.

— Pourquoi ne peuvent-ils pas retrouver Bruno ?

— Il a quitté la région. Ses parents sont morts et son vrai nom – Bruce Walker – est assez courant. Mais mon contact m'a assuré qu'ils le cherchent toujours.

— Isabel avait deux grandes copines : Pamela Durant et...

— Ah oui ! a lâché Ethan, vaguement émoustillé. Difficile de l'oublier... bien que je ne l'aie pas revue dans la baie, après la tragédie.

— Du calme, mon grand ! Je n'aurais pas cru que tu t'intéressais au sexe opposé, en ce temps-là, sauf pour un examen au microscope...

— Mon côté godiche n'était qu'une façade. Qui était l'autre fille ?

— Mitzi Caruso. Elle habitait au coin de la rue, là-bas... ai-je précisé, le doigt pointé vers l'ancien domicile des Caruso.

— Je m'en souviens vaguement. Je crois qu'elle est revenue un certain nombre de fois, les années suivantes, mais n'en jurerais pas. Ned avait quelques autres potes dont je ne garde aucun souvenir. Et toi ?

J'ai hoché la tête : tous ces adolescents étaient pour moi sans nom et sans visage.

Ethan a consulté sa montre et s'est levé.

— Allons faire un tour en bateau, avant de dîner ! J'ai pêché quelques flets. Ensuite, nous bavarderons encore un peu.

— Je ne peux plus monter à bord d'une embarcation.

Ethan a pris un air contrarié.

— Vraiment ? Je te revois toujours sur ce canot... A douze ans, tu naviguais seule sur le canal, comme si c'était ton royaume.

Avais-je été cette fille dont Ethan conservait l'image ?

— Je n'ai pas remis les pieds sur un bateau depuis cet été-là, Ethan.

Il m'a tendu la main.

— Allons-y ! Si la baie te perturbe, nous irons vers la rivière.

Loin de me procurer du plaisir, Ethan allait me plonger dans une véritable panique.

— Non, je ne veux pas !

Devant mon air déterminé, il a fini par capituler.

— Eh bien, pas de promenade sur l'eau ! Allons dîner tout de suite. As-tu faim ?

J'ai aidé Ethan à cuisiner, bien qu'il n'ait guère eu besoin de moi. En l'observant, je constatai qu'il était « bien dans sa peau ». Et à présent, couchée dans le lit de facture artisanale de la chambre d'amis, je comprenais qu'il avait toujours été ainsi. Même quand il était un garçon en plein âge ingrat, il se fichait pas mal de l'opinion d'autrui. Ce n'était pas son problème.

Moi qui m'attendais à n'éprouver ni admiration ni attirance à son égard, voilà où j'en étais !

19

Julie

Quand on éprouve une grande inquiétude à un certain sujet, on découvre parfois qu'on aurait dû se soucier de tout autre chose. C'est ce qui m'est arrivé le matin du jour où la police m'a interrogée.

Je m'étais réveillée de bonne heure dans la chambre d'amis d'Ethan en humant une rassurante odeur de café. Comme j'aurais aimé passer la journée dans cette pièce ! Souffrant d'une légère migraine, je songeai à appeler le commissariat pour me faire porter pâle. Je n'avais aucune envie de revenir, dans les moindres détails, sur les événements de l'été 1962. Si c'était ce que les enquêteurs attendaient de moi, comment allais-je le supporter ? Différer l'interrogatoire ne m'apporterait cependant qu'un soulagement provisoire.

Je finis donc par me lever, me doucher, sécher mes cheveux. Vêtue d'un pantalon kaki et de mon haut rouge sans manches, je descendis au rez-de-chaussée.

Ethan, qui lisait le journal sur la véranda, tressaillit en me voyant entrer dans la cuisine.

— Œufs ou crêpes ?

Il posa le quotidien.

— Ça m'est égal...

— Des toasts et du bacon ?

Je lui désignai l'assiette qu'il avait déjà préparée, sans avoir la certitude de parvenir à avaler quoi que ce soit.

— Assieds-toi, je vais te servir !

Je pris place à table et soulevai la nappe pour admirer ce qu'elle dissimulait : une autre création d'Ethan.

— Comment vas-tu, ce matin ? me demanda-t-il en glissant deux tranches de pain dans le toasteur.

— Ça va, articulai-je lentement, comme une personne qui veut s'assurer, après un traumatisme, qu'elle ne s'est pas froissé un muscle.

— Veux-tu que je te conduise ?

— Indique-moi le chemin, je me débrouillerai.

La proposition d'Ethan n'était pas pour me déplaire, mais il avait sûrement mieux à faire.

Il griffonna quelque chose sur une feuille de papier qu'il me tendit.

— Voici mon numéro de portable. Je vais travailler ce matin, mais préviens-moi quand tu auras terminé, je te rejoindrai.

Mon toast était prêt. Je l'emportai, ainsi que le bacon, sur la véranda, tandis qu'Ethan me suivait, avec deux tasses de café. Les stores étaient grands ouverts. L'odeur saumâtre du canal, la rapidité du courant et le défilé des bateaux m'oppressaient. Je grignotai sans le moindre appétit, en essayant d'orienter la conversation sur la tâche qu'Ethan avait prévue ce jour-là. J'étais venue à bout d'une demi-tranche de pain et de quelques fragments de bacon quand ce fut le moment de partir. Pourquoi n'avais-je pas accepté qu'Ethan m'accompagne ?

Au commissariat de Point Pleasant, on m'emmena dans une petite pièce aux murs nus, où je me contentai d'observer le visage des personnes chargées de me questionner. On m'avait fait asseoir sur une chaise en bois inconfortable, face au lieutenant Michael Jaffe, du bureau du procureur, et à une très jeune inspectrice de police blonde, Grace Engelmann. Chacun était en possession d'un bloc-notes ; et un magnétophone reposait sur la table, entre nous, à côté d'une pile de papiers imposante.

Nous échangeâmes quelques mots à bâtons rompus, sans doute pour que je me sente en confiance.

— Ça a beaucoup changé, ici, depuis votre enfance ? s'enquit Jaffe, après les présentations.

C'était un bel homme aux cheveux poivre et sel, ondulés, et au visage jeune.

— Oui. Je ne suis pas revenue depuis la mort de ma sœur...

— Vraiment ? Pour ma part, je suis arrivé en 1992 ; je n'ai donc rien connu d'autre. Quel genre de changements avez-vous remarqués ?

Qu'il ait vécu dans la région ou non, il devait être au courant des modifications survenues ; je décidai malgré tout de jouer le jeu de la conversation bon enfant.

— Eh bien, il y avait déjà de nombreux estivants, mais beaucoup moins de maisons. La jetée est différente, le nouveau pont n'était pas construit.

— Le nouveau pont ?

— Celui sur le canal.

Cette précision fit rire Jaffe autant que l'inspectrice.

— Nous l'appelons « l'ancien pont ».

Je souris.

— Vous savez, poursuivit Jaffe, ma femme et moi apprécions vos livres.

— Merci.

Je fus tentée, comme toujours, de demander à Jaffe quel était son préféré, mais jugeai plus prudent de me taire... au cas où il mentirait par politesse. Ce n'était pas le moment de le déstabiliser !

Grace Engelmann nota quelque chose. Qu'avais-je dit d'extraordinaire ?

— Comment vous êtes-vous lancée dans l'écriture de romans policiers ? reprit Jaffe.

J'avais une réponse longue, destinée aux exposés sur mes œuvres, et une brève, utilisable dans de telles circonstances.

— Quand j'étais enfant, j'avais une passion pour les *Alice* et adorais écrire. C'était donc dans l'ordre des choses...

— Ah oui ! fit Jaffe tandis que Grace Engelmann continuait à griffonner. Je me souviens d'un article à votre sujet, que j'ai lu dans je ne sais quel magazine... Vous disiez que, petite fille, vous aimiez inventer des énigmes policières pour les raconter à vos copines, en leur faisant croire que les événements s'étaient produits dans le voisinage.

S'agissait-il toujours d'une discussion à bâtons rompus, ou pouvais-je détecter un subtil changement de ton ?

— C'est exact.

— Ensuite, un drame a eu lieu pour de bon dans votre famille. Le meurtre de votre sœur...

— Oui, dis-je, troublée, en m'agitant sur mon siège sans accoudoirs.

J'avais envie d'aller droit au but et de lâcher à Jaffe, ainsi qu'à l'inspectrice, jusqu'alors silencieuse, que je soupçonnais Ned et que c'était, selon moi, à cette éventuelle culpabilité qu'il faisait allusion dans sa lettre. Mais comme je n'étais pas censée mener le débat, j'attendis la question suivante.

— Que savez-vous à propos de George Lewis ?

A la pensée de George, j'ébauchai un sourire attristé.

— C'était un garçon taquin... J'ai passé de longs moments avec sa sœur, Wanda, et lui. J'ignore s'il avait connu son père et ne sais pas exactement ce qui était arrivé à sa mère. Wanda et lui avaient été élevés par leur cousine Salena. Il appartenait à une famille très pauvre, mais très unie. Il y avait beaucoup d'affection entre eux... Je me rappelle qu'il a fusillé mon père du regard, le jour où celui-ci est venu me chercher là-bas pour me ramener à la maison.

J'ajoutai qu'il se donnait des airs de dur à cuire, avant de conclure :

— En réalité, ce n'était qu'une impression ; je n'ai jamais vu réellement cet aspect de sa personnalité. Je suis furieuse... et consternée... qu'il ait été incarcéré pour un acte qu'il n'a pas commis.

— La personne qui a tué votre sœur et a laissé condamner un innocent porte un poids très lourd, je suppose...

Je notai au passage que Jaffe avait formulé sa phrase au présent.

— A mon avis, cette personne est Ned Chapman, et sa mauvaise conscience l'a rongé jusqu'à la mort.

Nous allions entrer dans le vif du sujet, pensai-je. Mais Jaffe s'est incliné, les doigts croisés sur la table.

— Vous comprenez que nous devons examiner cette affaire sous tous les angles. Nous repartons de zéro... Nous avons vos déclarations datant de 1962, mais devons voir ça d'un œil neuf.

Je hochai la tête, perplexe. J'étais prête à me pencher sur ce que j'avais raconté à l'âge de douze ans pour en finir avec cette plongée dans mes souvenirs ; mais le moment ne semblait pas encore venu.

— Parlez-nous d'Isabel, fit Jaffe.

Il avait été si direct, que je restai un instant sans voix.

— Elle était superbe...

Mes mains pesaient lourd sur mes genoux. Si seulement la chaise avait eu des accoudoirs !

— C'était aussi une adolescente en pleine rébellion... Elle faisait le mur, chaque nuit, pour rejoindre Ned sur le radeau en face de la plage.

Je gardai le silence un moment. Que dire de plus ? On n'entendait dans la pièce que le ronronnement du magnétophone et le bruit du stylo de Grace Engelmann courant sur son bloc-notes. Quand elle eut fini d'écrire, elle m'adressa la parole pour la première fois.

— Comment savez-vous que votre sœur faisait le mur chaque nuit ?

Grace Engelmann avait des yeux d'un vert étrange, qui rappelait celui de l'herbe fraîche. Portait-elle des verres de contact ?

— Je l'avais vue. J'en faisais autant !

Cette information figurait sûrement dans le dossier, mais, comme l'avait dit le lieutenant, ils repartaient de zéro.

— Quelle relation entreteniez-vous avec Isabel ? s'enquit-il.

Je détournai les yeux. Je ne voulais pas évoquer le sujet, tout en redoutant que ma soudaine incapacité à soutenir le regard des enquêteurs ne me rende suspecte. C'était donc cela ! Mon point de vue sur Ned ne présentait aucun intérêt pour eux. Ils voulaient connaître *mon* rôle dans la mort d'Isabel. Mon anxiété monta brusquement en flèche.

— Petites, nous étions très proches, affirmai-je en fixant Jaffe, puis Grace Engelmann. Mais il y avait cinq ans de différence entre nous. Quand Isabel est devenue adolescente, nous nous sommes éloignées naturellement. Nous n'avions plus grand-chose en commun.

— Vous vous disputiez beaucoup ?

— Des querelles typiques, entre sœurs.

— Et Ned Chapman ? Comment était-il ?

Une bouffée de chaleur atteignit le sommet de mon crâne. Dans moins de deux secondes, mon visage serait aussi rouge que ma blouse ; mais je répondis à la jeune femme sans baisser les yeux :

— Il paraissait sympathique. En fait, je le connaissais depuis toujours, car il était notre voisin pendant l'été. Il surveillait la plage... On croit connaître les gens, alors qu'on n'a pas la moindre idée de ce qu'ils sont en réalité !

— Vous aviez le béguin pour lui.

Il s'agissait d'une affirmation, non d'une question de la part du lieutenant.

— Une réaction typique de préadolescente.

Avait-il remarqué que j'abusais du mot « typique » ? La chaleur qui irradiait vers mon cou et ma poitrine m'empêchait presque de respirer.

— Une bouffée de chaleur... dis-je d'un air penaud en passant une main sur mon front.

Mes interlocuteurs me décochèrent un sourire compatissant. Vu l'âge de l'inspectrice et le sexe du lieutenant, je doutais pourtant qu'ils aient la moindre notion de ce que j'éprouvais. Pour un peu, je me serais éventée énergiquement avec le bloc-notes d'Engelmann...

— Etiez-vous jalouse d'Isabel ? reprit Jaffe.

Mon Dieu, je n'en pouvais plus ! « Bien sûr que j'étais jalouse de ma sœur ? Ne l'étiez-vous pas de vos aînés ? » explosai-je en mon for intérieur. Sur le point de proférer cette réponse, je parvins à me maîtriser.

— Oui, d'une certaine manière... murmurai-je. J'aurais voulu avoir son âge, lui ressembler et jouir d'autant de liberté qu'elle.

— Qui savait qu'elle serait dans la baie à minuit, le 5 août 1962 ? enchaîna Grace Engelmann.

— Moi ! Ainsi que Bruno – Bruce – Walker et peut-être George Lewis, mais je n'ai aucune certitude. S'il était au courant, Wanda Lewis l'était probablement aussi. Et, bien sûr, Ned Chapman !

— Quoique, d'après l'ancienne enquête...

Jaffe se mit à tapoter le dossier posé devant lui, sans prendre la peine d'en parcourir les pages.

— Ned vous avait chargée de prévenir Isabel qu'il ne pourrait pas la rencontrer cette nuit-là, n'est-ce pas ?

— Oui, mais il a dit ensuite qu'il viendrait peut-être.

— Vous aviez, à l'époque, la réputation d'inventer des histoires, intervint Grace Engelmann.

Elle et Jaffe passaient d'un sujet à l'autre si rapidement que mon cerveau en ébullition avait du mal à garder le rythme. Une fois de plus, je ne voyais pas exactement où elle voulait en venir.

— Je dévorais les livres. Je lisais à haute voix des *Alice* à Wanda et George.

— Mais vous imaginiez aussi des scénarios, non ? Par exemple, des événements survenus dans le voisinage, afin de piquer la curiosité de vos amis...

Ne sachant que répondre, je dévisageai Grace

Engelmann. Je haïssais sa manière de s'ingérer en moi. Comme je me taisais, Jaffe prit la parole.

— Je vais essayer de résumer ce que vous nous avez dit jusqu'à présent. Vous étiez plus ou moins en rivalité avec votre sœur. Vous étiez jalouse d'elle. Vous saviez où elle irait ce soir-là. Vous faisiez le mur régulièrement. Vous aviez le béguin pour...

— Assez !

Je me levai en faisant grincer ma chaise sur le plancher.

— Je ne suis pas venue dans ce but ! Je peux vous aider à mener votre enquête en vous disant ce dont je me souviens ; mais vous êtes en train d'insinuer que j'ai tué ma sœur, alors que j'étais incapable de lui faire le moindre mal.

— Asseyez-vous, je vous prie, répliqua posément Jaffe.

J'obtempérai, mais en m'installant au bord du siège, pour prendre facilement la tangente.

— Nous devons nous intéresser aux différentes personnes concernées, précisa le lieutenant. A toutes celles présentes au même endroit qu'Isabel cette nuit-là, vous incluse.

— Je n'ai pas tué ma sœur ! répétai-je, entre la colère et les larmes. Je n'ai rien à voir avec ce meurtre.

Après avoir jeté un coup d'œil à sa montre, Jaffe se leva.

— Nous allons poursuivre nos interrogatoires. Merci d'être venue.

A cet instant, je m'attendais presque à le voir brandir une paire de menottes ! J'eus une pensée pour mon avocat, qui n'avait jamais plaidé d'affaire criminelle. Mais, puisque j'étais libre de partir, ma pensée suivante fut pour maman.

— Aurez-vous besoin de parler à ma mère ? demandai-je en me relevant lentement.

Grace Engelmann, qui écrivait toujours, assise à la table, ne se laissa pas distraire une seconde de son travail.

— C'est fort probable, répondit Jaffe. Ça ne vous pose pas de problème, au moins ?

Je fermai les yeux en m'agrippant au dossier de la chaise. J'avais le tournis et l'esprit dans le vague. Si ma réponse était positive, j'aurais l'air de m'inquiéter de ce que raconterait maman ; si j'expliquais que ma famille taisait la mort d'Isabel, l'effet produit serait encore pire.

J'ouvris les yeux et dis la pure vérité :

— Je ne veux pas que ma mère souffre encore... Qu'elle ait à supporter...

D'un geste circulaire, j'englobai la pièce, les deux inspecteurs et la totalité de la situation.

— Je ne veux pas qu'elle ait à supporter tout ça !

— Nous comprenons, rétorqua Jaffe. Nous en tiendrons compte.

20

Julie
1962

— Si nous allions à la plage ? lança maman.

Toutes les femmes de la famille – mes sœurs, grand-mère, maman et moi – paressaient autour de la table de la véranda, après un petit déjeuner à base de salade de fruits et de toasts.

— D'accord, mais je n'ai pas l'intention de nager, marmonna Lucy.

— Comme tu voudras !

Notre mère chassa une miette de la lèvre de sa fille cadette et recula pour admirer celle-ci.

— Ta peau est en train de prendre un joli ton noisette...

De nous trois, Lucy était la moins bronzée, car elle passait la majeure partie de son temps à la maison, plongée dans les livres ou les parties de cartes avec grand-mère. Mais il était impossible d'éviter totalement le soleil, au cours d'un été de vacances dans la baie.

— J'ai promis à Mitzi et Pam de les retrouver à la plage. Mais, s'empressa d'ajouter Isabel, je vous y verrai.

Elle occupait la place à table qui lui donnait le meilleur aperçu du jardin des Chapman. Ses immenses yeux en amande se braquaient dans cette direction à peu près toutes les vingt secondes. C'était si flagrant que je ne parvenais pas à comprendre la naïveté de maman. Croyait-elle réellement qu'Izzy désirait rejoindre Mitzi Caruso et Pamela Durant ?

J'étais non moins hypocrite quand il s'agissait de masquer mes intentions.

— Je voudrais rester ici, grommelai-je.

Si seulement j'avais pu faire pivoter ma chaise, pour voir si les Lewis étaient arrivés !

Soupçonneuse, maman haussa les sourcils et je promenai ma fourchette dans la mélasse étalée sur mon assiette, en espérant échapper à son examen minutieux.

— Je vais peut-être nous pêcher quelque chose pour le dîner, ajoutai-je à tout hasard.

Si maman m'interdisait de traverser le canal, je ne pourrais pas désobéir effrontément à son ordre ; à mon grand soulagement, elle se contenta de se tourner vers grand-mère :

— Viendrais-tu avec Lucy et moi ?

Grand-mère, qui préférait en général demeurer à la maison pour balayer ou faire la lessive, une tâche ardue, en l'absence de machine à laver, nous surprit en acceptant la proposition.

Parfait ! Personne ne se soucierait de moi. Grand-père était à la pêche pour la journée avec un copain. Il m'avait proposé de m'emmener, mais je m'étais sentie de trop, l'année précédente, dans les mêmes circonstances.

Tout le monde partit pour la plage après que la table eut été débarrassée. Munie de mon seau à appâts, je marchai jusqu'au bout de la route. Euphorique, j'inventai une chansonnette au sujet des libellules en longeant le chemin bordé de roseaux, qui menait à l'endroit où grand-père plaçait sa nasse. Je m'agenouillai ensuite sur le sable humide, mes jumelles passées de l'autre côté de mon épaule pour éviter de les mouiller. J'allais sortir le panier de l'eau quand une voix retentit :

— Qui est là ?

Je sursautai, effrayée, avant de reconnaître le timbre d'Ethan.

— Où es-tu ?

— Par ici !

Cela venait de ma gauche. Je pataugeai et aperçus enfin Ethan, assis, les jambes croisées, dans les bas-fonds. Il ne portait que son caleçon. Sur son torse nu, les taches de rousseur semblaient converger en un pseudo-bronzage.

— Qu'est-ce que tu fabriques ?

— Viens voir ! J'ai trouvé des bébés anguilles.

Intriguée, car je n'avais jamais vu de civelles, je m'approchai au maximum, en essayant de ne pas troubler l'eau. Puis je m'agenouillai si près d'Ethan que je sentis l'odeur de la lotion solaire sur sa peau.

— Ici... m'indiqua-t-il.

Je découvris les bestioles noires, plus fines qu'un crayon, qui ondulaient sous la surface.

— Qu'elles sont jolies !

— Je voulais en attraper une pour la disséquer, mais je n'ai pas pu. Ce sont des bébés...

— Oui, n'y touche pas, dis-je, bizarrement émue.

Ethan tourna les yeux vers la nasse, invisible derrière la végétation.

— Tu as trouvé beaucoup de *killies* ?

— Je n'ai pas encore regardé.

— Où est ton grand-père ?

— Sur un bateau de pêche.

Ethan remonta ses lunettes sur son nez.

— Alors... tu vas te rendre de l'autre côté du canal, aujourd'hui ?

— Oui, mais tu as intérêt à la fermer.

— A condition que tu m'emmènes !

— Tu ne serais pas admis là-bas.

Qu'entendais-je exactement par là ? En tout cas, je n'avais aucun désir de partager mes nouveaux amis avec Ethan, car il les observerait au microscope, comme les créatures marines.

— Alors, je le dirai.

— Mouchard !

— Toi-même !

— Tais-toi, ou bien...

Je laissai ma menace en suspens, dans l'espoir que cela suffirait à dissuader Ethan.

Il y avait une quantité de *killies,* battant des nageoires contre le treillage métallique du panier, quand je le déposai sur le sable. Après avoir transvasé les poissons dans mon seau, je rejetai le piège à l'eau. Sur le chemin menant à la route, je ne pris même pas la peine de crier un au revoir à Ethan.

En me voyant monter dans le canot, Wanda me fit signe. J'avais d'autant plus hâte de la rejoindre, que je lui apportais *Alice au camp des biches,* tout à fait d'actualité au bord de la mer, d'après moi.

Dès que j'eus chargé mon matériel, je démarrai. Le courant était vif en direction de la rivière, mais je n'eus aucun mal à accoster entre les Lewis et la cabane de l'homme au coq. Ce dock m'était devenu aussi familier que le nôtre. Je me rappelais que M. Chapman en personne avait approuvé mon escapade. Le président de la Cour suprême du New Jersey m'inspirait un grand respect et j'estimais que mon père adoré avait eu tort de me réprimander.

Debout sur le ponton, George m'indiquait la direction de la Manasquan River.

— Tu peux nous emmener, Wanda et moi à la rivière ?

— Pourquoi ?

— Ça ne mord pas, ici. Quelqu'un nous a dit que c'est mieux là-bas.

Wanda apparut à son tour.

— Salena nous autorise à y aller, si tu nous accompagnes.

« Salena a perdu la tête, pensai-je aussitôt. N'a-t-elle pas remarqué la rapidité des flots ? »

Je n'étais pas autorisée à naviguer vers la Manasquan River, située à plus de deux kilomètres de notre maison par le canal. A vrai dire, je n'avais pas le droit de partir vers le nord ; point final. Mais quelle aventure en perspective ! Je tournai les yeux vers notre villa, en partie dissimulée par le ponton. Personne ne s'y trouvait, donc, nul ne saurait.

Penchée en avant, j'agrippai un barreau de l'échelle pour pousser le canot sur le côté du dock.

— Venez ! Et prenez un filet, je n'en ai pas.

Wanda et George empoignèrent leur barda et descendirent jusqu'à moi.

Salena surgit alors au-dessus de nous :

— Revenez avant une heure, hein !

— D'accord.

Je tirai d'un coup sec sur le câble du moteur et m'engageai sur le canal en veillant à ne pas trop déboîter vers les bateaux proches.

Le flux entraîna aussitôt notre embarcation et je dus tenir fermement la barre pour garder le cap. Ivre de joie, je dépassai notre demeure. Le pont de Lovelandtown apparut face à nous. J'étais passée dessous avec grand-père ou d'autres adultes, mais jamais seule. Et les deux piliers de l'ouvrage, très rapprochés, fondaient sur nous à une vitesse vertigineuse.

— Hé, petite, dit George, tu sais ce que tu fais ?

— Bien sûr !

Je m'agrippai avec l'énergie du désespoir à la barre, consciente qu'il n'y avait qu'un gilet de sauvetage à bord et qu'aucun de nous ne le portait.

Un gros engin nous précédait, dont le sillage ne pourrait qu'accroître la turbulence de l'eau. Si le courant n'avait pas été si fort, j'aurais tenté de retenir un moment le canot, mais je n'avais pas le choix. Ma main moite faisait des soubresauts sur la barre quand je me suis engagée sous le pont. Une énorme vague s'est élevée devant nous et, l'espace d'une seconde, nous a menacés.

Ai-je crié ou murmuré une prière ? J'eus à peine le temps de penser au péché que j'étais en train de commettre et à la punition bien méritée que serait ma mort. La vague déferla sur la proue, inondant mes yeux et ma bouche d'eau salée. Je n'aurais su dire, pendant un instant, si nous flottions ou avions été submergés. Comment suis-je parvenue à garder le contrôle de la situation ? En tout cas, j'ai dû sembler sereine, car Wanda et George se sont contentés de glousser, comme s'ils étaient en toute sécurité sur de simples montagnes russes.

Nous nous en sommes tirés à bon compte. Mes artères battaient dans mes oreilles quand nous avons abordé une zone plus paisible. Après cette expérience, le courant me parut moins inquiétant. J'appréhendais le passage sous l'autre pont, mais les flots n'avaient plus la même violence. Une distance suffisante nous séparait maintenant du bateau qui nous devançait ; son sillage ne posait donc plus le moindre problème, au grand regret, me sembla-t-il, de mes passagers.

Nous atteignîmes la Manasquan River et je m'orientai aussitôt vers l'ouest, de peur que George ne me suggère d'aller à l'est, vers le bras de mer, puis l'océan.

Nous n'étions pas les seuls pêcheurs, dans le coin, mais nous avons déniché un endroit plaisant, en bordure de la circulation fluviale. Quand j'ai arrêté le moteur, George a jeté l'ancre par-dessus bord en la soulevant comme une plume.

Wanda a pris un des *killies* dans mon seau et commencé à appâter.

— Un autre *Alice* ?

Elle a hoché la tête vers *Alice au camp des biches,* qui gisait, trempé, au fond du canot.

— Oui...

J'ai posé le bouquin sur mes genoux. Serait-il encore lisible ? Je me sentais d'autant plus chagrinée qu'il s'agissait du cadeau d'anniversaire de mon grand-père, l'année précédente.

Nous avons lancé nos lignes. J'ai trouvé le flacon de lotion solaire en train de flotter sous mon siège et, après avoir dévissé le bouchon, en ai étalé un peu sur mon visage et mes bras.

George a enlevé sa chemise. Il était si beau que j'ai commencé à avoir des pensées impures à son sujet. Je ne tournais vraiment pas rond, si j'étais troublée par un garçon de couleur !

— Tu peux m'en donner un peu ? m'a-t-il demandé. Tu croyais que les Noirs peuvent se dispenser de se protéger contre le soleil ? a-t-il ajouté, devant mon air surpris.

Il a à peine baissé son short et j'ai vu nettement la coloration plus pâle de sa peau.

Wanda lui a tapé l'épaule.

— On n'a pas envie de découvrir ton caleçon !

J'ai donné mon flacon en riant à George, qui l'a passé à Wanda après s'être enduit de produit. A ma grande surprise – et ma non moins grande reconnaissance –, il a écopé à l'aide de sa chemise, qu'il a tordue énergiquement ensuite. Sans son aide, comment aurais-je expliqué à grand-père ces quelques centimètres d'eau ?

J'ai ouvert *Alice au camp des biches* : les pages, collées par paquets, étaient gondolées d'humidité.

— Quand il aura séché, tu pourras peut-être séparer les feuillets, m'a dit Wanda, apparemment navrée pour moi.

J'appréciais sa gentillesse et son calme, sauf lorsqu'elle faisait enrager son frère. Bien qu'elle ne m'ait pas raconté leurs malheurs, je savais qu'ils n'avaient pas eu la vie facile. Le jour où je m'étais plainte de la manière dont papa m'avait ramenée malgré moi à la maison, elle avait murmuré un « au moins, tu as un père », qui m'avait donné à réfléchir. J'étais contente pour elle que Salena l'ait prise en charge.

La personne qui avait signalé à George que le poisson mordait dans la rivière avait dit vrai. Nous avons attrapé des *black fishes* et des flets en quantité. Comment ferais-je pour justifier cette pêche miraculeuse à ma mère sans lui avouer mon escapade ? Je décidai de laisser une partie de mon butin à Wanda et George, et de ne sélectionner que quelques prises.

— J'peux t'emprunter les jumelles ? me demanda George au bout d'un moment.

Je les fis passer au-dessus de ma tête et il se mit à scruter le monde environnant, sa canne coincée entre les genoux.

Comme j'appâtais à nouveau, j'aperçus une tache claire rebondissant, sur l'eau, à proximité du canot. Après avoir confié ma canne à Wanda, je cherchai à atteindre l'objet avec mon filet.

— C'est quoi ? fit Wanda.

— On dirait une poupée.

C'était en effet un baigneur en plastique, pas plus grand qu'un doigt, avec les cheveux peints en brun et les yeux bleus écarquillés. Je le récupérai et le débarrassai des algues.

— Tu vas garder ce vieux truc ?

Je répondis à Wanda que je n'aimais pas voir des déchets flotter sur la rivière. Elle n'était pas dans mes secrets concernant ma boîte Alice !

Nous n'avions pas de montre, mais quand le soleil eut dépassé le zénith, il me parut sage de nous remettre en route. George leva l'ancre et je tirai le câble de démarrage. Après un crépitement, ce fut le silence. Je fis une nouvelle tentative ; le moteur émit le bruit de quelqu'un qui souffle entre ses lèvres. J'eus beau m'acharner, l'embarcation dérivait... J'imaginais toutes sortes de scènes de cauchemar, comme un sauvetage par la police maritime et l'obligation, pour moi, d'expliquer à mes parents ma présence en cet endroit... avec des Noirs que je n'étais pas censée fréquenter.

— Ça ne va pas ? s'est enquise Wanda.

George, qui regardait du côté du canal avec mes jumelles, a marmonné :

— Tiens, on dirait le copain de ta sœur...

— Où ?

— Sur cette vedette !

Il a tendu un doigt vers la droite. Je me suis tournée et j'ai distingué plusieurs engins au loin, mais je n'aurais su dire qui se trouvait à bord.

— C'est sûrement lui, a insisté George, et j'ai une nouvelle pour toi : ce n'est pas ta sœur qui l'accompagne !

J'oubliai un instant la machine récalcitrante.

— Laisse-moi voir !

George m'a rendu les jumelles et je les ai réglées à ma vue.

— Où donc ?

— J'en sais rien : sans les jumelles, ces bateaux sont minuscules.

— On va être entraînés vers l'océan, si tu n'arrives pas à démarrer, a glissé Wanda.

Elle avait raison. J'ai refait passer les jumelles au-dessus de ma tête et tiré sur le câble. Après quelques crépitements, silence...

— Une panne ? s'est inquiétée Wanda.

— J'espère que non !

Je devais parfois m'y reprendre à deux ou trois fois, mais je n'avais jamais connu de tels ennuis.

— Laisse-moi faire ! a lancé George.

Nous avons échangé nos places, puis il a tiré sur le câble si vite que le moteur a repris vie, et moi aussi...

Dès que nous avons navigué vers le canal, j'ai repensé au garçon que George avait aperçu.

— Tu es sûr d'avoir vu Ned ?

— Oui, c'était le gars de l'autre jour. Le copain de ta sœur...

J'avais effectivement montré Ned à Wanda et George à la jumelle.

— Il était avec qui ? A quoi ressemblait-elle ?

— Je l'ai pas très bien vue, mais assez pour dire qu'elle était mignonne. Une petite blonde, avec une longue queue-de-cheval.

— Pam Durant... Elle portait sa queue-de-cheval sur le côté ? Il y avait d'autres gens avec eux ?

— Te monte pas la tête, petiote ! Ils faisaient peut-être un tour, entre camarades, comme nous.

Nous avons repris la direction du canal ; à mon grand soulagement, le courant avait faibli, rendant le passage sous les ponts moins ardu. J'accostai dans le dock où les cousins de Wanda et George pêchaient. Salena et l'un des hommes s'approchèrent et s'émerveillèrent à la vue des poissons que nous rapportions. J'en fis passer quelques-uns de mon seau à celui de mes amis.

George qui m'observait, perplexe, sembla comprendre et me rendit le plus gros *black fish.*

— T'auras qu'à raconter à tes parents que c'était un bon jour de pêche, sur le canal !

Je traversai. En grimpant l'échelle de notre côté, chargée de mon fardeau, je me dis que, malgré mon goût pour l'aventure, il me faudrait au moins un mois pour digérer une journée pareille. Il y avait eu trop d'alertes ! J'avais de la chance que mon ange gardien ait veillé sur moi.

Personne n'était encore rentré à la maison. Je pris l'écailleur et un couteau de cuisine, puis m'installai à une table du jardin pour préparer mes prises. Je mis un certain temps à arriver au bout de mes peines et me trouvai alors devant une pile de filets dont je ne pourrais justifier le nombre à manière. J'en conservai six. Quant aux autres... Je les déposai sur la planche de travail, avec les têtes, les queues et les viscères, et partis déverser le tout dans la flotte.

Après le dîner, je me rendis dans le jardin, munie du baigneur que j'avais repêché. Assise au coin de la maison, je déblayai les quelques centimètres de terre sous lesquels la boîte à pain était enfouie. Comme je commençais à soulever le couvercle, il sauta brusquement en l'air. Je bondis en hurlant, puis compris ce qui s'était passé : une énorme chenille à ressort, enroulée sur elle-même et prête à surgir comme un diable, avait été glissée dans la cachette.

Entendant des rires, je me retournai et vis Ned Chapman, hilare, les poings sur les hanches.

Je fonçai aussitôt sur lui.

— C'est toi qui as fait ça ?

— Pourquoi ? marmonna-t-il, les mains en l'air, en riant sous cape.

Je savais qu'il m'avait joué ce tour, ce qui signifiait qu'Isabel avait dû éventer mon secret. Sinon, comment Ned aurait-il été au courant ?

— Ne touche plus *jamais* à mes affaires !

Ma voix vibrait d'une fureur que je n'éprouvais pas, car j'étais secrètement émue que Ned se soit intéressé à moi. J'etais sur le point de lui demander s'il avait emmené Pam Durant en virée, quand j'eus la certitude que c'était impossible. Il était en train de surveiller la « plage des bébés ». George avait sans doute inventé cette histoire pour me taquiner.

Comme il faisait encore jour, je me suis installée sur le ponton pour lire. Au bout d'un quart d'heure, Isabel s'est assise à quelques pas de moi. Le drap de bain noué autour de la taille, elle me scrutait d'un air énigmatique.

— Quoi ? lui ai-je demandé.

— Je sais ce que tu fais.

— C'est-à-dire ?

Mes transgressions étaient si nombreuses qu'il m'était impossible de deviner à laquelle Izzy se référait.

— Tu sors la nuit en bateau !

J'arborai une expression incrédule.

— Qu'est-ce que tu racontes ?

Izzy se pencha pour se gratter le mollet.

— Je suis sortie, l'autre soir, et j'ai remarqué que le canot avait disparu. Ce n'était pas grand-père, parce que je l'entendais pratiquement ronfler depuis le jardin. Je suis montée et j'ai vu que ton lit était vide.

Je prétendis me replonger dans mon bouquin, comme si je pouvais encore lire, après ces quelques paroles de ma sœur.

— Et alors ?

— Où vas-tu ?

— Ça ne te regarde pas !

Izzy me parlait si souvent sur ce ton, que je me faisais un plaisir de lui rendre la pareille.

— Ecoute, Julie, tu n'as que douze ans. Je ne voudrais pas que tu aies des ennuis...

— Je me passe de tes conseils.

Izzy prit son ton le plus arrogant.

— Si tu ne me dis pas ce que tu fais, je serai obligée d'en parler à maman.

Je lui jetai un regard noir.

— Inutile de te gêner ! J'en ferai autant à ton sujet.

Izzy resta immobile, mais je la vis blêmir sous son bronzage.

— Comment sais-tu où je vais ?

— J'ai des informations... Si tu te tais, moi aussi.

Pour la première fois de ma vie, j'avais l'avantage sur ma sœur aînée. Quel extraordinaire sentiment de puissance !

— A propos, ajoutai-je, ravie de la sentir dans l'embarras, Ned était à la plage, aujourd'hui ?

— Pourquoi ?

— Oui ou non ?

— Non, il avait des courses à faire.

Je sentis mon cœur se serrer. Moi qui m'attendais à me réjouir que Ned trompe Izzy, j'étais loin de jubiler ! J'allais lui demander si Pam était avec la bande, ce matin-là, quand elle reprit la parole :

— Je suis si amoureuse de lui, Jules. Tu ne peux pas encore comprendre, mais un jour, ce sera ton tour. C'est merveilleux d'aimer un garçon et que la réciproque soit vraie...

Un sourire aux lèvres, Isabel laissa son regard planer vers le canal.

Que lui répondre ? Que j'étais amoureuse de Ned et que je saisissais parfaitement ce qu'elle éprouvait ?

Elle s'approcha et passa un bras autour de mes épaules. Pour la première fois depuis fort longtemps, elle avait un geste affectueux à mon égard.

— Julie... m'a-t-elle dit, si doucement que j'ai dû la fixer pour bien l'entendre.

Son visage était tout proche du mien et la couleur de ses yeux me rappelait le gâteau au chocolat. J'ai imaginé ce que ressentait Ned quand il était près d'elle.

— Julie, a repris Izzy, j'ai dix-sept ans. Je fais peut-être des bêtises, mais je suis assez mûre pour prendre mes responsabilités. Tu ne l'es pas et ça m'inquiète. Je ne voudrais pas qu'il t'arrive des ennuis.

Sa tendresse m'a émue aux larmes et j'ai murmuré d'une toute petite voix :

— Ne te tracasse pas pour moi.

Izzy m'a serrée contre elle.

— Je ne sais pas ce que tu manigances, mais promets-moi de ne pas recommencer.

— Promis !

J'avais clairement conscience de mentir. Nous étions devenues menteuses, ma sœur et moi, cet été-là, et nous l'avons payé cher.

21

Julie

Je n'avais pas l'intention d'appeler Ethan à la suite de mon interrogatoire. La veille, j'avais déjà empiété sur son temps de travail. Pour ne pas le déranger davantage, je comptais rentrer chez lui et repartir après avoir griffonné un mot de remerciement. Mais je m'éloignai du commissariat, encore émue par tant de questions imprévisibles ; mes souvenirs bouillonnaient dans ma tête et je me sentais oppressée par leur poids.

George. Ned. Isabel. Leur pensée m'obsédait, car je n'avais pas livré aux policiers ce que j'avais à dire. Je m'étais laissé manipuler, j'avais « raté » mon coup. A présent, j'avais besoin de parler à Ethan pour me défouler.

Je donnai un coup de volant sur le côté de Bridge Avenue, freinai et saisis mon téléphone portable. Je dus m'y reprendre à trois fois pour composer le numéro d'Ethan correctement.

— Julie, ça s'est bien passé ?

Surpris par mes sanglots, Ethan me proposa de le retrouver chez lui, si j'étais en état de conduire.

— J'arrive, soufflai-je, soulagée d'avoir réussi à le joindre.

Son pick-up était déjà dans l'allée quand j'arrivai enfin. J'entrai sans frapper. Ethan m'accueillit dans le vestibule en m'étreignant, comme la veille. Au lieu de me surprendre, son geste me parut naturel et bienvenu. Le front sur son épaule et ma main sur son dos, je m'agrippai au tissu de sa chemise.

— Chut ! fit-il, comme s'il rassurait un enfant effrayé par un cauchemar. Ça va s'arranger... Tout va s'arranger.

Il recula d'un pas.

— Où veux-tu t'asseoir ? Sur la véranda ou dehors ?

J'imaginais ses voisins – les habitants de mon ancienne maison –, installés sur *ma* véranda et assistant à ma crise de désespoir dans le jardin d'Ethan.

— Sur la véranda, répondis-je à Ethan en me dirigeant déjà vers l'arrière de la bâtisse.

Je pris place dans la causeuse en osier, face au canal. Bien qu'il y ait d'autres sièges disponibles, Ethan se mit à côté de moi. Il revenait de son travail ; sa peau était chaude contre la mienne, et une odeur de soleil et de savon effleura mes narines. J'étais contente qu'il me tienne compagnie. Quant à l'issue de l'enquête, nous appartenions à des équipes adverses et souhaitions des résultats différents, mais je savais qu'il comprendrait mon état d'âme.

— Alors, fit-il, pourquoi es-tu si perturbée ?

— Les policiers m'ont interrogée comme si j'étais suspecte.

Nous étions si serrés sur notre siège que je voyais à peine Ethan.

— Certaines questions qu'ils m'ont posées à ton sujet m'ont inspiré cette crainte, mais je suis sûr qu'ils ne te soupçonnent pas sérieusement. C'est une hypothèse qu'ils doivent écarter ! Ils s'intéressent à tous les gens concernés par l'affaire. J'ai eu droit, moi aussi, à un interrogatoire assez scabreux.

— Je ne m'y attendais pas du tout. Jamais je n'avais pensé à la mort d'Isabel du point de vue des tribunaux, mais on peut me soupçonner... J'avais la motivation, je savais où elle était, je m'y trouvais au même moment.

Je ponctuai mes paroles d'un hochement de tête.

— L'attitude des enquêteurs se justifie, mais j'ai été désarçonnée ! Je me suis énervée et ai déclaré que je n'avais rien à voir avec ce meurtre. Evidemment...

Ma voix s'étouffa dans ma gorge.

— Evidemment quoi ?

— Evidemment, j'ai quelque chose à y voir.

Ethan me prit la main et la maintint contre sa cuisse.

— Julie, tu n'étais qu'une gamine !

Des amis et des thérapeutes m'avaient déjà dit cela. Mais Ethan me connaissait, à l'époque. Il savait quel genre de fillette j'étais alors ; ses paroles avaient une résonance particulière en moi.

— Au milieu de tout ça, je me suis souvenue de mon affection pour Isabel. Nous ne nous entendions pas bien, cet été-là, mais je sais qu'au fond de nous-mêmes, nous nous aimions. Je l'aimais...

— Bien sûr ! Ned me considérait comme un abruti et me traitait en conséquence ; ça ne l'empêchait pas de m'aimer. Et il aimait aussi Isabel. Il est donc aberrant de supposer qu'il l'a tuée.

Un voilier s'approcha gracieusement du pont. Un enfant, portant un gilet de sauvetage, était à bord avec ses parents ; son père semblait lui apprendre à danser.

— Veux-tu savoir ce que j'ai dit aux policiers ? Je leur

ai expliqué qu'on ne connaît jamais vraiment ses proches. Tu ne peux pas te douter de ce qui se passait dans la tête de Ned, Ethan !

Mon expérience avec Glen apportait de l'eau à mon moulin.

— Je croyais cerner mon ex-mari, repris-je. Je m'imaginais qu'il m'aimait... Qu'il était un homme honnête et honorable... Voilà ce que je pensais, alors qu'il avait une liaison !

— Je comprends, marmonna Ethan en passant son pouce sur le dos de ma main. Karen, mon ex-femme, aussi.

— Oh !

Jusqu'à quel point avions-nous vécu des choses similaires ?

— Une liaison de longue durée ?

— Environ un an.

— Comme Glen ! Du moins, je crois ; mais je te répète que je ne le connaissais pas *vraiment*. Comment as-tu appris la vérité ?

— Karen me l'a avouée. Elle jouait dans un spectacle au théâtre communal ; un soir, en rentrant à la maison, elle m'a annoncé qu'elle était amoureuse du metteur en scène et qu'elle voulait divorcer.

J'essayai d'imaginer la scène. Dans quelle pièce de cette maison Karen avait-elle appris la nouvelle à Ethan ? Avait-il passé la nuit dans la chambre d'amis ? Ou elle ? Glen avait dormi sur le canapé du salon, notre chambre d'amis étant envahie par mes cartons de livres.

— Tu étais anéanti ?

— Complètement. Je n'avais jamais pensé au divorce. Ce mot n'appartenait pas à mon vocabulaire ! Mes parents, mariés depuis soixante ans, étaient un modèle d'amour et d'harmonie ; je les trouvais admirables. Je croyais que mon couple fonctionnait de la même manière... Je me trompais.

— C'est mon point de vue ! On se fait des illusions sur la personne avec qui on vit. On se sent heureux en ménage et on s'imagine que ce sentiment est réciproque, jusqu'au jour où...

— Ton mari ne t'a rien dit ?

— Rien. Devine comment j'ai su ?

— Comment ?

— Cette femme m'a appelée. Elle m'a déclaré qu'elle prenait cette initiative parce que Glen n'osait pas me parler.

— Au moins, il est clair que des deux, c'est elle qui porte la culotte !

— Sur le moment, j'ai cru à un canular. Une collègue de Glen cherchait peut-être à lui faire du tort... Mais quand Glen est rentré, ce soir-là, je l'ai questionné. Il a fondu en larmes. Ça a été le commencement de la fin... Tu ne peux pas savoir comme j'ai souffert à l'idée qu'il aimait une autre femme.

— Si !

A n'en pas douter, Ethan disait vrai.

— Finalement, il l'a épousée ? reprit-il.

— Non. Ils ont rompu juste après notre séparation. Je baissai les yeux et vis nos deux mains reposant ensemble sur la cuisse d'Ethan. Sa peau avait une teinte cuivrée et ses longs doigts, lisses au-dessus, étaient rêches au-dessous, là où je sentais leur contact. De minuscules rides, presque microscopiques, couraient sur le dos de ma main. Je commençais à ressembler à ma mère...

— C'est en partie ma faute, expliquai-je. L'échec de notre couple... J'étais une droguée de travail.

— Encore maintenant ?

— Oui, jusqu'à ce que cette lettre de Ned remonte à la surface, admis-je en riant. Depuis, je n'ai pas écrit une ligne. En tout cas, rien qui soit digne d'être publié !

— J'essaie de ne pas raisonner en termes de culpabilité. C'est banal, mais nous nous sommes éloignés progressivement l'un de l'autre, Karen et moi. Elle s'est passionnée de plus en plus pour l'art dramatique... au point qu'elle aurait voulu déménager à New York pour tenter sa chance.

— Qu'est-elle devenue ?

— Hum ! Elle a épousé son amant, mais, paradoxalement, ne monte pas sur les planches. Elle continue à enseigner, comme avant ; j'ai l'impression qu'elle est heureuse.

— Tu ne lui en veux pas ?

— Non. Je lui ai pardonné. Ce n'était pas évident pour elle non plus.

Les hommes semblaient gérer les ruptures mieux que les femmes.

— Je crois avoir pardonné à Glen, répliquai-je, sans conviction. Mais pourquoi ne m'a-t-il pas dit à quel point il se sentait malheureux ? Je ne comprends pas sa passivité. Comment essayer de recoller les morceaux quand on ignore qu'il y a une cassure ?

Je pensai à Shannon, que notre divorce avait affectée.

— Abby sait que sa mère...

— Que sa mère m'a quitté pour quelqu'un d'autre ? Oui, ce n'est pas un secret. Elle lui en a voulu sur le coup, mais elles ont fini par faire la paix.

— Shannon n'est pas au courant de la réalité. Je ne voulais pas qu'elle ait une mauvaise opinion de son père.

— Très sage de ta part !

Ma nuque reposant sur le dossier, je fixai le plafond.

— Pourtant, ma relation avec elle part à la dérive.

— Comment est-ce possible ?

— Elle prétend que je l'ai étouffée, et elle a sans doute raison. J'ai parfois l'impression qu'elle me hait ! Au moment de mon arrivée chez toi, Abby partait... Elle t'a déclaré qu'elle t'aimait... J'ai pris conscience que je ne savais même plus quand Shannon me l'avait dit pour la dernière fois.

— Et toi, tu le lui dis ?

— Bien sûr ! Soit elle ne répond pas, soit elle marmonne une sorte de « hum ! hum ! ».

— Et le dis-tu souvent à ta propre mère ? poursuivit Ethan en riant.

Jamais ! pensai-je, interloquée. En tout cas, pas depuis mon enfance. Probablement avant la mort d'Isabel.

— Je lui manifeste mon amour de mille manières, balbutiai-je.

— Ce n'est pas pareil. Tu voudrais que Shannon prononce ces mots-là, mais comment le pourrait-elle, si tu ne lui donnes pas l'exemple ?

Je restai pensive un moment. Comment exprimer de tels sentiments quand on les a étouffés toute sa vie ? Je faillis appeler maman sur-le-champ pour lui avouer mon attachement. Mais c'était impossible et je savais pourquoi : je craignais qu'elle ne parvienne pas à en faire autant.

Ethan et moi avions abordé un sujet épineux, mais j'appréciais d'être assise là avec lui et de discuter tranquillement. C'était parfait. Une conversation sur l'oreiller, sans le sexe... Que souhaiter de mieux ?

Pourtant, je me demandais, quelque part au fond de moi-même, ce que j'éprouverais si nos mains se rejoignaient sur ma cuisse et non sur la sienne. Ce nouvel Ethan me plaisait beaucoup.

— Je regrette d'avoir été si froide avec toi quand nous avions douze ans, lui confiai-je.

Il rit de bon cœur.

— Tu n'as rien à te reprocher ! Je me repliais sur moi-même ; je me sentais bizarre et frustré... J'avais un gros béguin pour toi...

— Tu te fiches de moi ?

— Non ! Je te trouvais cool... Un vrai garçon manqué, avec un certain charme féminin...

Je me mis à rire à mon tour.

— Mais, ajouta Ethan, je ne savais pas comment te parler. Je voulais pêcher des poissons ou attraper des crabes avec toi, comme avant... T'accompagner sur ton canot... Et je comprenais que tu ne supportais plus ma présence !

— Dommage... Si j'avais su que tu tournerais si bien, je t'aurais fait meilleur accueil.

Ces mots m'avaient échappé et je m'en félicitai.

— Merci, souffla Ethan. C'est agréable à entendre...

Un moment après, je me surpris à nouveau en train d'imaginer ses doigts sur moi ; mon estomac se serra légèrement à cette pensée.

— Je me souviens de ton enthousiasme, reprit Ethan. Un véritable tempérament d'aventurière...

— Je n'ai plus aucun point commun avec la fillette d'autrefois. Elle est morte en même temps qu'Isabel.

— Je parie qu'elle n'a pas totalement disparu !

— Tu crois ?

— La vie est si belle, Julie, et si courte... Il faut profiter de chaque instant dont nous disposons !

— Serais-tu, par hasard, sous antidépresseurs ?

— J'ai juste de la chance ! J'ai dû naître avec une surdose de sérotonine.

Soudain, Ethan devint grave ; je respectai son silence.

— Je crois avoir été influencé par mes parents, des êtres optimistes, reprit-il. Je n'ai jamais oublié une réplique de mon père, dans un discours à la suite de sa défaite au poste de gouverneur. Je devais avoir une quinzaine d'années... Debout derrière lui, avec ma mère et Ned, je refoulais mes larmes pour ne pas me ridiculiser, mais j'étais vraiment désolé. Il avait fait campagne avec un tel enthousiasme ! Un journaliste a vociféré : « Quels sont vos projets, maintenant ? » Après une minute de réflexion, papa lui a répondu qu'il croyait au vieux proverbe selon lequel « quand une porte se ferme, une fenêtre s'ouvre ». Il a précisé que son échec lui ouvrait le monde et qu'il trouverait d'autres moyens de servir sa patrie. Et c'est ce qu'il a fait ! Il a relancé son cabinet d'avocat et plaidé en bénévole. Comme nous n'avions pas de problèmes d'argent, il a travaillé sans répit jusqu'à sa retraite. Mon père a eu assez de cran pour ne pas se complaire dans le chagrin.

— C'est un sage.

Un homme pareil supporterait d'apprendre que son fils était coupable et arriverait même à rebondir après une telle révélation, songeai-je.

Ethan dut raisonner comme moi.

— Julie ?

— Oui ?

— Nous devons parler, toi à ta mère, moi à mon père, de la lettre de Ned, avant que les flics s'en chargent.

— Effectivement, murmurai-je, résignée.

Après avoir lâché ma main, Ethan passa un bras autour de mes épaules.

— Et peut-être qu'un « je t'aime », glissé à ta mère quand tu évoqueras le sujet, amortira le choc.

22

Maria

Ce matin, au McDo, je bavardais avec une femme que j'ai connue à l'église, quand ma jeune collègue Cordelia a surgi derrière moi.

— Maria ! Tu as un visiteur...

J'ai senti une taquinerie dans son joli accent colombien.

— Où est-il ?

Je me suis retournée et elle m'a indiqué l'entrée du restaurant d'un signe de tête.

Avant même de le voir, je savais qu'il s'agissait de Ross. Debout près de la porte, il s'appuyait sur sa canne. Visage de marbre... Il s'est incliné galamment quand il m'a aperçue à son tour.

— Merci, ai-je dit à Cordelia, d'un air que je voulais indifférent.

— C'est ton petit ami ? m'a-t-elle soufflé en souriant.

— Surtout pas !

Je me suis dirigée vers Ross et l'ai salué d'une voix aussi neutre que possible, alors que je mourais d'envie de hurler : « Qu'est-ce que tu fais ici, vieux chnoque ? »

— J'aimerais bavarder un moment avec toi, Maria. Je suis venu déjeuner... Pourrais-tu me tenir compagnie ?

— Nous n'avons pas grand-chose à nous dire !

Je pris un plateau abandonné et vidai les emballages dans la poubelle, avant de le poser sur la pile. Par chance, cette besogne me dispensait de regarder Ross dans les yeux.

— Je t'en prie ! J'ai fait le trajet depuis Lakewood.

A qui la faute ? pensai-je. Mais l'attitude de Ross était si pathétique que je finis par céder.

— Assieds-toi, je vais te servir.

— Je me débrouille seul ! fit l'être orgueilleux que j'avais connu, jadis.

— Très bien ! Je te rejoins dans un moment, mais pas pour longtemps. Je travaille, tu sais...

Ross alla se glisser dans la file d'attente, plutôt courte entre le petit déjeuner et le déjeuner.

J'aurais aimé avoir d'autres tables à déblayer ou des enfants à surveiller dans l'aire de jeu, mais rien de spécial ne mobilisait mon attention. J'ai discuté avec ma copine de Holy Trinity, jusqu'à ce que Ross revienne du comptoir, son plateau à la main et sa canne au bras. Je songeais à l'aider, mais quelle que fût mon antipathie pour cet homme, je ne voulais pas blesser son ego plus qu'il ne l'était déjà par l'âge et les circonstances.

Quand il s'attabla dans un coin de la salle, j'allai m'installer à côté de lui. J'avais conscience des ricanements de mes jeunes collègues : ils croyaient probablement à l'éclosion d'une idylle entre ce vieux bonhomme et moi.

— Alors, fis-je, Ethan t'a raconté comment s'est passé son déjeuner avec Julie ?

— Il m'a simplement dit qu'il était content de la voir.

Ross n'avait pas déballé le hamburger et ne semblait

pas décidé à le faire, mais il porta le gobelet de café à ses lèvres et avala une gorgée.

— Tu n'as pas l'intention de manger ? m'étonnai-je.

— Maria, déplores-tu certains événements de ta vie ?

Apparemment, Ross n'avait pas entendu ma question.

— Bien sûr ! fis-je en riant. Ma liaison avec toi compte parmi les principaux, ajoutai-je à voix basse.

Les yeux baissés, Ross se mit à tapoter nerveusement sa serviette. J'éprouvais un certain remords à l'idée de l'avoir vexé. Ce n'était sans doute pas un mauvais bougre, bien que j'aie voté contre lui quand il était candidat au poste de gouverneur. On n'a pas intérêt à connaître les politiciens de trop près ! Je savais qu'il avait fait de très bonnes choses dans sa vie : il avait plaidé pour des pauvres devant les tribunaux et agi de manière désintéressée en maintes occasions. Devant son visage émacié et le réseau de rides autour de ses yeux d'un gris métallique, je m'interrogeai sur mes regrets. Concernaient-ils plutôt mes faiblesses à l'égard de Ross ou ce que *lui* avait fait ? Je n'aurais su dire. S'agissant de Ross, j'éprouvais des sentiments mitigés.

Il me fixa.

— Je te comprends, Maria, et je te présente mes excuses... mes excuses les plus sincères... pour le mal que j'ai pu te faire. J'ai commis tant d'erreurs !

Il regarda, à travers la vitre, en direction du parking : de jeunes garçons se faufilaient parmi les voitures sur leurs skateboards.

— Avant tout, j'étais aussi sectaire que mes parents : j'ai adopté leurs préjugés et n'ai pas su garder mon libre arbitre. J'aurais dû rester avec toi sans me dissimuler... J'ai été stupide.

Fichtre ! Ross allait-il passer ses torts en revue, dans l'attente de mon pardon pour chacun d'eux ? Cette idée m'était insupportable. A vrai dire, ses mots ne me suffiraient pas. *Rien* ne me suffirait. Je ne lui en voulais pas d'avoir rompu avec moi lorsque j'étais si jeune et naïve ; je regrettais juste d'avoir laissé notre liaison se poursuivre clandestinement. Pourtant, le meilleur moyen de me débarrasser de Ross, à présent, était d'accepter ses excuses.

— Parfait ! Merci de m'avoir dit ça, murmurai-je pour l'apaiser.

Décontenancé, il me sourit.

— Tu es belle... En fait, je veux dire que... Je ne cherche pas à flirter avec toi...

Tant mieux ! Un vieux monsieur en train de draguer n'était pas un spectacle réjouissant.

— Tu es belle physiquement, mais tu as aussi une belle âme. Je ne me suis pas bien conduit avec toi et...

— Ross, ça suffit !

Mon McMuffin du petit déjeuner allait me remonter à la gorge, s'il continuait.

— Notre conversation doit s'arrêter là, insistai-je. Je te pardonne tes torts, imaginaires ou réels. A présent, pense à autre chose ! Quant à moi, je dois reprendre mon service.

Je sentis le regard de Ross se poser sur moi tandis que je traversais l'espace pour me rendre aux toilettes. Je voulais lui échapper, ainsi qu'aux questions inévitables de mes collègues. J'ai éclaboussé abondamment mon visage d'eau et dégluti plusieurs fois pour remettre à sa place ce fâcheux McMuffin.

Quand j'émergeai des lavabos, Ross était parti, laissant sur son plateau le hamburger intact et le café presque plein. Je m'empressai de débarrasser l'ensemble.

1939

Jamais je n'aurais osé avouer à ma famille la vérité au sujet de ma rupture avec Ross. Comment annoncer que les parents de mon amoureux, nos voisins immédiats, avaient interdit à leur fils de sortir avec moi, sous prétexte que j'étais la fille d'une immigrée italienne ? Ma mère aurait été navrée !

Je prétendis que nous avions choisi de prendre nos distances pendant quelque temps, pour nous assurer que nous étions vraiment faits l'un pour l'autre. Cette décision parut bizarre à papa et maman, car, à leurs yeux, Ross et moi formions un couple idéal. Me surprenant en larmes plusieurs fois, ils me questionnèrent pour savoir si cette séparation n'était pas une initiative de Ross. Je leur répondis que nous avions fait ce choix d'un commun accord.

Je rendis sa bague à Ross et quand des membres de notre bande manifestèrent leur surprise, nous racontâmes que nous ne nous sentions pas encore mûrs pour une relation durable. Mes copines parurent sceptiques. Bien que j'aie l'habitude de tout leur confier, je ne me résignai pas à leur dire la vérité, car Ross leur aurait semblé faible et superficiel. Comme je l'aimais encore, je ne voulais pas ternir son image flatteuse.

Je souffrais pourtant de le voir au milieu de mon groupe sans avoir de contact avec lui. Quand il parlait à d'autres filles, je me demandais quel était leur arbre généalogique, comparé au mien. Je le regardais passer ses doigts dans ses cheveux ou prendre une cigarette, en brûlant de désir à la pensée de ses mains sur mon corps.

Un soir, au Jenkinson's Pavilion, je dansais avec un autre garçon. Ross lui a tapé sur l'épaule pour prendre sa place ; puis il m'a enlacée, une main plaquée contre mon dos. L'orchestre jouait *Love Moon* de Glen Miller. Ross était bon danseur, mais je ne pensais pas à cela : la proximité de son corps et l'odeur familière de son eau de Cologne me faisaient vibrer de la tête aux pieds.

— Maria... a-t-il soufflé, les lèvres contre mon oreille. Je ne pourrai pas tenir plus longtemps... Il faut que nous trouvions un moyen pour être ensemble !

Je fermai les yeux, les narines frémissantes.

— Mais comment, Ross ?

J'aurais voulu l'entendre dire qu'il allait affronter son père, renoncer à Princeton, et même à ses études, si c'était la seule solution. Mais pouvais-je attendre de lui un tel sacrifice, moi qui ne souhaitais que son bien ?

— Je vais sortir avec Delores, me déclara-t-il, et je voudrais que tu fasses pareil avec Fred.

Sidérée, je m'arrachai à son étreinte.

— Qu'est-ce que tu racontes ?

Il me serra à nouveau contre lui.

— Ecoute-moi bien ! Nous jouerons la comédie pour que tout le monde, y compris nos familles, nous croie épris ; et nous nous rencontrerons secrètement.

— Comment ?

— Il faudra y réfléchir... Tu dois d'abord me dire si tu es d'accord. Qu'en penses-tu ?

Mes genoux se dérobaient sous moi, mais je tenais tant à Ross ! Et je ne voyais pas d'autre possibilité de me rapprocher de lui. Nous ruserions tant qu'il serait dépendant de ses parents ; dès qu'il aurait terminé ses études, rien ne nous empêcherait d'agir à notre guise et de nous marier.

Je lui donnai donc mon accord.

Fred n'en revenait pas quand j'ai commencé à lui faire des avances, mais, peu de temps après, il me proposait de m'emmener au cinéma. Ross n'eut aucun problème pour séduire Delores, qui avait des vues sur lui depuis des années.

Il m'avait fait promettre de n'accorder que des baisers à Fred et avait pris le même engagement au sujet de Delores. Rien n'avait été laissé au hasard ! Pourtant, notre première tentative n'a pas marché comme prévu. J'allais au cinéma avec Fred, tandis que Ross emmenait Delores danser. J'étais furieuse à l'idée qu'il la prenne dans ses bras, mais ce n'était qu'un plan pour que nous arrivions à nos fins...

Fred devait me reconduire à dix heures, alors que j'avais une autorisation de sortie jusqu'à onze. Après lui avoir dit bonsoir, je traverserais la rue pour me glisser sur le terrain en face de chez moi. Ross déposerait Delores chez elle et irait se garer de l'autre côté du terrain, afin de me retrouver près des buissons de ronces. Nous passerions ainsi une heure ensemble !

J'ai dit bonsoir à Fred avant de descendre de voiture. En véritable gentleman, il s'est précipité pour m'ouvrir la portière, puis m'a raccompagnée jusqu'à la véranda.

— Tes parents me prendraient pour un malotru si je ne te ramenais pas à bon port.

Ross était-il déjà là ? Si je rentrais à la maison, je craignais de ne pouvoir ressortir sans que mon père ou ma mère me bombarde de questions.

— Je n'ai pas envie de me coucher tout de suite, ai-je chuchoté en arrivant devant la porte. Je vais m'asseoir un moment sur une marche pour profiter de cette belle soirée.

Quelle idée stupide ! Fred s'est installé à côté de moi et m'a enlacée.

— Tu as raison, Maria, il fait un temps merveilleux...

A proximité, j'ai entendu une portière se refermer. Comment diable allais-je me débarrasser de mon soupirant ?

— J'ai été ravi que tu rompes avec Ross, a repris Fred.

Il a cherché à m'embrasser. J'ai baissé la tête, de sorte que son baiser a atterri sur mon front. La lumière était allumée ! Ross pouvait nous apercevoir de l'endroit où il m'attendait et il n'était pas question qu'il surprenne un baiser. Je savais dans quel état j'aurais été si je l'avais vu embrasser Delores.

— Pardon, a marmonné Fred.

— C'était un peu rapide...

J'avais pris un air prude qui n'était pas dans mon tempérament; puis je me donnai une grande claque sur le bras, comme si un moustique m'avait attaquée.

— Ça pique fort, ce soir. Je ferais mieux de rentrer...

Je comptais me glisser silencieusement dans la villa et attendre que Fred s'éloigne en voiture pour ressortir.

J'ai pris congé de Fred. A peine dans le vestibule, je suis restée figée sur place : quelqu'un avait tiré la chasse d'eau dans les toilettes. La porte s'est ouverte et papa a surgi.

— Ma chérie, déjà là ? J'espère que tout s'est bien passé.

— Très bien, papa. Je ne voulais pas dormir tard.

Perturbée, je suis allée dire bonne nuit à maman, avant

de réintégrer ma petite chambre, dont l'unique fenêtre faisait face à la maison des Chapman ! Sur le point de retirer l'écran de protection et de sauter pour rejoindre Ross, j'ai pensé à l'inquiétude de mes parents s'ils découvraient ma disparition.

Assise au bord du lit, j'ai vu Ross se garer dans l'allée, chez lui. Il y a eu un bruissement dehors et j'ai poussé un cri en apercevant le visage de Ross à l'extérieur.

Un doigt sur les lèvres, il m'a fait signe de me taire.

— Que s'est-il passé, Maria ?

— Fred a tenu à m'escorter jusqu'à la porte.

— Pas de chance ! Peux-tu ressortir ?

Ross a tapoté le bord de l'écran.

— Ce truc s'enlève ?

— Oui, mais je ne viendrai pas, Ross. Excuse-moi !

L'angoisse qui m'avait retenue, ce soir-là, s'est dissipée les nuits suivantes. J'ai appris à enlever prestement l'écran et à filer sans bruit. Je laissais un petit mot sur l'oreiller, à l'intention de mes parents : « N'ai pas voulu vous réveiller... Suis en train de faire un tour. » Ensuite, je rejoignais Ross de l'autre côté de la rue ; nous cueillions des mûres dans l'obscurité et faisions l'amour, avec leur goût sur notre langue.

Ross devint mon amant de l'été. J'allais au New Jersey College for Women et il suivait les traces de son père à Princeton. Nous ne communiquions pas au cours de l'année, mais je pense que nous attendions les vacances avec la même impatience. Nous sortions alors avec d'autres en ne ratant pas une occasion de nous retrouver, loin des yeux indiscrets de ses parents.

Je m'étonne que personne ne nous ait surpris. Cela aurait peut-être mieux valu pour nous...

23

Lucy

J'avais beau téléphoner à Shannon, elle ne me rappelait pas. Nous n'avions pas parlé depuis le concert des Zyda Chicks ! J'en conclus qu'elle s'était lassée de mes sermons sur la nécessité d'annoncer à Julie et Glen qu'elle était enceinte.

Cet après-midi-là, je trouvai pourtant un message de sa part sur mon téléphone portable. Il était aussi désinvolte que si je n'avais pas cherché à la joindre pendant la semaine précédente.

« Si j'apportais des sandwiches à grignoter devant la télévision ? » suggérait-elle.

« Génial ! Rendez-vous à sept heures... » lui répondis-je. J'étais prête à tout pour avoir l'occasion de la rencontrer.

Elle arriva sans maquillage, mais jolie et fraîche, ses longs cheveux encore humides et légèrement emmêlés, comme si elle sortait de la douche. Son ventre était un peu plus marqué qu'au concert – à moins que mon imagination ne me joue des tours. On pouvait encore prendre ma nièce pour une jeune fille qui s'était un peu arrondie, mais des changements ne manqueraient pas de se produire les semaines suivantes.

— Il y en a un à la dinde et un italien, me dit-elle en

déposant les longs sandwiches emballés sur le comptoir de la cuisine. Lequel veux-tu ?

— La moitié de l'italien.

J'ouvris le réfrigérateur.

— Une limonade ?

Shannon examina le contenu des étagères.

— Un Coca light.

Je lui tendis la cannette et un verre plein de glaçons, puis emportai les sandwiches, que j'avais déposés sur des assiettes, au salon.

Nous nous installâmes sur le canapé.

— Que veux-tu regarder ? demandai-je.

— Ça m'est égal. Il n'y a que des rediffusions...

Je cliquai sur les boutons de la télécommande et nous tombâmes d'accord sur *Friends*. Nous avions vu cet épisode plus d'une fois, mais tant pis ! Il me fallait un fond sonore pour mener mon enquête.

— Alors, fis-je, comme nous commencions à manger, comment te sens-tu ?

— Parfaitement bien.

Shannon extirpa une rondelle d'oignon de son sandwich et la fourra dans sa bouche. Apparemment, la digestion ne lui posait pas de problème.

— J'ai vu mon médecin, reprit-elle. Tout est normal, d'après elle.

— Bon !

Qui était son médecin ? Qu'entendait-elle exactement par « normal » ? J'avais des milliers de questions sur le bout de la langue. Je crus préférable de les énoncer au compte-gouttes et je gardai le silence un moment, tandis que Monica et Rachel se querellaient je ne sais pourquoi sur l'écran.

— Quoi de neuf à propos de Tanner et toi ?

J'avais laissé passer un temps suffisant depuis ma dernière question, me semblait-il.

— Il arrive dans une semaine et demie. Nous faisons des projets d'avenir...

Shannon alla à la pêche d'une autre rondelle d'oignon, qu'elle croqua.

— J'ai des envies d'oignon... Bizarre, non ?

— Je me rappelle que ta mère se gavait de tartines au beurre de cacahouète et de chips. Elle n'arrêtait pas !

— Oh ! C'est peut-être ça qui cloche avec moi. Elle avalait n'importe quoi quand elle m'attendait...

Je tiraillai doucement une mèche de l'épaisse chevelure de ma nièce.

— Rien ne *cloche* avec toi, ma chérie. Absolument rien !

Shannon ébaucha un sourire.

— J'ai hâte que tu rencontres Tanner, Lucy.

— Moi aussi, mentis-je quelque peu. Je suppose que tu n'as pas encore parlé à ton père.

Pas plus qu'à Julie, sinon j'en aurais déjà eu des échos...

— Quel soulagement d'habiter chez papa ! Il me laisse libre, et je ne suis pas censée l'appeler toutes les deux secondes pour lui dire où je suis et que je suis toujours en vie.

Shannon était mesquine, mais elle ne pouvait pas comprendre Julie.

— Tu ne connais pas bien ta mère... murmurai-je.

— Qu'est-ce que tu racontes ? Personne ne la connaît mieux que moi. J'ai passé ma vie avec elle !

— Oui, mais tu n'as pas vécu avec elle dans sa jeunesse ; à une époque qui l'a vraiment marquée... Tu ne peux pas te douter que...

— J'ai tout pigé. Il y a un million d'années, quand elle était à peine sortie de ses couches, elle a eu un problème avec sa sœur et s'imagine qu'elle a provoqué sa mort. Maintenant, elle a peur de tout. Peur de perdre les gens, de *me* perdre...

Shannon posa son assiette sur la table basse : nous avions abordé un sujet qui lui coupait l'appétit.

— J'ai besoin de prendre mes distances par rapport à elle, Lucy ! Elle m'étouffe.

— En effet, tu as l'âge d'être indépendante ; tu es mûre pour quitter le nid familial.

— Alors, pourquoi t'acharner sur moi ?

— Tu as beau vouloir te libérer, ta mère n'en est pas moins ta *mère.* Elle est responsable de toi et tu *dois* lui annoncer ta grossesse.

— Je le lui dirai en temps voulu.

Je pensai aux multiples problèmes auxquels Julie était confrontée : la lettre de Ned, l'interrogatoire au commissariat, la crainte que notre mère soit mêlée à l'enquête, le départ de Shannon. Ce n'était pas le moment d'en rajouter ; mais, en l'occurrence, on ne pouvait plus attendre.

Un autre feuilleton passait à la télévision ; j'interrompis le son à l'aide de la télécommande.

— Il faut que je te mette au courant, annonçai-je à Shannon.

Elle parut soucieuse.

— Quoi encore ? Il ne s'agit pas de cette lettre, au moins ?

— Si, justement !

Je lui appris que Julie s'était rendue dans la baie pour

être interrogée par la police et qu'elle avait passé la nuit dans la maison d'Ethan, contiguë à celle qui avait été la nôtre.

— Deux expériences pénibles pour elle ! précisai-je. Se remémorer certains événements et être dans un lieu qui lui a rappelé ta tante Isabel... Par ailleurs, les enquêteurs auront vraisemblablement besoin de rencontrer ta grand-mère, ce qui va obliger Julie à lui parler du document. Elle s'inquiète de la réaction de Nana. Comme tu vois, elle a du pain sur la planche, en ce moment.

Shannon hocha la tête en scrutant mon visage.

— Si seulement j'avais une baguette magique pour tout arranger ! A mon avis, une psychothérapie intensive ferait du bien à maman...

— Elle a suivi une thérapie quand elle était enfant et tu n'as pas à t'inquiéter à son sujet. Mais tu dois comprendre que les prochaines semaines risquent d'être difficiles pour elle et pour ta grand-mère.

— Et pour toi ?

— Je me souviens si mal de cette période, que je ne me sens pas concernée. Je ne garde même pas un souvenir très précis d'Isabel.

Shannon ramena ses pieds sur le canapé et se tourna vers moi.

— Ecoute, je ne voudrais pas te paraître égoïste, mais n'est-ce pas le pire moment pour que j'avoue à maman que j'attends un bébé ?

— Sans doute... Tu devras pourtant t'y résoudre, tôt ou tard.

Je pris le poignet de Shannon dans ma main.

— Il ne faudrait pas qu'elle découvre ton état le jour où tu porteras des vêtements de grossesse !

Shannon soupira : une manière d'admettre que j'avais raison.

— Je ne t'ai jamais parlé sur ce ton, dis-je en resserrant mes doigts autour de son articulation, mais si tu n'informes pas ta mère, ma chérie, je m'en chargerai.

Shannon me dévisagea, incrédule.

— Très bien. J'obéis. Mais tout de même pas ce soir !

— Je te donne une semaine pour t'exécuter.

— D'accord !

Notre regard s'est tourné vers l'écran de la télévision et Shannon a zappé sur une chaîne qui rediffusait de vieux films en noir et blanc. Je ne savais pas de quoi il s'agissait, mais je m'en moquais éperdument.

Ma nièce s'est rapprochée de moi, sur le canapé, et quand elle a posé sa tête sur mon épaule, je l'ai prise dans mes bras. Un amour infini pour elle m'a envahie.

— Accepteras-tu de m'assister pendant l'accouchement ?

Malgré mon émotion, je lui ai répondu sans l'ombre d'une hésitation :

— Non, Shannon. Ce n'est pas mon rôle ! Tu sais à qui t'adresser.

— J'ai peur, Lucy.

J'ai serré Shannon plus fort en l'embrassant sur le sommet du crâne.

— De quoi, ma chérie ? De mettre un enfant au monde ou de parler à ta mère ?

— L'avenir me fait peur, a murmuré Shannon.

24

Julie
1962

Jadis, j'ai fait figure d'héroïne...

Fin juillet, par une journée torride, Lucy et moi étions allongées sur le ventre à la « plage des bébés ». Nous lisions, notre mère nageait dans la baie et Isabel traînait avec sa bande, près du perchoir de Ned.

Tout à coup, Lucy s'est assise.

— Quelque chose ne va pas ? a-t-elle proclamé.

Elle avait des antennes dès qu'un événement hors de l'ordinaire survenait.

— Tu te fais des idées !

Malgré ma réaction, je ne tardai pas à comprendre qu'un changement s'était produit sur la plage : j'entendais encore la musique des transistors, mais les rires et les bavardages s'étaient mués en cris et chuchotements. Que se passait-il ?

En m'asseyant à mon tour, je constatai que quelques femmes se tenaient au bord de l'eau, une main en visière pour scruter l'horizon. Maman figurait parmi elles... Quelque part, derrière moi, une voix féminine a appelé :

— Donnie ! Donnie !

J'ai jeté un coup d'œil en direction de Ned : il regardait vers le large avec ses jumelles.

Maman s'est approchée de nous. Je lui ai demandé ce qui avait bien pu arriver.

— Pas grand-chose, m'a-t-elle répondu, mais je pense que nous ferions mieux de rentrer. Il fait si chaud, aujourd'hui !

Ses arrière-pensées étaient transparentes pour moi : il y avait un problème grave et elle ne voulait pas que Lucy soit au courant. Comme je n'avais aucune envie de partir, j'ai foncé vers le poste d'observation de Ned.

Cris de maman :

— Julie ! Où vas-tu ? Je t'ai dit que nous rentrions !

— Dans une minute, ai-je lancé en tournant la tête.

Accroupi, Ned parlait à une femme. N'osant pas interrompre leur conversation, je me suis approchée du groupe des adolescents et j'ai tapoté le bras d'Isabel.

— Qu'est-ce qui ne va pas ?

— Un petit garçon a disparu.

— Disparu... Tu veux dire qu'il est dans l'eau ?

— Si je savais où il se trouve, il n'aurait pas *disparu.*

La réplique de ma sœur a déclenché les rires de certains de ses copains.

— Un enfant de trois ans, qui était sur le drap de bain de ses parents, reste introuvable, a précisé Mitzi Caruso. Il a les cheveux blonds et porte un slip de bain bleu.

J'ai balayé la plage du regard. Presque tout le monde était debout et les gens s'adressaient la parole en tenant solidement leur progéniture par la main. De là où j'étais, je pouvais apercevoir plusieurs blondinets, mais ils semblaient avoir un père ou une mère à proximité. Attristée, j'ai prié le ciel que Donnie ne se soit pas noyé.

Que pouvais-je faire pour me rendre utile ?

— Je vais explorer le terrain de jeu, annonçai-je, bien que ma sœur ne m'accorde aucune attention.

J'ai filé vers les balançoires, oubliant que maman et Lucy m'attendaient ; puis j'ai entrepris mes recherches méthodiquement, en marquant du pied sur le sable les endroits à vérifier. J'ai trouvé presque tout de suite une montre d'homme, sans doute tombée quand un papa poussait son enfant ; ensuite, une carte à jouer – un deux de trèfle – et de nombreux bâtons d'Esquimau. Un dernier indice m'a fait frissonner : un lambeau de tissu bleu.

Je me suis précipitée vers Ned.

— Ned, regarde !

Je lui ai tendu ma trouvaille, qu'il a observée d'un œil morne, les lèvres pincées.

— Ça vient peut-être du slip de bain de ce gosse, ai-je suggéré.

Il m'a rendu le tissu.

— Sûrement pas ! Son slip n'est pas d'un bleu uni, mais à carreaux. Merci quand même de ton aide.

Il a couru vers le parking. Isabel m'a rejointe, les sourcils froncés.

— Fiche la paix à Ned, Jules !

Elle a glissé un élastique autour de ses cheveux pour les attacher en queue-de-cheval.

— Il y a urgence... Ce n'est pas le moment de lui faire perdre son temps.

— Je sais qu'il y a urgence !

Sur ces mots, je me suis éloignée, furieuse.

— Viens, Julie ! criait maman.

Je suis allée l'aider à plier bagage.

— Maman, je voudrais rester, ai-je protesté, le bord de la couverture entre les mains.

— Tu vas gêner.

— Je te promets que non, m'man.

Je finis de rassembler les affaires. En petits groupes, les gens continuaient à se parler. D'aucuns couraient dans tous les sens, à la recherche du bambin perdu. Pourtant, la plage était si petite que presque toute son étendue était visible de notre place. Seuls échappaient au regard les coins où poussaient de hautes herbes, à chaque extrémité du croissant sableux. Quelques personnes s'y rendirent en appelant :

— Donnnniiie ! Donnnniiie !

Les sirènes grondèrent au loin. J'aperçus Isabel et Ned sur le parking, entourés de quelques inconnus. Ned fit signe à l'ambulance et au véhicule de la police quand ils approchèrent.

— M'man, je veux rentrer ! implora Lucy, agrippée au bras maternel.

— Eh bien, ramasse la Thermos, et nous partons. Julie, tu peux rester, a ajouté maman, à condition que tu n'empêches pas la police de faire son travail.

— Promis !

— Sois à la maison avant trois heures. Pas une seconde plus tard.

Deux hommes passèrent à côté de nous, l'un affirmant à l'autre qu'il faudrait peut-être drainer la baie.

— Qu'est-ce que ça veut dire ? a demandé Lucy.

— Sans intérêt ! a marmonné maman.

Elle a empoigné le sac de plage, les larmes aux yeux, sans doute à l'idée que le petit garçon s'était noyé.

Maman et Lucy se sont dirigées vers le parking. Que pouvais-je faire ? Voyant la jetée déserte, je me suis demandé si, de son extrémité, j'apercevrais mieux le large. J'ai galopé dans cette direction tandis qu'une seconde voiture de police se garait.

A la pointe de l'avancée, il n'y avait plus un enfant dans l'eau. Des adultes marchaient à pas lents dans les zones peu profondes, les yeux baissés, au cas où... J'ai inspecté l'océan à mes pieds, en me disant que si Donnie était tombé après avoir couru, je distinguerais son corps sous la surface de l'eau. Mais celle-ci était si sombre qu'après un moment, j'ai eu mal aux yeux, à force de la sonder du regard.

J'ai rebroussé chemin et, en arrivant à la jonction de la chaussée et de la plage, j'ai remarqué de menues traces de pas. Elles s'éloignaient vers le parking et il n'y avait pas d'autres empreintes dans ce sens. Je les ai suivies jusqu'au moment où elles s'effaçaient dans les coquillages broyés du sol. A genoux, j'ai observé les endroits où les fragments blancs avaient été déplacés par le passage des pieds d'un enfant.

Les marques infimes traversaient l'aire de stationnement et s'orientaient vers un joli pavillon rustique, où les enfants du coin jouaient au bingo et à toutes sortes de jeux, les jours de pluie. Au-delà, les empreintes resurgissaient dans le sable. Simple comme bonjour ! Elles menaient directement à l'arrière de la construction et s'arrêtaient net au treillis qui entourait l'espace où les gamins allaient ramper. Je m'y glissai. Le petit Donnie dormait profondément, à l'ombre.

L'agent Davis me raccompagna peu après à la maison et annonça à ma mère que j'avais retrouvé Donnie Jakes. Maman fondit en larmes ; il me fallut un moment pour comprendre qu'elle ne pleurait pas à cause de mon exploit, mais parce que ce garçonnet, qui lui était étranger, était tiré d'affaire.

— Nous aurions fini par le dénicher, lui expliqua le policier quand elle se fut mouchée, mais Julie nous a fait gagner un temps précieux.

Il ajouta que j'étais une détective en herbe. Une héroïne...

Le lendemain, le titre suivant était imprimé à la une de l'*Ocean Country Leader* : « Un enfant retrouvé sain et sauf ». La première phrase de l'article était rédigée dans le même style : « Julie Bauer, une fillette de douze ans, la Alice de Bay Head Shores, a aidé la police à récupérer le petit Donald P. Jakes, âgé de trois ans, qui avait échappé à la surveillance de ses parents sur la "plage des bébés". »

En moins de vingt-quatre heures, tout le monde connaissait mon nom. Le maire m'a téléphoné pour me féliciter et papa, revenu un jour à l'avance, nous a emmenées dîner au restaurant pour fêter l'événement.

J'étais pétrie d'orgueil et de suffisance. Je me croyais douée de pouvoirs magiques, qui me permettraient de faire triompher le bien. Si seulement je ne m'étais pas trompée !

25

Julie

— Je lui ai parlé.

La voix douce et monocorde d'Ethan monta dans le haut-parleur de mon téléphone.

Assise à mon bureau, j'essayais une fois de plus de démarrer le chapitre quatre. Je me suis hâtée de soulever le combiné et j'ai questionné Ethan :

— Comment te sens-tu ?

Sachant qu'Ethan comptait mettre son père au courant de la situation dans la matinée, j'attendais son appel. Quant à moi, je n'avais pas encore eu le courage d'informer maman.

— Ça va, mais ça n'a pas été facile...

— Es-tu allé chez lui ?

Je savais que tel était le plan d'Ethan.

— Oui... Je l'ai prévenu que je passerais pour le petit déjeuner en apportant des viennoiseries ; il se doutait vaguement de quelque chose. On s'est assis dans la cuisine et je lui ai tout de suite annoncé que Ned avait laissé une lettre. Il a pris un air catastrophé. C'était épouvantable ! Il avait le visage fermé... Je lui ai expliqué qu'il ne fallait pas en déduire que Ned était coupable. Il s'est mis à hurler – ou presque – qu'il était bien placé pour affirmer que Ned n'avait rien fait, car il était avec lui cette nuit-là, comme il l'avait déclaré aux policiers. Il a conclu en disant qu'il fallait brûler le document !

— Oh, Ethan !

— Je lui ai avoué que je l'avais confié aux enquêteurs, que nous avions été interrogés, toi et moi, qu'ils avaient rouvert le dossier et souhaiteraient probablement lui parler.

Ethan gardait cette intonation monocorde qui m'avait frappée ; il semblait las.

— Comment ton père a-t-il réagi ?

— Il s'est levé et a tourné en rond dans la cuisine pendant un moment. Il boite... Ça me fend le cœur de voir comme il a vieilli depuis la mort de maman ! Il trouve injuste que Ned ne soit pas là pour se défendre et m'a demandé à plusieurs reprises pourquoi j'ai éprouvé le besoin de livrer ce papier à la police. Je lui ai répondu que c'était la seule attitude digne de ce nom.

— Bien sûr !

Malgré les apparences, je manquais de conviction depuis que les autorités paraissaient me soupçonner.

— Ensuite, papa a changé d'avis. Il a toujours eu un sens aigu de la justice, du bien et du mal... Il m'a déclaré, en se rasseyant, qu'il déplorait que j'aie fait usage de cette lettre mais qu'il me comprenait. Comme il était au bord des larmes, je lui ai demandé pourquoi. Il pensait à George Lewis et à sa famille, m'a-t-il dit. Il était sur le point de craquer et j'ai cru que j'aurais sa mort sur la conscience, Julie.

Cette manière de prononcer mon nom m'a touchée. Si Ethan avait été assis à côté de moi, je l'aurais serré dans mes bras.

— Finalement, papa estime que j'ai eu raison ; il se prêtera volontiers à un interrogatoire, puisqu'il est la seule voix par laquelle Ned peut se faire entendre. Il s'inquiète pour la réputation de mon frère...

— Je regrette que ça ait été si dur !

— Merci, a répondu Ethan. Je me sens apaisé, maintenant que mon père sait. Au moins, c'est moi qui l'ai averti... Et toi, quand vas-tu prévenir ta mère ?

— Aujourd'hui. Je ne dois pas attendre plus longtemps...

— Veux-tu que je te rejoigne ? Je pourrais t'accompagner jusque chez elle.

La proposition d'Ethan m'a tentée. J'avais très envie de le voir, mais je devais m'acquitter de cette tâche sans lui.

— Ça ira, ai-je murmuré. Je te tiendrai au courant...

Aussitôt après avoir raccroché, j'ai marché jusque chez maman, deux pâtés de maisons plus loin. Elle était dans le jardin de derrière, en train de couper des hortensias bleus pour fleurir la maison.

Ma visite l'a surprise, car je viens rarement sans m'annoncer. Elle s'est redressée, un énorme bouquet dans la main gauche.

— Julie ! Que fais-tu ici ?

— J'ai à te parler, mais je vais d'abord t'aider...

J'ai tendu la main vers les rameaux qu'elle tenait ; elle m'a repoussée d'un geste.

— Quelque chose ne va pas ?

Elle scrutait mon visage. Mes lunettes de soleil n'étaient certainement pas assez sombres pour lui cacher mon regard inquiet.

— C'est Shannon ? a ajouté maman en retenant son souffle.

Je me suis empressée de la rassurer.

— Shannon va bien. Tout le monde va bien. Si nous allions nous asseoir ?

— J'ai intérêt à m'asseoir avant d'en savoir davantage ? s'est enquise ma mère tandis que je la guidais vers le patio.

Depuis quand marchait-elle d'un pas beaucoup plus lent que le mien ? Avait-elle des problèmes avec sa hanche qui la gênait parfois ? Je me suis souvenue de la remarque d'Ethan au sujet de son père vieillissant et j'ai éprouvé de la compassion pour lui.

Maman a déposé le bouquet d'hortensias près du sécateur, sur la table à dessus de verre, et a pris place en enlevant ses gants de jardinage.

— Eh bien, Julie ?

— Te rappelles-tu mon déjeuner avec Ethan Chapman, il y a quelques semaines ?

— Evidemment !

— Sais-tu aussi que son frère, Ned, est mort ?

Je n'étais pas sûre que M. Chapman ait annoncé ce décès à maman.

Elle a hoché la tête en silence.

— Quand Ethan et sa fille ont débarrassé la maison de Ned, ils ont trouvé une lettre écrite de sa main – mais pas expédiée –, à l'intention du commissariat de Point Pleasant.

— Qu'y a-t-il dedans ? répliqua maman, les sourcils froncés.

Nous y voilà ! pensai-je.

— Ned affirme qu'un innocent est allé en prison à la

suite du meurtre d'Isabel et qu'il souhaite remettre les choses au point.

Figée sur place, comme si elle était victime d'une crise d'apoplexie, ma mère a plongé son regard dans mes pupilles. Tandis qu'elle se concentrait en silence, je me suis remémoré la gifle violente qu'elle m'avait décochée le jour de la mort d'Izzy. Jusqu'alors, ni elle ni papa n'avaient porté la main sur moi. Ma joue me picota à cette pensée.

— Ned est coupable ? me demanda enfin maman. Pourtant, Ross dit que...

— Personne ne sait, m'man ! Ned n'a rien avoué dans la missive.

J'enlevai mes lunettes pour me frotter les yeux.

— J'ai tendance à croire qu'il est coupable, mais Ethan rejette cette hypothèse. La police va passer en revue les suspects éventuels. Par ailleurs, tu seras peut-être interrogée. J'espère que non... mais c'est possible.

Ma mère se tourna vers le potager : les tomates mûrissaient et les courgettes grimpantes échapperaient bientôt à tout contrôle. En réalité, maman ne voyait rien ; son esprit était ailleurs.

— Désolée, m'man.

De quoi étais-je *désolée* ? D'avoir évoqué ce papier ? De la mort d'Isabel ? De tout ?

— Tu penses que George Lewis est innocent ? reprit maman, comme si je détenais la vérité.

— La lettre de Ned donne cette impression.

Ma mère m'observa encore un instant puis se leva lentement.

— Je vais faire une sieste, m'annonça-t-elle en époussetant quelques herbes sur sa salopette.

— Ça va, m'man ?

Comme elle gardait le silence, je me suis levée à mon tour pour m'approcher d'elle. Elle m'a retenue d'un geste.

— Ça va, mais je me sens lasse... On perd un enfant, et on vous oblige à revivre cette perte, encore et encore...

Sa voix resta en suspens tandis qu'elle s'éloignait. Allais-je la suivre dans la maison ? M'assurer qu'elle se sentait bien ? Elle avait, de toute évidence, envie d'être seule. Je décidai de la laisser tranquille, au moins pendant un moment. Munie du sécateur, je me dirigeai vers les hortensias.

26

Maria

Je n'arrivais pas à y croire.

Tout à coup, une époque que je cherchais à mettre en veilleuse depuis plus de quarante ans remontait à la surface d'une manière terrible. Mon Isabel... Si seulement j'avais été une meilleure mère ! Si seulement j'avais su gérer sa rébellion !

Depuis sa mort, avais-je passé un seul jour sans me représenter ses dernières minutes ? Voici ce que j'ai imaginé pendant toutes ces années : Isabel seule sur le radeau, dans la nuit, attend avec impatience que Ned la rejoigne ; George Lewis, ce jeune Noir, apparaît sur la plage et se met à nager vers Isabel. Je n'ai jamais pu m'expliquer ce qui advint alors, car Isabel était une excellente nageuse. Pourquoi n'a-t-elle pas sauté à l'eau pour lui échapper ? Pourquoi n'a-t-elle pas rejoint la plage ou la jetée ? Peut-être n'a-t-elle pas vu Lewis. Il a dû approcher si doucement qu'elle a été surprise par sa présence quand il a grimpé sur la plate-forme. Il y avait des contusions sur les bras d'Isabel. Lewis a-t-il cherché à la violer ? Isabel a-t-elle tenté de s'enfuir ? S'est-elle heurté la tête ? A-t-elle été frappée et assommée ? Je l'ignore, mais je suis certaine que ma petite fille a été terrifiée.

Elle se donnait tant de mal pour se comporter comme une femme, pour prendre ses décisions en adulte, du moins le croyait-elle... Rebelle par nature, elle aspirait à se libérer de mes principes ; mais je sais que, sur le radeau, elle n'était plus que l'adorable petit ange que je portais si souvent sur ma hanche. La fillette qui m'appelait « ma maman » et pour qui j'étais l'univers entier.

Chaque fois que je pensais à ses ultimes instants, une angoisse insoutenable me tenaillait. J'avais envie de hurler, de cogner mes poings contre les murs. Il m'est même arrivé de frapper Julie. Comment peut-on éprouver de la haine envers l'un de ses enfants ? Pendant quelques jours, j'ai eu l'impression de haïr Julie, à cause du rôle qu'elle avait joué dans la mort de sa sœur. Beaucoup plus tard, j'ai compris que c'est moi que je détestais à travers elle ; mais, à l'époque, le poids de la tragédie et de mon chagrin a pesé sur Julie.

Au cours des quarante et une années qui ont suivi, j'ai plus ou moins fait la paix avec cette nuit-là. *Paix* n'est peut-être pas le mot juste, mais je suis parvenue à admettre ce qui s'était passé, ainsi que mes défaillances en tant que mère. J'ai pardonné sa tolérance excessive à Charles et ai été satisfaite que l'homme responsable de l'effroyable disparition d'Isabel croupisse en prison. Ma haine à l'égard de George Lewis s'étendait à l'ensemble des Noirs que j'avais sous les yeux ; jusqu'au jour où mon intelligence a pris le dessus et où je me suis rendu compte que Lewis était un individu nullement représentatif de sa communauté.

J'avais désormais l'impression de l'avoir injustement haï !

Ned était-il coupable ? La lettre qu'il avait écrite à

l'intention de la police permettait de le supposer. Sinon, comment l'interpréter ? Sans doute aimait-il Isabel autant qu'un garçon de dix-huit ans peut aimer une fille de dix-sept. Un accident était survenu, dont il n'avait pas eu le courage d'assumer la responsabilité. En un sens, cette explication m'apaisait, car Izzy aurait alors été en compagnie de quelqu'un à qui elle tenait et faisait confiance ; la crainte n'aurait donc pas été dans son cœur au moment fatidique. Mais si Ned était coupable, Ross lui avait forgé un alibi de toutes pièces.

Mon esprit tournait en rond, tandis que j'essayais d'imaginer ce qui s'était passé. La police souhaiterait peut-être m'interroger à nouveau, m'avait signalé Julie. Comment supporterais-je cela ? Je dirais aux enquêteurs que j'étais une mauvaise mère, qui n'avait pas su veiller sur une adolescente. Je leur avouerais aussi que j'étais jalouse de l'adoration de mon mari pour sa fille et que ma jalousie avait peut-être influencé mon comportement. J'aurais sûrement envie de poser des questions aux inspecteurs, moi aussi, mais je m'en abstiendrais, car elles risquaient de susciter les leurs. Et j'avais trop de choses à cacher.

27

Julie

Je ne me suis jamais sentie plus « en sandwich » entre deux générations que le jour où j'ai parlé de la lettre de Ned à maman. Comme beaucoup de femmes de mon âge, j'étais coincée entre mes soucis au sujet de ma mère vieillissante et les problèmes posés par ma fille. J'ai craint d'échouer sur les deux plans – voire, d'avoir déjà échoué depuis longtemps.

Après avoir rapporté des brassées d'hortensias dans la maison et les avoir disposées dans les vases du salon et de la cuisine, j'ai frappé à la porte de la chambre de maman.

— M'man ? Ça va ?

— Ça va, je suis juste fatiguée.

Je redoutais de la quitter, mais ne pouvais pas lui imposer ma présence.

— Veux-tu que je reste un moment ? demandai-je à travers la porte. Je pourrais te préparer quelque chose à manger...

— Inutile de rester, Julie. Je vais dormir. Ne t'inquiète pas !

Je confectionnai une salade de thon et laissai un mot sur la table de la cuisine, pour signaler à maman qu'elle était dans le réfrigérateur.

Je me sentais impuissante...

De retour chez moi, je m'assis devant mon ordinateur et lus mes e-mails. Au cours de ces semaines difficiles, les messages de mes fans s'étaient accumulés : je ne me sentais pas assez détendue pour y répondre et ignorais quand je serais dans de meilleures dispositions. Je pensais aussi au chapitre quatre, auquel je devais m'atteler, mais ce n'était pas le moment. L'histoire de Granny Fran, une femme qui n'existait que dans mon imagination, dont la vie stupide regorgeait d'énigmes résolues en trois cents pages non moins stupides, me semblait sans aucun intérêt.

J'avais encore les yeux sur l'écran quand j'entendis la porte d'entrée s'ouvrir.

— M'man ?

Une bouffée de joie m'envahit. Shannon m'avait tant manqué !

— Je suis ici, répondis-je.

Elle surgit dans la pièce et s'assit sur la causeuse.

— Désolée de te déranger !

— Ma chérie, tu ne me déranges jamais...

Nous savions l'une et l'autre que je ne disais pas la vérité. J'avais en effet pour principe que personne ne m'interrompe quand j'écrivais, sauf en cas d'urgence. Etait-ce l'une des nombreuses erreurs que j'avais commises ?

Shannon me fixait et il n'y avait pas trace d'un sourire sur ses lèvres.

— M'man, j'ai quelque chose à t'avouer...

— Ça paraît sérieux !

Je comprenais soudain ce qu'avait ressenti ma propre mère quand j'avais demandé à lui parler, quelques heures auparavant.

— Maman, je suis...

Shannon baissa les yeux, les mains crispées sur ses genoux.

— Je regrette de tout mon cœur ce que je vais te dire, parce que je sais que tu vas être terriblement déçue, mais...

— Qu'y a-t-il, Shannon ?

Allait-elle m'annoncer qu'elle voulait habiter chez Glen quand elle reviendrait passer ses vacances à la maison ? Avait-elle changé d'avis au sujet d'Oberlin et décidé d'étudier ailleurs ? J'étais loin d'imaginer la révélation qui m'attendait.

— Je suis enceinte.

Sidérée, je m'entendis balbutier :

— Mais... tu ne fréquentes personne...

— J'ai rencontré quelqu'un pendant les congés de printemps... En fait, nous nous connaissions depuis plusieurs mois sur Internet.

Non ! pensai-je.

— Il vient du Colorado ; il était invité chez des amis. Nous sommes restés en contact par téléphone et par e-mail. Je l'aime...

Sur ce, Shannon haussa les épaules d'un air désinvolte.

Je ne sais comment elle interpréta mon silence. De peur de l'effaroucher par des paroles intempestives, je me rapprochai d'elle et pris ses doigts glacés entre les miens.

— Je suis désolée, dis-je enfin. Ça doit être éprouvant pour toi.

Que faire, sinon offrir mon soutien à ma fille, quel que soit son choix ? J'admets qu'une femme ait recours à l'avortement en début de grossesse, dans certaines circonstances. Je laisserais donc Shannon prendre sa décision en adulte, sans interférer.

— Merci, murmura-t-elle, apparemment surprise par ma réaction.

— Tu viens de t'en rendre compte ? Sais-tu à combien de semaines tu en es ?

— Dix-huit, presque dix-neuf...

Mon Dieu ! Il n'était même plus question d'un avortement sans risque au premier trimestre.

— Tu es en train de réfléchir à...

— Je garde le bébé !

— Mais enfin, Shannon... Que vas-tu devenir ? Tes études ? Tu n'as que dix-sept ans...

C'en était trop ! Le contrôle de ma tête, de mon cœur et de ma langue m'échappait.

Shannon m'interrompit d'une voix beaucoup plus calme que la mienne.

— A l'automne, je ne rentrerai pas en fac. Je poursuivrai mes études un jour ou l'autre, mais pas maintenant.

Elle m'adressa un sourire contrit.

— M'man, je suis follement amoureuse... Il s'appelle Tanner. C'est un type formidable. Il est à l'université du Colorado, à Boulder. Tu vas tomber des nues, mais j'ai décidé de m'installer là-bas, avec lui.

Je lâchai ses mains et me levai, incapable de rester assise une seconde de plus.

— Tu me prends au dépourvu ! lançai-je en repoussant mes cheveux. Il me faudra un certain temps pour m'habituer, mais je suis convaincue dès maintenant que tu ne dois pas partir.

— Nous en avons discuté pendant des heures, Tanner et moi. Nous ferons les choses correctement et...

— Tu ne peux pas vivre au Colorado avec un nouveau-né et cet homme qui t'est pratiquement étranger. Te rends-tu compte que tu vas être mère à dix-sept ans ?

— J'en aurai dix-huit au moment de la naissance.

— Malgré tout, tu seras encore une enfant ; le fait que tu sois tombée enceinte en est, d'ailleurs, la meilleure preuve.

— M'man, ne commence pas !

— J'ai su que tu avais des relations sexuelles et que tu recourais à la contraception... Tu laissais traîner tes pilules sans en faire mystère. Je ne t'ai rien dit et j'ai essayé d'être tout ce qu'il y a de plus...

Plongée dans la perplexité, je fronçai les sourcils.

— Comment en es-tu arrivée là ? L'as-tu fait exprès ? Tu ne te sentais pas prête à entreprendre des études universitaires ? Quel est ton problème, Shannon ? J'ai l'impression de ne plus savoir qui tu es.

Elle se leva. Debout à côté de moi, elle me dominait de cinq bons centimètres.

— Je suis une femme qui va avoir un bébé de l'homme qu'elle aime, m'man. Voilà qui je suis ! Et tu n'y peux rien, conclut-elle, les larmes aux yeux. Il m'a semblé souhaitable de te mettre au courant. A présent, je retourne chez papa.

Après avoir fait volte-face, elle sortit de la pièce. Qu'aurais-je pu dire pour la retenir ? La porte claqua derrière elle ; je m'affalai, hébétée, sur la causeuse.

J'ignore au bout de combien de temps je finis par soulever le combiné et composer le numéro de Lucy.

— Salut, ma sœur ! lança celle-ci.

— Shannon est enceinte !

Un trop long silence plana.

— Tu le savais ? m'indignai-je.

— Oui.

— Enfin, Lucy, pourquoi ne m'as-tu rien dit ?

— Je l'ai appris voilà peu de temps. J'avais l'intention de t'en parler, mais je voulais laisser la possibilité à Shannon de t'annoncer elle-même la nouvelle.

— Te rends-tu compte que ma fille, brillante élève, déléguée de sa classe, douée pour la musique, est enceinte... d'un type du Colorado dont je n'ai jamais entendu parler ? C'est aberrant !

— Je suis d'accord...

L'approbation de Lucy m'inquiéta d'autant plus qu'elle s'affolait rarement.

— Ce qui me choque le plus, reprit-elle, c'est l'âge de ce garçon.

Moi qui le croyais seulement un peu plus âgé que Shannon, puisqu'il était étudiant !

— Quel âge a-t-il ?

Nouveau silence de ma sœur.

— Lucy !

— Vingt-sept ans ; je pensais que Shannon te l'avait dit.

— Mon Dieu ! Un détournement de mineure...

— Non, il faudrait pour ça que Shannon ait moins de seize ans.

Lucy semblait d'un calme absolu, mais je l'entendis soupirer :

— Que te dire, Julie ? Je suis aussi étonnée et perturbée que toi... Ta fille nous met devant le fait accompli. Elle a l'intention de garder l'enfant ! Il faut avant tout se renseigner sur le père, évidemment, mais nous ne pouvons rien faire, sinon aider Shannon de notre mieux, quoi qu'il arrive...

— Et si elle part pour le Colorado ?

— J'espère qu'elle reviendra sur cette décision.

Je me souvins des universités que j'avais visitées avec Shannon. Les auditions stressantes, l'attente des réponses, l'excitation due à l'admission à Oberlin.

— Tous ses projets...

A quoi bon en parler ? Ils ne signifiaient plus grand-chose.

— Je sais, fit Lucy. Pour aborder un autre sujet réjouissant... as-tu discuté de la lettre de Ned avec maman ?

— Oui, dis-je d'une voix d'outre-tombe.

— Alors, comment a-t-elle réagi ?

— Elle est allée s'allonger dans sa chambre. Comme j'étais inquiète, je suis passée la voir avant de partir. Elle m'a assuré qu'elle voulait dormir... Je comptais lui téléphoner d'ici quelques minutes, ajoutai-je après avoir consulté ma montre, mais je suis un peu trop secouée pour l'instant.

— Je m'en charge !

— Merci, Lucy. Crois-tu que Shannon pourrait avorter sans danger à dix-huit semaines ?

— Je n'en reviens pas de t'entendre dire ça ! Comme si tu voyais les choses d'un autre œil quand il s'agit de ta fille...

— Ce n'est pas le moment de me faire la leçon ! Elle pourrait encore avorter, oui ou non ?

— Oui, mais elle ne le souhaite pas.

— Qu'en sait-elle ? Elle a perdu la raison ! Tu crois qu'elle a prévenu Glen ?

— Elle avait l'intention de l'informer juste après toi ; donc, il ne tardera pas à savoir.

— Je suppose que nous devrions avoir une conversation, lui et moi.

— Bonne idée ! Je vais appeler maman immédiatement. Et toi, ça ira ?

— Je n'en sais rien. On se reparle tout à l'heure...

Je fis aussitôt le numéro de Glen, puis raccrochai. Entendre le son de sa voix et sa réaction, inévitablement sereine, à la grossesse de Shannon, ne me tentait guère. Par ailleurs, il n'était pas souhaitable qu'il apprenne la nouvelle par mon intermédiaire. Il devait être averti par Shannon, comme moi.

Je repris le combiné pour téléphoner à Ethan : c'était lui que je voulais entendre.

— Shannon est enceinte, lâchai-je sans préambule.

— Non !

Je lui racontai tout, y compris l'âge de Tanner et les études universitaires de Shannon, désormais compromises. Quel plaisir de me confier à une personne capable de m'écouter en silence, du début jusqu'à la fin !

— Je sais exactement ce que tu éprouves, me dit alors Ethan.

— Comment ?

— Abby a été enceinte à seize ans. Je ne crois pas être indiscret en évoquant cet événement.

— Ethan ! murmurai-je, emplie de compassion. Et comment a-t-elle réagi ?

— Elle a fait adopter le bébé.

L'adoption était, bien sûr, la solution la plus raisonnable.

— Shannon devrait peut-être y songer...

— Si tu veux, Abby lui parlera. C'est une adoption « ouverte »... Ça a représenté une épreuve pour chacun de nous, mais les choses se passent bien. Abby est en relation avec son fils, qui aura bientôt dix ans ; je le vois de temps en temps. Ses parents sont des gens formidables.

Même si Shannon se résolvait à cette option, elle raterait certainement son premier trimestre à Oberlin. Serait-elle prête au printemps ou devrait-elle attendre l'année suivante ?

— Je vais lui en toucher un mot, conclus-je.

La conversation risquait, pour le moins, d'être épineuse.

— A mon avis, tu as besoin que je passe pour te serrer dans mes bras.

Ethan avait raison : c'était, sans aucun doute, ce à quoi j'aspirais.

— Tu viens tout de suite ?

Une demande un peu hardie de ma part, mais je me rappelais qu'il avait tenu ma main sur sa cuisse et souhaitais qu'il recommence.

— Plutôt vendredi soir. Tu pourras attendre jusqu'à ce moment-là ?

A la fois surprise et titillée par l'intonation langoureuse d'Ethan, j'oubliai, l'espace d'un instant, le dilemme de Shannon.

— Je n'en suis pas sûre, susurrai-je, mais j'essaierai...

Après avoir raccroché, je sentis un sourire effleurer mes lèvres. Dire que je souriais un jour pareil ! La nuque calée sur le dossier de la causeuse, je regardai le ventilateur du plafond tourner lascivement en m'interrogeant. Pourrais-je faire l'amour avec Ethan ? Je promenai une main sur mon ventre et, de l'autre, effleurai mes seins. Les pointes se dressèrent au contact léger de mes doigts. « Oui, pensai-je, je pourrai. »

Je sortis du bureau et pris la direction de ma chambre. Une pensée me vint pour ce prêtre qui m'avait sommée, autrefois, de ne *jamais* commettre le péché de masturbation. J'éclatai de rire en entrant dans la pièce. « Cet après-midi, me dis-je, je vais pécher. »

28

Maria

Le lendemain du jour où j'ai appris que Ned Chapman avait écrit une lettre à l'intention de la police, Shannon a surgi au McDo pendant que je travaillais. Je ne l'avais pas vue depuis la remise de son diplôme. Elle m'a adressé un signe sur le pas de la porte et s'est dirigée vers la file d'attente. Au premier regard, le soupçon qui m'avait traversée à la cérémonie s'est confirmé : ma petite-fille de dix-sept ans était enceinte.

J'ai attendu qu'elle soit installée à une table pour la rejoindre ; j'avais rassemblé mes esprits.

— Salut, Nana !

Elle s'est levée pour m'embrasser sur la joue ; je me suis assise face à elle.

— Shannon, ce n'est pas bon pour ton bébé, ai-je déclaré, à la vue du Big Mac et du milk-shake posés sur le plateau.

Elle a roulé des yeux effarés.

— Maman te l'a dit ?

Je me suis demandé depuis quand Julie était au courant et combien de temps elle comptait me cacher la nouvelle. Elle avait sans doute évité de me jeter deux bombes à la tête d'un seul coup.

— Ce n'est pas parce que je suis vieille que je suis idiote, ai-je rétorqué. Je sais reconnaître une femme – une jeune fille ! – enceinte, quand j'en vois une.

Shannon a examiné l'intérieur du Big Mac, comme pour s'assurer qu'il était bien cuit. Mon cœur s'est serré un instant, car elle semblait s'attendre à des reproches de ma part. J'ai pris la brusque décision d'être meilleure en tant que grand-mère que je ne l'avais été en tant que mère.

— Comment a réagi Julie ?

— Tu peux t'en douter ! J'ai tout gâché... Ma vie est foutue... Ma carrière musicale encore plus... Elle se fiche pas mal de ce que je veux vraiment. Elle est si...

Shannon s'est interrompue pour mordre dans le hamburger en fuyant mon regard. Quand elle parlait de sa mère, elle donnait parfois l'impression de la haïr. Elle me rappelait étrangement Isabel au début des années soixante ; et Julie me faisait penser à moi à l'époque. J'avais sous les yeux le spectacle de mes propres erreurs.

— Quand lui as-tu annoncé ?

Shannon a avalé une bouchée de Big Mac.

— Hier...

— Et à ton père ?

— Hier soir. Tu connais papa... Il a dit : « Oh, Shannon ! » Pas un mot de plus. Au moins, maman s'est mise en colère ! Papa est parfois si timoré...

— Ça n'a pas dû être facile pour toi, hein ?

Les yeux de Shannon sont devenus brillants et la jeune femme résolue que j'avais devant moi s'est muée en une fillette craintive. Je lui ai tendu une serviette, qu'elle s'est contentée de serrer dans sa main, tandis qu'une larme roulait sur sa joue.

— Avec qui as-tu conçu cet enfant, Shannon ?

Son visage s'est éclairé pour la première fois depuis son entrée dans la salle. Il s'appelait Tanner, vivait au Colorado et elle avait l'intention de s'installer là-bas. J'ai cru que mon cœur flanchait. *Tout, mais pas ça !* Non seulement, Shannon renonçait à ses études, mais elle allait disparaître de ma vie. J'aimais qu'elle passe me dire bonjour à l'improviste au McDo. Combien d'années avais-je encore devant moi ? Si Shannon filait à l'autre bout des Etats-Unis, quand la verrais-je ? Néanmoins, j'ai rapidement repris le dessus.

— Ecoute, Shanny, lui ai-je dit en utilisant le surnom que je lui donnais quand elle était petite, si tu décidais finalement de rester ici, je serais heureuse de faire du baby-sitting pour toi.

Elle a ébauché un sourire.

— Nana, je t'aime !

— Moi aussi, ma chérie.

— Je ferais mieux de manger une salade, m'a-t-elle annoncé en repoussant le Big Mac.

Je lui ai conseillé de rester tranquille et je suis allée lui chercher, derrière le comptoir, un mélange de crudités.

En rentrant chez moi, au volant de ma voiture, je me suis félicitée de mon attitude envers Shannon. Je lui avais donné ce dont elle avait apparemment besoin – ma sollicitude – en m'abstenant de la juger. Isabel, hélas, n'avait pas eu cette chance.

Ma bonne humeur s'évanouit à l'instant où j'arrivai à ma porte. Le téléphone sonnait. Je me précipitai pour décrocher. Ross Chapman était au bout du fil.

— Maria...

Le simple fait d'articuler mon nom semblait exiger un véritable effort de sa part.

— Ta fille t'a mise au courant ? reprit-il d'une voix morne.

Je baissai les paupières, furieuse contre lui. Il avait menti pour protéger son fils et me harcelait maintenant pour m'arracher un pardon, que je ne lui accorderais pas.

— Tu veux savoir si elle m'a dit que Ned a reconnu sa culpabilité ?

Je raccrochai sans un mot de plus : il n'était pas question que cet homme recommence à me manipuler !

1942-1944

Le premier jour de ma dernière année au New Jersey College for Women, j'arrivai à New Brunswick avec le goût des baisers de Ned sur mes lèvres et la sensation de ses mains sur mes seins. Nous étions devenus de plus en plus audacieux, cet été-là, au point de sortir avec plusieurs flirts en même temps, pour ne duper personne, comme je craignais d'avoir dupé Fred.

De nombreux jeunes gens, Fred inclus, étaient partis pour la guerre ; Ross avait donc l'embarras du choix en matière de filles, mais je ne m'en tirais pas trop mal. Après qu'il eut été appelé sous les drapeaux, un examen médical avait révélé un miniproblème cardiaque, à la suite duquel Ross avait été réformé. Malgré mon patriotisme et ma conviction que, dans un conflit, chacun devait faire son devoir, j'avais été soulagée d'apprendre la nouvelle.

Mes parents s'étaient liés avec un autre couple à Bay Head Shores. Ils se rendaient souvent chez leurs nouveaux amis pour jouer au bridge. Quand je savais qu'ils seraient absents, nous annulions, Ross et moi, nos rendez-vous éventuels pour passer la soirée en tête à tête et assouvir nos désirs. L'été avait été ponctué de tromperies, de ruses et d'étreintes brûlantes. Après notre dernière nuit ensemble, j'avais eu toutes les peines du monde à le quitter.

Le jour de mon arrivée, il y eut une soirée de bienvenue à la fraternité, à l'extrémité de la rue où se trouvait ma communauté. Je m'y rendis avec quelques copines désireuses de rencontrer des garçons de Rutgers, même si la plupart étaient des réformés. Quant à moi, je me sentais morose : mon amoureux me manquait. Debout sur le pas de la porte, je lui écrivais une lettre en pensée, quand un jeune homme s'approcha. Il boitait, mais quelque chose dans son regard me rappelait Ross, ce qui justifia, à mes yeux, l'attirance fiévreuse qu'il m'inspira sur-le-champ.

Il se présenta sous le nom de Charles Bauer.

— Une jolie fille comme toi ne devrait pas rester dans son coin, fit-il. Veux-tu danser ?

— Bien sûr !

C'était un danseur malhabile à cause de sa claudication, mais il ne semblait pas s'en soucier et cela ne me posa aucun problème, car j'avais l'impression d'étreindre Ross. Comme lui, Charles avait en effet la taille élancée et une belle carrure. La tête sur son épaule, je respirai une bouffée de son after-shave – Canoe, le même que celui de Ross – en refoulant des larmes de nostalgie.

Au bout de quelques minutes, Charles s'enquit :

— Quelque chose ne va pas ?

Comme je me mettais à sangloter, il me lâcha et prit ma main pour m'entraîner dehors. Assis sur les marches du perron, nous entendions derrière nous le brouhaha de la soirée.

— Dis-moi ce qui fait pleurer une fille aussi mignonne que toi, reprit Charles.

Comment expliquer mon chagrin, sinon par un mensonge ?

— Pardon, mais je viens de rompre avec quelqu'un...

— Et tu penses encore à lui !

J'acquiesçai. Charles sortit un mouchoir de sa poche et me le tendit.

— J'ai eu la même expérience.

— Récemment ? demandai-je en épongeant mes larmes.

Je trouvais Charles très séduisant. A la lumière d'un réverbère planté au bout du jardin, j'avais constaté qu'il ne ressemblait pas le moins du monde à Ross. C'était un brun aux yeux marron, alors que Ross était blond et avait les yeux gris. Charles était pourtant aussi beau garçon que lui et je me sentais attirée.

— Nous avons cassé il y a quelque temps, m'apprit Charles. Mon régiment stationnait alors à Hawaï...

— À Hawaï ? Tu étais à Pearl Harbor quand...

Charles passa sa paume sur sa cuisse droite.

— C'est pour ça que je traîne la patte.

— Ça a dû être terrible.

— Sûrement bien pire pour d'autres que pour moi ! Je voulais y retourner, mais je n'ai pas obtenu l'autorisation. Ici, je me sens inutile.

— Tu ne l'es pas, puisque tu étudies, rétorquai-je en admirant le patriotisme de Charles. Quel est ton domaine ?

— La médecine. J'ai toujours souhaité devenir médecin, mais je croyais devoir attendre la fin de la guerre – si un jour elle finit... Maintenant, mon rêve va se réaliser... Un bénéfice secondaire de ma blessure. Et toi ?

— C'est ma dernière année d'études. Je vais enseigner...

— Formidable !

A entendre Charles, on aurait dit que j'avais prévu de me consacrer à la médecine, moi aussi.

— Tu as toujours eu cette intention ?

Je souris.

— En fait, je souhaite devenir mère de famille, mais je pense qu'une femme doit être capable de gagner sa vie.

Charles m'approuva :

— Tu es intelligente... J'aspire aussi à fonder une famille, mais je tiens à subvenir correctement à ses besoins.

Quel homme remarquable ! songeai-je. Il ne dénigrait pas mes projets d'avenir, alors que Ross n'avait que mépris pour eux.

Je lissai ma jupe et passai mes bras autour de mes genoux.

— Tu comptes te spécialiser ?

— Je m'intéresse à la pédiatrie. J'ai été malade pendant mon enfance ; alors, j'ai fait ce choix.

— Nous sommes donc voués, toi et moi, à venir en aide aux enfants.

Le visage de Charles s'éclaira soudain et il prit ma main.

— Maria, réponds-moi tout de suite !

Je l'interrogeai du regard.

— Je t'en prie, dis-moi que tu es catholique !

— Oui, mais pourquoi cette question ?

— Parce que je suis tombé amoureux de toi dans les trente secondes qui ont suivi le moment où je t'ai aperçue dans cette salle. Le fait que tu sois catholique va nous simplifier la vie. Accepterais-tu, par hasard, de m'accompagner demain à la messe ? Ensuite, nous pourrions déjeuner ensemble.

Le caractère impulsif de Charles me convenait, car j'étais en manque d'excitation ; mais je me sentis vaguement alarmée. A peine deux jours plus tôt, je faisais l'amour en catimini, et voilà qu'un homme me donnait rendez-vous à un office religieux...

Certes, je ne mentais pas en affirmant que mes parents étaient catholiques, mais nous ne pratiquions que de façon occasionnelle, en dehors des fêtes de Pâques et de Noël. Dieu intervint-il, à cet instant, pour m'arracher à ma conduite hypocrite et immorale ? Mon chagrin à l'idée de renoncer à Ross céda la place à une sorte de soulagement et à un véritable élan de gratitude. Charles Bauer, ce garçon charmant – qui avait risqué sa vie pour son pays, étudiait la médecine et souhaitait bâtir un foyer – allait peut-être me remettre sur le droit chemin.

— Avec plaisir, répondis-je.

— Formidable !

J'appréciai, une fois de plus, l'enthousiasme de Charles.

— Ton amoureux était catholique ?

— Oui, mais sans ferveur.

— Dans ce cas, vous couriez à l'échec. La fille avec

qui j'ai rompu était méthodiste. Mes parents refusaient de lui adresser la parole. J'aurais dû comprendre dès le début que ça ne marcherait pas entre nous. Nous ne partagions pas les mêmes valeurs, tu sais !

Je hochai la tête, sans vraiment *savoir*.

— Elle était... légère, si tu vois ce que je veux dire. Elle avait eu des relations avec le garçon qu'elle fréquentait avant moi... Quand je m'en suis aperçu, ça m'a rendu malade.

D'évidence, mon histoire avec Charles commencerait par un mensonge. Jamais je ne lui avouerais la vérité au sujet de Ross. Seules quelques-unes de mes copines étaient au courant ; le secret serait donc assez facile à garder.

Je crus bon, toutefois, de lui révéler mes origines sans tarder.

— Je suis à demi italienne, annonçai-je.

— Je m'en doutais...

Charles a effleuré mes cheveux sans paraître le moins du monde contrarié.

— Tu as une superbe chevelure et ces grands yeux sombres...

Le lendemain, j'ai assisté à la messe avec Charles et ma religion m'est apparue sous un jour nouveau. A peine avais-je franchi le seuil de l'église que j'éprouvais une sensation de paix. L'odeur de l'encens, les agenouillements rituels, les chants envoûtants en latin et le goût de l'hostie sur ma langue m'ont frappée d'une manière inattendue. J'ai rendu grâce à Dieu de m'offrir cette seconde chance.

Dans sa voiture, Charles m'a questionnée :

— Ça va ?

Je me suis demandé s'il se doutait de l'impact que cette cérémonie avait eu sur moi.

— C'est la première fois que je vais à la messe avec...

J'ai failli dire « avec un flirt », mais j'ai laissé ma phrase en suspens.

— Tu n'y es jamais allée avec ton ami ?

— Non.

Charles m'a souri.

— Voilà pourquoi ça ne pouvait pas marcher entre lui et toi, comme pour moi avec mon ancienne copine : l'un et l'autre se seraient ennuyés à mourir en attendant la fin du service.

Charles et moi étions tombés amoureux dès le premier soir. Je ne me faisais plus d'illusions sur ma relation avec Ross : elle reposait sur le sexe, la clandestinité et pas grand-chose de sérieux. Avec Charles, c'était une autre histoire. Il a rencontré mes parents, qui l'ont aimé tout de suite. Mon père et lui étaient des supporters des New York Yankees et ils allaient parfois ensemble au Yankee Stadium, tandis que ma mère s'émerveillait que j'aie déniché un garçon aussi extraordinaire.

— Je me faisais du souci à ton sujet, m'a-t-elle déclaré, avec son accent chantant.

— Pourquoi ?

— Parce que tu papillonnais.

— Tu n'avais pas à t'inquiéter, lui répondis-je en souriant. J'attendais de trouver l'homme de ma vie.

Ma relation avec Charles était chaste. Il m'embrassait passionnément, mais si ses mains s'égaraient en direction de mes seins ou de mes cuisses, il les retirait en présentant des excuses. Je me sentais coupable de mentir par omission ; mais si Charles me croyait vierge, pourquoi l'aurais-je détrompé ? Au point où j'en étais, je finissais presque par me considérer comme une pure jeune fille...

En 1943, le dimanche de Pâques, Charles me demanda en mariage ; j'acceptai sans hésiter. L'été approchant, mes parents parlèrent de l'inviter à nous rejoindre dans la baie et je devins de plus en plus anxieuse. Selon une règle tacite, Ross et moi étions amants pendant l'été. Comment réagirait-il en me voyant aux côtés de Charles ? Comprendrait-il que je souhaitais mettre fin à nos rapports illicites ? Je priais le ciel qu'il ne fît rien pour éveiller les soupçons de Charles. Eh bien, une surprise m'attendait !

Nous sommes descendus sur la côte, Charles et moi, en suivant la voiture de mes parents. Comme nous nous garions dans l'allée, j'ai remarqué que deux véhicules stationnaient déjà devant la maison des Chapman. Mon cœur battait à se rompre tandis que nous déchargions les bagages. La villa était imprégnée d'une odeur de moisi, mais quand j'ai ouvert les portes-fenêtres donnant sur la véranda, avec sa vue panoramique sur le canal, Charles a poussé un cri de stupeur.

— Quelle merveille !

Il est allé ouvrir la porte-écran et j'ai aperçu du monde chez les Chapman ; je n'aurais su dire combien de personnes étaient là et si Ross figurait parmi elles. J'aurais préféré le rencontrer en tête à tête, mais comme Charles se dirigeait vers le dock, je l'ai suivi à contrecœur.

— Ton père va bientôt mettre le bateau à l'eau ? m'a-t-il demandé.

Le ponton en bois était déjà en place, à l'époque, mais le grillage métallique qui obstruait la vue ne serait installé que des années plus tard.

— Probablement demain.

En parlant, je fouillais du regard le jardin des Chapman. Deux silhouettes étaient visibles à l'extrémité opposée : Ross et une femme. J'aurais dû me réjouir qu'il ait une invitée ; pourtant, la jalousie m'a serré la gorge.

Charles m'a désigné le couple d'un léger geste.

— On dirait que vous partagez le jardin avec vos voisins.

Ross enlaçait sa compagne, mais il nous a aperçus en se retournant et a aussitôt laissé tomber son bras. Il semblait aussi gêné que moi.

— Salut, Maria !

Une main sur le coude de son amie, il l'a orientée vers nous ; de son autre main, il tenait un cigare.

— Salut, Ross !

Il a murmuré quelques mots à l'oreille de l'inconnue et ils ont fait plusieurs pas dans notre direction.

Sa paume sur mon dos, Charles m'a légèrement poussée vers eux et nous nous sommes rejoints au milieu du terrain.

Ross, un peu plus mince que l'année précédente, était éblouissant. J'ai eu du mal à le regarder. La délicieuse odeur boisée du cigare nous a enveloppés.

— Je vous présente Joan Rockefeller, a-t-il annoncé. Joan, voici ma voisine, Maria Foley, ainsi que...

Il a haussé les sourcils pour désigner Charles.

— Charles Bauer, ai-je précisé. Charles, je te présente Ross Chapman.

Les deux hommes ont échangé une poignée de main et j'ai examiné Joan : une belle blonde aux yeux bleus, soigneusement coiffée et moulée dans une robe élégante.

Charles a posé la question qui me brûlait les lèvres :

— Etes-vous parente avec les Rockefeller de New York ?

— Une cousine au cinquante et unième degré, a répondu Joan en riant. Ross m'a dit que vos deux familles sont voisines depuis votre petite enfance, a-t-elle poursuivi, tournée vers moi.

Elle avait la voix haut perchée, presque infantile.

— C'est exact.

— Maria m'a appris à danser, a proclamé Ross.

Joan m'a adressé un sourire.

— Bravo ! Vous avez fait du bon travail.

— Et Ross m'a appris à jouer au tennis, ai-je renchéri.

J'ai rougi honteusement à la pensée des autres choses auxquelles Ross m'avait initiée, et qui n'avaient rien à voir avec le tennis... Mes émotions me submergeaient. Moi qui avais la certitude d'aimer Charles, n'étais-je pas ridicule d'avoir le cœur serré en voyant Ross avec une autre ? Exactement le genre de belle-fille dont rêvaient ses parents : une Rockefeller... J'aurais voulu savoir si la présence de Charles inspirait de la jalousie à Ross. Apparemment non. Il souriait d'un air désinvolte en effleurant le bras de Joan avec une familiarité évidente. J'ai compris aussitôt que c'était elle qui bénéficiait à présent de ses ardeurs.

Nous avons installé Charles au grenier, alors pourvu de deux doubles lits et de quatre lits jumeaux, prêts à accueillir les personnes qui nous rendraient visite durant l'été. Le manque d'intimité ne posait pas de problème tant que Charles était l'unique occupant des lieux ; une semaine avant l'arrivée de mes cousins, il présenta une suggestion à mes parents au cours du petit déjeuner :

— Si on fixait un réseau de fils de fer, là-haut ?

A l'aide de son stylo, il traça un croquis au dos d'un papier.

— Ensuite, il n'y aurait plus qu'à suspendre des rideaux pour former quatre cellules autour des lits, en laissant l'espace central dégagé.

— Ingénieux ! a dit mon père.

— Je m'occuperai des rideaux, a proposé ma mère, à qui j'ai offert mon aide.

— Il me vient une autre idée, a ajouté Charles. Je ne voudrais pas abuser de votre hospitalité, mais on pourrait installer des toilettes et un lavabo au grenier... Je m'en chargerais volontiers. J'ai appris la menuiserie et la plomberie dans ma famille.

— Où ? a demandé maman en scrutant l'esquisse faite par Charles.

— Juste au-dessus de la salle de bains du rez-de-chaussée, pour faciliter les travaux. Une pièce minuscule, évidemment, mais elle éviterait à vos invités la corvée de descendre l'escalier en pleine nuit. Inutile de prévoir une porte ; un rideau supplémentaire suffirait.

La proposition enchanta mon père.

— Allons à la quincaillerie dès que nous aurons terminé le petit déjeuner ! Charles, je vous dédommagerai pour le temps passé et votre compétence.

— Pas question ! Vous me recevez tout l'été ; c'est le moins que je puisse faire pour vous témoigner ma reconnaissance, a protesté mon amoureux.

Les parents adoraient Charles. Il allait volontiers pêcher avec mon père en canot ; et, après avoir installé le cabinet de toilette du grenier, il se mit à restaurer une partie du toit et à repeindre la frise de la façade. Il considérait l'accent de ma mère comme un signe glorieux de son ascendance, bien qu'il ait failli trouver la mort dans une guerre où les Italiens figuraient parmi nos ennemis. A l'occasion de l'anniversaire de maman, en août, il l'évinça de la cuisine pour confectionner un repas italien de cinq plats. Ma mère versa des larmes quand il lui présenta, au dessert, des *cannoli,* préparés avec nos maigres rations de sucre.

Nous ne fréquentions pas les Chapman. A part l'« amitié » entre Ross et moi, il n'y avait jamais eu de liens réels entre les familles. Il nous suffisait d'entretenir des relations de bon voisinage – on s'entraidait, par exemple si la voiture de l'un de nous s'ensablait –, mais nous appartenions à des mondes différents. Bien que les jardins soient contigus, une ligne infranchissable, tracée sur le sable, les séparait.

Nous n'avons pas eu, Ross et moi, une conversation en tête à tête cet été-là. Je me demandais dans quelles circonstances il avait rencontré Joan, mais comme elle était toujours près de lui, je n'ai pas pu satisfaire ma curiosité. Ce qui n'était sans doute pas plus mal !

Quelques jours après notre arrivée, nous passions un agréable moment dehors, Charles et moi, quand il a suggéré que nous sortions à quatre.

— Joan et Ross ont à peu près notre âge, m'a-t-il dit, alors qu'il avait en fait six ans de plus que Ross. Je les trouve sympathiques... Ce serait agréable d'organiser quelque chose avec eux.

Horrifiée à cette idée, je n'ai su que répondre, puis j'ai opté pour une demi-vérité :

— Charles, quand nous étions au lycée, Ross et moi, il m'a emmenée à une soirée. Lorsque ses parents l'ont appris, ils lui ont interdit de me fréquenter.

— Pourquoi ?

— Parce que maman est italienne.

— Quelle mesquinerie !

Touchée par sa réaction indignée, j'ai poursuivi mes explications :

— Ses parents ne se sont jamais montrés très amicaux avec les miens ; voilà pourquoi je ne tiens pas à...

— Bien sûr ! m'interrompit Charles.

Il a jeté un coup d'œil vers la maison des Chapman, par-dessus son épaule.

— Ross a été sous les drapeaux ?

— Il a été réformé en raison d'une faiblesse cardiaque mineure.

— Ah !

J'ai compris à cet instant que j'avais placé une cloison étanche entre mon amoureux, décoré du Purple Heart, et Ross Chapman. Ce jeune homme qui n'avait pas pris les armes pour son pays, malgré son apparence saine et robuste, était un lâche aux yeux de Charles.

— Il lui suffirait probablement d'arrêter de fumer pour que ce problème physique disparaisse, a grommelé Charles.

Il parut un peu déçu que mes parents ne soient pas plus pratiquants, mais il n'en dit rien. Chaque dimanche, après la messe à Saint Peters, nous nous arrêtions à la boulangerie Mueller pour acheter des brioches et du pain de mie, en vue du brunch familial. Quand j'accompagnais Charles à l'église, la paix et le réconfort qu'il y trouvait me touchaient sincèrement. Le soir, il récitait son rosaire avant de s'endormir. Je priais, moi aussi, pour que s'évanouisse ma jalousie mesquine envers Joan Rockefeller. Je demandais que la force me soit donnée de regarder le coin où poussaient les buissons de ronces sans frustration et d'oublier mes ébats avec Ross. Sa brusquerie m'avait procuré du plaisir ; il n'avait jamais été violent, mais m'avait, parfois, chevauchée comme si j'avais été un cheval sauvage. Etrange, pour un cardiaque...

Charles croyait que Dieu exauçait nos prières ; j'en vins à conclure que, pour ma part, je n'avais pas prié avec une ferveur suffisante.

Nous nous sommes mariés, Charles et moi, en juin, l'année suivante. J'ai joué la comédie quand nous avons fait l'amour pour la première fois et, heureusement, Charles m'a crue vierge. Nous avons passé notre lune de miel aux chutes du Niagara, puis rejoint mes parents en vacances sur le canal. Nous occupions la petite chambre du rez-de-chaussée qui avait toujours été la mienne. Après avoir déballé nos bagages, nous sommes allés sur la véranda.

Figée sur place, j'ai entendu les pleurs d'un nouveau-né chez les Chapman.

— A qui est ce bébé ?

— C'est celui de Joan et Ross, fit ma mère, assise devant la table. D'après Sue Clements, ils se sont mariés en septembre. Le petit a quelques semaines. Les parents de Ross se sont retirés en Floride ; il n'y a donc, pour l'instant, que le jeune couple.

Un calcul rapide m'emplit d'amertume : Ross n'avait pas épousé Joan parce qu'elle était enceinte, mais probablement par amour. Un sentiment qu'il n'avait pas éprouvé à mon égard, puisque les circonstances s'y opposaient. M'en remettrais-je un jour ?

Nous avons vu le nourrisson le soir même. Joan nous l'amena dans le jardin en roucoulant et en faisant des mines. Je n'avais rien demandé, mais elle le nicha avec précaution dans mes bras et je me sentis électrisée au contact de sa douce chaleur.

— Il s'appelle Ned Rosswell Chapman, m'annonça-t-elle.

Charles se pencha et éloigna doucement la couverture de la joue du poupon. Ned suçait son pouce en dormant.

— Il est adorable ! m'écriai-je.

Comme si j'avais des yeux derrière la tête, je sentis que Ross approchait. C'était une sorte de sixième sens, si intense que je ne fus pas surprise de voir Ross surgir à côté de Joan et l'enlacer.

— Comment le trouves-tu ? me demanda-t-il en m'indiquant son fils d'un signe.

— Adorable...

En levant les yeux vers lui, je lus dans son regard le feu du désir. Pour moi ? Pour Joan ? Je m'empressai de concentrer mon attention sur le visage de Ned.

Nous avons parlé un moment de Ned, de notre lune de miel et, inexorablement, la conversation s'est orientée vers la guerre, comme c'était l'usage à l'époque. Joan et moi avons fait silence, tandis que les hommes haussaient le ton. Ross reprochait au gouvernement de vanter ses succès dans la conduite des opérations militaires, tout en dissimulant le nombre des victimes. Charles rétorquait en révélant un aspect de sa personnalité que j'avais jusqu'alors ignoré. Ils étaient l'un et l'autre d'une grande véhémence, et j'ai eu une intuition soudaine : jamais

Ross Chapman et Charles Bauer ne se lieraient d'amitié. L'homme de loi et le médecin n'étaient pas du même bord. Ce soir-là, dans notre jardin commun, se sont forgées les relations sans chaleur que nous avons entretenues définitivement avec nos voisins – même quand nos enfants sont devenus amis.

29

Julie

« J'aimerais que tu voies ma gynécologue » ; « Si tu allais voir ma gynécologue ? » ; « Ma gynéco est la meilleure du coin... » J'avais réfléchi à la formule qui provoquerait une résistance minimale de la part de Shannon quand je lui soumettrais cette suggestion. J'aurais dû me douter que c'était un détail sans importance : ma fille avait d'autres projets en tête.

Je l'ai appelée le vendredi matin, assez tôt pour qu'elle ne soit pas encore à son travail et assez tard pour qu'elle soit déjà levée.

— Salut, m'man !

Mon numéro avait dû s'afficher sur l'écran de son téléphone portable. Le fait qu'elle m'ait répondu malgré tout me sembla un heureux présage.

— Salut, ma chérie !

J'étais assise en tailleur sur mon lit, dont j'avais changé les draps, au cas où Ethan arriverait à Westfield dans la soirée.

— Comment te portes-tu ?

— Parce que je suis enceinte ?

— Non, d'une manière générale, précisai-je.

Je sentais Shannon sur la défensive, quoi que je dise.

— Ça va.

— Je t'appelais pour te demander si tu accepterais que je te prenne un rendez-vous chez ma gynécologue. Je suis sûre que tu l'apprécierais. Elle a...

— J'ai déjà un médecin.

— Ah bon ! Tu consultes quelqu'un dans une clinique ? me risquai-je à demander.

Je craignais d'interférer dans la vie intime de Shannon.

— Non. Je vois le Dr Myers-Blake, à Morristown. Elle est bien... Une de mes amies me l'a recommandée.

— Myersblick... Je n'ai jamais entendu parler d'elle.

— Myers-Blake, avec un trait d'union.

Ce nom m'était inconnu malgré tout.

— Comment l'as-tu payée ? Notre assurance...

— Tanner m'a envoyé l'argent, mais elle est couverte par l'assurance. J'ai fait ce choix pour en bénéficier dès que je t'aurais prévenue.

Je restai un moment sans voix : Shannon avait sérieusement réfléchi au problème, elle qui semblait avoir pris ses dernières décisions de manière irraisonnée. De la fenêtre de ma chambre, j'apercevais l'énorme chêne sur lequel elle grimpait dans son enfance. La petite fille de cette époque-là me manquait...

J'ai détourné le regard pour me concentrer sur l'instant présent.

— Je suis fière que tu te sois débrouillée seule, mais tu devrais envisager d'aller voir ma gynéco.

— Non ! Désormais, je prends ma vie en main !

C'était le moment de passer à une autre tactique.

— Ecoute, ma chérie, Abby Chapman, la fille d'Ethan Chapman, qui a maintenant vingt-six ans, est prête à te parler de la façon dont elle a fait face aux événements quand elle s'est retrouvée dans le même état que toi, à peu près à ton âge...

— Je *fais face* parfaitement, m'man.

L'intonation de Shannon me fit comprendre que je perdais du terrain.

— Je sais... Mais Abby a choisi de... C'est une possibilité que tu n'as peut-être pas envisagée ; elle a confié son bébé à une famille adoptive et...

— Pourrais-tu, maman, respecter ma décision ? Combien de fois dois-je te répéter que j'ai décidé de garder l'enfant ? Je ne voulais pas tomber enceinte ni saboter mes études, mais, vu les circonstances, je suis capable d'assumer ! J'ai autre chose à te dire.

— Quoi ? murmurai-je, décontenancée.

— Tanner arrive la semaine prochaine. Il passe deux semaines chez des amis, à Morristown, puis rentre au Colorado, où j'ai l'intention de le suivre finalement. Je verrai donc un médecin là-bas.

— Tu veux dire que tu vas partir dès maintenant ?

— D'ici environ trois semaines. Je ne sais pas si nous nous installerons définitivement, mais au moins tant qu'il n'aura pas terminé son doctorat. Ensuite, qui sait où nous irons...

Prise de panique, je bondis de mon lit.

— Shannon, discutons un moment ! Le fait de parler de tes projets ne t'empêche pas d'être adulte. Je demande son avis à Lucy avant de prendre des décisions importantes et celle-ci est particulièrement délicate.

— Je dois aller travailler, m'man, soupira Shannon. On y reviendra plus tard, si tu veux.

Aussitôt après avoir raccroché, j'appelai Glen pour le

mettre rapidement au courant : Shannon consultait un médecin que nous ne connaissions pas et elle comptait filer au Colorado. Il m'écouta sans broncher. J'avais apprécié, jadis, sa nature paisible et conciliante ; à présent, elle m'exaspérait.

— Peux-tu essayer d'influencer Shannon, puisqu'elle vit chez toi ?

— Je crois qu'il vaut mieux la laisser agir à sa guise...

— Pas question de la contrarier, n'est-ce pas ? Tu as toujours eu peur de faire des vagues... Si cette fille ne m'avait pas téléphoné pour cracher le morceau, j'ignorerais encore que tu as eu une liaison !

Glen ne prit pas la peine de répondre : j'avais manifestement raison.

— Tu veux que Shannon déménage ? insistai-je.

A ce point, j'en étais arrivée à souhaiter une réponse ; peu m'importait laquelle.

— J'estime que si elle est assez adulte pour être enceinte, elle l'est aussi pour en supporter les conséquences, grommela-t-il enfin.

— C'est absurde ! Une fillette de onze ans peut tomber enceinte, Glen. Crois-tu qu'à cet âge-là on peut en *supporter les conséquences* ?

— Shannon n'a pas onze ans.

— Son départ ne te préoccupe pas ?

— De toute façon, elle allait partir pour l'Université.

J'imaginai Glen en train de hausser les épaules d'un air fataliste et lui raccrochai au nez. C'était la première fois de ma vie que je me comportais ainsi, mais je ne tolérais plus l'incapacité de mon ex-mari à affronter les problèmes. Notre couple avait fait les frais de cette tare ; je n'allais pas perdre Shannon pour la même raison.

Assise devant mon ordinateur, j'allais envoyer un e-mail à Lucy pour l'informer des derniers projets de Shannon, quand je découvris un message d'Ethan : « La police a retrouvé la sœur de Bruno Walker. Il navigue autour du monde en solitaire, paraît-il. Le flic avec qui j'ai parlé affirme qu'on va le localiser et abréger son aventure. Papa a été interrogé. A ce soir. »

30

Julie
1962

J'aimais rouler à vélo à Bay Head Shores. Lucy, qui ne s'était jamais sentie très à l'aise sur le sien, circulait uniquement de notre côté du chemin de terre. Un jour, j'eus l'idée de lui promettre des *button candies*[1], si elle venait avec moi jusqu'au magasin du coin.

— C'est trop loin, gémit-elle, bien que ces friandises la tentent.

Nous étions assises sur le sable devant la maison, nos engins posés dans l'allée.

— Ecoute ! m'exclamai-je trouvant soudain un moyen d'abréger le trajet. On va couper par le terrain envahi de ronces en poussant nos bicyclettes ; ça fera un quart de la distance en moins.

L'effort à fournir n'en serait sans doute que plus intense, mais ma suggestion sembla séduire ma sœur.

— Bien, dit-elle en se redressant.

Pieds nus, elle alla d'un pas traînant jusqu'à sa bécane, de peur d'écraser une feuille de houx qui se serait échappée du jardin des Chapman. Sa démarche lui donnait l'air d'une handicapée.

1. Bonbons ayant la forme de petites pastilles, vendus sous blister. *(N.d.T.)*

Dépasser les buissons, nos vélos à la main, s'avéra plus rapide que prévu ; je transpirais pourtant à grosses gouttes en arrivant de l'autre côté de la rue. Sur nos véhicules bas et à une seule vitesse, nous nous dirigeâmes alors vers notre but en traversant la forêt. Bien qu'il n'y eût pas de voitures sur la route, Lucy frôlait le bas-côté, faisant parfois déraper ses pneus sur le sable. Je ne lui adressai pas la moindre remarque. A l'approche de la rue Lido, elle leva la main gauche pour indiquer qu'elle tournait. Il n'y avait personne en vue. J'évitai d'éclater de rire, de peur que Lucy ne refuse d'entreprendre à nouveau pareille expédition.

On s'est garées près du magasin, où j'ai acheté des œufs et du lait pour maman, des *button candies* et des limonades pour Lucy, des bâtons de réglisse pour moi et du chewing-gum pour Isabel ; elle en mastiquait pour cacher aux parents qu'elle fumait. J'ai déposé le sac contenant les achats dans le panier devant le guidon, et Lucy et moi sommes reparties.

Sur Beach Boulevard, j'ai entendu le grondement d'un moteur derrière nous. Je me suis retournée pour m'assurer que Lucy était bien sur le côté du macadam ; elle roulait pratiquement dans les bois. J'ai vu ensuite le « camion antimoustique » s'approcher de nous, devançant un épais brouillard de DDT.

Il traversait Bay Head Shores à peu près une fois par semaine. J'aimais l'odeur qu'il laissait et le nuage d'insecticide qu'il produisait, à travers lequel on pouvait courir avec une copine sans se voir, avant d'émerger à l'autre extrémité. On ignorait, alors, les dangers du DDT ! Si Lucy n'avait pas été là, j'aurais été ravie de humer les effluves chimiques après le passage du véhicule, mais ma petite sœur ne partagerait sûrement pas mon enthousiasme.

— Lucy ! ai-je lancé à son intention, le camion anti-moustique arrive. Faisons comme si nous étions en plein ciel !

J'eus à peine le temps de finir ma phrase, l'engin nous dépassait déjà. Le conducteur ne se soucia guère de notre présence, à moins qu'il ne nous ait même pas vues... Nous fûmes aussitôt immergées dans une nappe opaque.

— Au secours ! hurla Lucy. Au secours !

— Ce n'est rien, lui répondis-je, trop excitée pour m'arrêter.

Je ne distinguais plus la chaussée devant moi, comme si je roulais les yeux fermés – ce qui m'arrivait parfois, quand je me sentais en lieu sûr.

— Julie !

La voix de Lucy avait faibli. Elle s'était probablement arrêtée.

Je fis demi-tour. Bien que la nuée commence à se dissiper, je ne vis pas ma sœur sur la route.

— Lucy ?

— Je suis ici... Tombée par-dessus le guidon !

Je l'aperçus alors dans les bois, mi-assise, mi-allongée. Je sautai à terre, jetai ma bicyclette au sol et courus vers elle.

— Lucy ! m'exclamai-je en m'agenouillant. Tu t'es fait mal ?

Elle battait l'air embué de ses deux mains, les paupières hermétiquement closes. M'attendant à voir des os transpercer sa peau, je l'examinai sous toutes les coutures. Hormis une vilaine égratignure le long de son avant-bras, je ne repérai rien d'anormal.

— Allez, ouvre les yeux ! lui soufflai-je. Il n'y a presque plus de brouillard.

Elle obtempéra, en larmes et à bout de souffle. Comme elle avait retenu sa respiration un long moment, elle était obligée d'avaler de grandes goulées d'air malodorant.

A la vue de son écorchure, elle se remit à crier. Sa chair était à vif sur cinq ou six centimètres, et des gouttelettes de sang perlaient çà et là.

— Rien de grave, murmurai-je.

Le bras serré contre son corps tel un objet précieux, Lucy émit un gémissement. Pour rien au monde elle n'accepterait de rentrer à vélo ! A travers les derniers lambeaux de brume artificielle, j'évaluai la distance qui nous séparait de la maison : bien qu'il y ait des taillis des deux côtés de la route, les buissons de ronces se distinguaient au loin.

— Lève-toi et nous allons marcher en poussant nos bicyclettes, lançai-je. On n'est pas loin de chez nous.

Lucy hocha la tête :

— Non, je ne veux plus toucher à ce truc !

Où était donc passée sa bécane ? Un regard circulaire me permit de l'apercevoir plusieurs mètres en arrière de l'endroit où Lucy avait atterri. Ma pauvre petite sœur avait effectué un vol plané ; en somme, elle avait eu beaucoup de chance de s'en tirer avec une légère blessure.

— Eh bien, laissons nos engins ici, suggérai-je.

Lucy se releva avec précaution en reniflant. Je l'aidai de mon mieux, non sans grommeler :

— A ton âge, tu te comportes comme une vieille femme. Grand-mère a plus d'énergie que toi !

— Tais-toi, Julie !

Un grondement de moteur annonça alors l'approche d'un nouveau véhicule. Lucy me jeta un coup d'œil éploré et bondit d'un bon mètre dans les bois.

— Ce n'est qu'une voiture, dis-je en me retournant.

Je ne tardai pas à m'apercevoir qu'il s'agissait de la Corvette rouge décapotable de Ned.

— C'est Ned ! annonçai-je à Lucy, histoire de la rassurer.

Elle vint se blottir à côté de moi en soutenant son membre blessé. J'adressai un salut à Ned, qui s'était arrêté devant nous. Bruno Walker trônait sur le siège du passager et la radio déversait *Cryin' in the Rain* autour de nous.

Bruno grimaça un sourire.

— En beauté ! marmonna-t-il.

Ne sachant s'il était sérieux ou s'il me taquinait, je me contentai d'ébaucher un demi-sourire qui ferait l'affaire dans tous les cas.

— Que se passe-t-il, Jules ? lança Ned.

Il m'avait appelée « Jules », comme Isabel. Ce détail me toucha...

— Lucy est tombée de vélo dans les bois.

Ned coupa le moteur ; Bruno et lui sortirent de la Corvette. Deux jeunes gens bronzés et resplendissants : Ned, mince et blond ; Bruno, avec sa carrure athlétique et sa tignasse brune. A mon avis, beaux comme des stars de cinéma... Si seulement j'avais été avec l'une de mes copines de Westfield, plutôt qu'avec ma petite sœur !

— Ça va, Lucy ? s'enquit Ned.

Sans cesser de renifler, Lucy lui montra son bras. Il le maintint entre ses mains pour l'examiner et, en douceur, le fit bouger.

L'espace d'un instant, je regrettai de ne pas être la victime.

— Rien de cassé, il me semble.

— Non, mais ça saigne !

— Un peu, admit Ned. Ta maman va nettoyer la plaie et te mettre un pansement.

Debout à côté de Ned, je me gorgeais de son odeur – tabac et Coppertone – en feignant de m'intéresser à Lucy.

Bruno avait déniché la bicyclette de Lucy dans un enchevêtrement de mauvaises herbes et de plantes grimpantes. Il la hissa au-dessus de sa tête comme un tas de plumes, puis la reposa sur la chaussée et observa la roue avant, tout en l'actionnant. Je compris pourquoi certaines filles lui trouvaient une ressemblance avec Elvis Presley : une cigarette collée à la commissure des lèvres, il avait le regard langoureux, et la bouche charnue et boudeuse de l'artiste.

— T'as bien *baisé* ton vélo, dit-il à Lucy.

A la fois choquée et émoustillée par l'usage qu'il faisait de ce mot interdit, je le regardai porter son fardeau à l'arrière de la Corvette et ouvrir le coffre minuscule. Il parvint miraculeusement à y caser nos deux engins, en protégeant la peinture rouge et brillante avec des serviettes de plage, à la demande de Ned. Le coffre demeura grand ouvert, mais nous n'allions qu'au coin de la rue. Bruno me tendit ensuite le sac contenant mes achats.

— Bon ! fit Ned en regardant les deux sièges de la Corvette. Lucy, tu t'assieds sur les genoux de Bruno et je partage ma place avec toi, Julie.

Je n'en crus pas mes oreilles ! Un tel scénario dépassait toutes mes espérances. Ned se cala à l'extrême gauche et je me blottis contre lui, mon corps plaqué contre le sien. J'avais tassé mes jambes du côté du passager, près de celles de Bruno et Lucy, mais je me sentais installée le plus confortablement du monde.

Ned conduisit sans se presser pour que les bicyclettes restent stables et je me surpris à regretter que le trajet ne soit pas plus long.

— Comment va ta ravissante sœur ? me demanda Bruno alors que la Corvette s'engageait sur Shore Boulevard.

« C'est à Ned que tu devrais poser la question ! » songeai-je. Je m'abstins non sans peine de lui décocher cette réponse cinglante. Chaque fois que je voyais Bruno, il prenait des nouvelles d'Izzy. Il avait le béguin pour elle, ça crevait les yeux. Ned s'en rendait-il compte ?

— En pleine forme, marmonnai-je.

— En pleine forme... ricana Bruno.

Il mit les mains en coupe devant son torse, autant que le lui permettait la présence de Julie sur ses genoux. Une allusion grossière aux seins d'Isabel...

— Ferme-la !

Ayant fait taire son copain, Ned s'adressa à moi :

— Tu peux donner quelque chose de ma part à ta sœur, Jules ?

Je le vis se pencher et ramasser la girafe, qu'il me tendit.

— C'est quoi ? fit Lucy, tandis que je nichais le jouet sur mes genoux.

Elle tendit son bras indemne, dans l'espoir de saisir l'objet, mais je l'en empêchai.

— C'est pour Isabel !

Aussitôt, Lucy retira sa main.

— Nous apprécions ta discrétion, Izzy et moi, murmura Ned.

Je me tordis le cou pour observer son visage. Le soleil étincelait dans les verres de ses lunettes. Il me sembla que je chérirais cet instant jusqu'à la fin de mes jours.

— Pour que maman t'autorise à emmener Isabel en bateau, confiai-je à Ned en m'efforçant de prendre une voix d'adulte, il suffirait que Bruno vous accompagne. La sécurité avant tout, comme on dit...

J'avais entendu mon père utiliser cette formule au sujet des sorties d'Izzy.

— Ah oui ? fit Ned en échangeant un regard avec Bruno.

Nous arrivâmes à destination. Lucy traînait déjà les pieds sur le sable du jardin. Elle soutenait son bras blessé et se préparait à fondre en larmes devant notre mère.

— Tu veux que je lui en parle ? proposai-je à Ned.

— Pourquoi pas ? Qu'Isabel vienne me rejoindre, si c'est possible. Autrement, peux-tu me donner la réponse toi-même ?

J'acquiesçai et me frayai dignement un passage entre les feuilles de houx qui jonchaient le sol.

Dans le salon, Isabel pliait le linge, tandis que maman et grand-mère s'affairaient autour de la malheureuse Lucy. Le Mercurochrome devait la piquer, mais je dois reconnaître, à son crédit, qu'elle fermait les yeux, sans bouger d'un iota.

— Izzy ? fis-je en lui tendant la girafe.

Elle l'enfouit précipitamment dans la pile de vêtements propres.

— Ned voudrait savoir si tu peux aller faire un tour en bateau avec Bruno et lui ?

Isabel me foudroya du regard, avant de se concentrer à nouveau sur sa tâche.

— Bruno vous accompagne... insistai-je.

Maman déroula une longue bande de gaze d'une boîte rangée dans la trousse d'urgence, donna un coup de ciseaux et tourna les yeux vers nous.

— Je t'autorise à y aller, Isabel. Mais juste une petite balade, quand tu auras fini ici !

— Je m'en charge, lançai-je.

Isabel me dévisagea, médusée. Je lui avais obtenu, comme par magie, une escapade avec Ned et la remplaçais pour une corvée. Malgré sa perplexité, elle était trop heureuse pour me questionner sur mes motivations.

— Merci, marmonna-t-elle.

Etait-ce destiné à notre mère ou à moi ? Je n'aurais su dire. Après avoir récupéré en catimini la girafe, Izzy se dirigea vers la véranda. J'étais sûre qu'elle se mettrait à courir, aussitôt sortie.

En m'affairant, le nez assailli par l'odeur suave du linge propre, je tentai d'imaginer ce qui se passerait dans le jardin de Ned. Izzy, Bruno et Ned monteraient, à bord du Boston Whaler, et un changement se produirait peut-être au cours de la promenade. Si Izzy remarquait la beauté de Bruno, comme lui-même avait remarqué la sienne, Ned ne lui paraîtrait-il pas un peu moins admirable ?

On ne doit pas prier pour des motifs futiles, mais une prière me vint à l'esprit : « Fasse le ciel qu'Isabel oublie Ned et tombe amoureuse de Bruno. » Dans ce cas, Ned m'apprécierait peut-être à ma juste valeur. Il me considérait sans doute comme une gamine et, une fois libre, il trouverait une fille de son âge avec qui sortir ; pourtant, mes fantasmes tenaient bon. Je ne supportais pas qu'Isabel soit aimée d'un garçon qui m'attirait. Ned était loin d'être parfait, car il fumait et j'avais l'impression qu'il buvait un peu trop quand il sortait avec ses copains, mais l'amour d'une femme vertueuse – même si elle n'avait que douze ans – lui permettrait de s'améliorer.

31

Julie

Je n'avais pas la moindre arrière-pensée érotique tandis que, assise à la table de la cuisine, je préparais des raviolis pour le dîner avec Ethan.

Qu'étaient devenus mes récents instincts lubriques ? S'agissait-il d'un trouble hormonal vite dissipé ? Non seulement je n'éprouvais aucun désir, mais je n'en avais cure. Je ressentais même un certain soulagement, car je n'aurais pas à me soucier de ma nudité. Tant pis si mes hanches s'étaient empâtées à la suite de trop nombreuses heures devant l'ordinateur ! Chaque fois que je me regardais dans la glace, mes seins me paraissaient un peu flasques ; mais je n'aurais pas à en rougir si le sexe m'était indifférent. Ma seule crainte était d'avoir induit Ethan en erreur, au cours de notre dernière conversation téléphoniquc quelque peu suggestive.

Une heure plus tard, quand je lui ouvris ma porte, il apparut sur le seuil de la véranda, un bouquet à la main, et le bleu de ses yeux assorti au bleu du ciel. D'une voix feutrée, il me fit l'éloge de mon environnement. Mon corps réagit alors comme si j'avais vingt ans... Aurais-je la patience d'attendre la fin du dîner pour entraîner Ethan dans ma chambre, au premier étage ?

En le serrant dans mes bras, je me suis sentie encore plus émue ; j'ai relâché mon étreinte en souriant.

— Quel bonheur de te voir !

— Je suis ravi moi aussi.

Il s'est incliné pour effleurer mes lèvres d'un baiser puis m'a tendu les fleurs.

— Aurais-tu un vase ?

J'en trouvai un que je posai sur la table de la véranda, où nous dînerions dans une agréable fraîcheur.

Sur l'appui de la fenêtre de cuisine, Ethan aperçut la photo encadrée de Shannon en terminale.

— Ta fille ?

— Oui, répondis-je en ouvrant la porte du four pour surveiller le plat de pâtes.

— Sa beauté exotique me rappelle ta famille...

— Elle ressemble beaucoup à Isabel !

Ethan me sourit.

— Je ne me souviens pas bien d'Isabel. Je n'avais d'yeux que pour sa petite sœur...

Après lui avoir rendu son sourire, je lui désignai la planche à découper.

— Si tu tranchais les tomates ?

Nous nous sommes affairés. Apparemment aussi à l'aise sous mon toit que chez lui, Ethan faisait preuve d'une incroyable assurance. Sa manière de frôler mon bras au passage me troublait. Ce soir-là, *tout* me perturbait en lui.

Pendant le dîner, nous avons évité d'aborder les sujets qui fâchent. J'aurais souhaité savoir comment s'était passé l'interrogatoire de son père, mais rien ne pressait. Pas question de rompre le charme de ce tête-à-tête à la tombée du jour ! J'ai parlé de mon enfance à Westfield et

Ethan, de ses études pour devenir charpentier quand il était adolescent. En l'écoutant, je me suis détendue pour la première fois depuis des semaines. J'avais envie de me pencher par-dessus la table pour l'embrasser et de déboutonner sa chemise bleue...

Je me suis contenue jusqu'à la fin du dîner. J'allais déposer les assiettes dans l'évier quand Ethan a surgi derrière moi. Après m'avoir enlacée, il m'a embrassée dans le cou ; fondant littéralement, j'ai réussi de justesse à poser mon chargement sur le comptoir sans le laisser tomber.

— Je suis si heureux de t'avoir retrouvée !

Quand Ethan me susurra ces mots à l'oreille, la mise en garde de ma mère me revint un instant en mémoire : je devais ignorer ses avances. Pardon, m'man, pensai-je en m'abandonnant à son étreinte. J'ai entraîné sa main sur mes lèvres en laissant son avant-bras effleurer ma poitrine.

— Montons dans ma chambre, ai-je soufflé.

Nous avons fait l'amour des heures durant, me sembla-t-il. Glen avait été le seul homme de ma vie en trente ans. La nouveauté de mes rapports avec Ethan était aussi saisissante pour moi que mon sentiment de bien-être dans ses bras. Je le connaissais depuis si longtemps...

Bien plus tard, tendrement enlacés, nous avons évoqué les questions qui nous hantaient.

— Si tu me parlais de l'entrevue de ton père avec les policiers ? ai-je suggéré en caressant le torse d'Ethan.

Il m'a embrassé le sommet du crâne et je me suis blottie plus profondément dans ses bras pour l'écouter.

— En fait, il ne paraissait pas trop bouleversé. Je me suis senti un peu rassuré... C'est un homme surprenant, tu sais. Il lui arrive encore de prendre ses airs doctes d'homme de loi, dans certaines circonstances. Il m'a assuré qu'il avait levé les doutes des inspecteurs concernant l'alibi de Ned.

— Tant mieux !

Je ne voulais surtout pas gâcher cet instant par mes arrière-pensées. L'essentiel était qu'Ethan n'ait plus d'inquiétudes au sujet de son père.

— J'ai l'impression qu'ils ont été assez cool avec lui, reprit-il. Et je suppose qu'ils le seront encore plus avec toi...

Il s'interrompit en soulevant sa tête de l'oreiller.

— As-tu entendu du bruit ?

Je tendis l'oreille, avec la sensation d'une présence sur le palier.

— M'man ?

Je bondis aussitôt.

— Merde, c'est Shannon !

Après avoir articulé ce mot assez inhabituel de ma part, j'hésitai brièvement : devais-je empoigner mon jean ou courir jusqu'à la penderie où était mon peignoir ? J'optai pour le jean, que j'enfilai en oscillant d'un pied sur l'autre.

Shannon frappa à la porte.

— M'man ?

— Une minute, Shannon. J'arrive !

Ethan s'était levé et s'habillait lui aussi.

— Je t'en prie, ne bouge pas ! lui soufflai-je en passant mon tee-shirt.

Je sortis aussitôt de la pièce, sans soutien-gorge, et

trouvai Shannon dans sa chambre. Elle débarrassait ses étagères pour emplir de livres un carton posé sur son lit.

— Tu dormais ? dit-elle en me toisant. Tu es échevelée !

— Oui, j'ai fait un somme.

Stressée, je m'assis au bord de son lit et peignai mes cheveux à l'aide de mes doigts.

— Je suis contente de te voir, Shannon.

— Tu avais des invités ? Ça sent la sauce tomate.

— J'ai préparé des raviolis. Il en reste... si tu veux en emporter.

— Oui, peut-être. Merci.

Son regard se posa sur l'ouvrage cartonné qu'elle avait en main.

— Je suis venue pour empaqueter.

— Empaqueter ?

— Oui, je prépare mon déménagement. J'ai encore quelques semaines devant moi, mais je dois commencer à trier dès maintenant...

Sans me témoigner le moindre intérêt, Shannon concentra à nouveau son attention sur l'étagère.

Elle prit un bouquin, examina son titre et le remit à sa place. J'eus l'impression que son ventre s'était développé depuis quelques jours.

— Shannon, lui demandai-je, as-tu bien réfléchi à ta décision ?

— Je ne pense qu'à ça depuis plusieurs mois, mère !

Je détestais qu'elle m'appelle *mère*...

— Ma chérie, ne pars pas, je t'en prie ! Attends au moins la naissance du bébé...

L'idée de son départ m'était insupportable. Que pouvais-je faire, sur le plan juridique, pour la garder à mes côtés ?

Shannon s'empara d'un volume et le jeta dans le carton.

— Je veux être avec le père de mon enfant, m'man. Rien de plus naturel.

— Tu vas bientôt me le présenter ?

Après tout, je discuterais peut-être plus facilement avec *lui* qu'avec ma fille...

— J'en avais l'intention ; mais ce n'est sans doute pas le moment, puisque tu es si..

Un bruit mat parvint de ma chambre, comme si Ethan s'était cogné le pied contre la commode, dans l'obscurité.

— Papa ?

Pareille à une fillette emplie d'espoir, Shannon leva brusquement les yeux et fonça vers le palier.

Afin de la ramener à la réalité, je la saisis par le bras.

— Papa n'est pas ici !

— Alors, qui est-ce ?

A quoi bon mentir à Shannon en prétendant qu'elle avait rêvé ? Cela ne nous mènerait à rien.

— Qui est avec toi, mère ? reprit-elle.

— J'étais en compagnie... d'Ethan Chapman.

Shannon me lança un regard réellement meurtrier et je crus un instant qu'elle allait me frapper.

— Comment oses-tu ? A peine suis-je partie, que tu te mets à t'envoyer en l'air ! Il n'y a pas si longtemps que vous êtes séparés, papa et toi... Tu n'envisages même pas la possibilité de te réconcilier avec lui.

— Aucune réconciliation n'est possible, Shannon.

Navrée qu'elle se soit fait des illusions, à mon insu, depuis deux ans, je murmurai qu'Ethan était un vieil ami, dont je me sentais très proche. Shannon se boucha les oreilles des deux mains.

— *Tais-toi !* Tais-toi, je t'en prie !

Après m'avoir bousculée au passage, elle courut sur le palier. Les yeux fermés, je m'adossai au mur. J'entendis Shannon foncer dans l'escalier et sortir précipitamment de la maison. Quand la porte claqua derrière elle, je n'eus qu'un léger sursaut.

32

Lucy

Je jouais du violon dans la tourelle, étudiant un morceau que les Zyda Chicks comptaient interpréter la saison suivante, quand j'entendis des pas marteler les marches. J'habitais une maison paisible et mes voisins – ou leurs amis – n'étaient pas du genre à monter l'escalier bruyamment. Je m'interrompis, sachant que si le martèlement se poursuivait, un visiteur se rendait chez moi. Dès que les pas atteignirent mon niveau, j'allai ouvrir sans attendre qu'on frappe à ma porte.

Shannon entra en coup de vent, le visage bouffi de larmes, qui explosèrent à l'instant même où elle se jeta sur le canapé. Son comportement m'inspirait les pires inquiétudes. Avait-elle un problème avec sa grossesse ? A moins qu'elle n'ait rompu avec Tanner ou que ma sœur n'ait été victime d'un accident... Une telle anxiété correspondait plus au style de Julie qu'au mien, mais je n'y pouvais rien. Un événement traumatisant s'était produit et Shannon sanglotait si violemment qu'elle était incapable d'articuler un mot.

Je m'assis à côté d'elle, sa main dans la mienne.

— Qu'y a-t-il, Shannon ? murmurai-je. Dis-moi.

Elle hocha la tête, hors d'haleine. Elle avait les joues

ruisselantes et j'allais craquer à mon tour – comment aurais-je pu rester indifférente au chagrin de ma nièce ? – quand elle parvint à contrôler sa respiration assez longtemps pour parler.

— Je suis allée à la maison... chez maman... pour commencer à empaqueter... et j'ai entendu du bruit dans sa chambre. J'ai cru que papa était passé la voir et qu'ils... Tu vois, j'ai imaginé qu'ils faisaient l'amour... Mais ce n'était pas lui ! C'était un certain Ethan Chapman ! lâcha Shannon en me regardant droit dans les yeux.

« Quelle bonne nouvelle ! Bravo, Julie ! Vas-y, ma grande ! » songeai-je. Mais je ne devais surtout pas laisser paraître ma joie sur mon visage.

— C'est ce qui te bouleverse à ce point ? demandai-je à Shannon ?

— Je suis furieuse !

Elle dégagea sa main de la mienne pour donner un coup de poing dans un coussin.

— J'en veux terriblement à maman ! Elle a été une épouse nulle pour papa, et voilà qu'elle prépare un véritable festin pour un étranger, avant de s'envoyer en l'air avec lui. Elle n'a jamais su apprécier mon père et je suis scandalisée qu'elle traite ce type comme le bon Dieu. Ethan Chapman... Ethan Chapman... Il n'est question que de lui, depuis qu'elle a vu cette lettre !

La détresse de Shannon me touchait. Manifestement, le divorce de ses parents lui avait été encore plus pénible qu'aucune de nous ne l'avait supposé. Elle aimait autant sa mère, laborieuse et soucieuse, que son père, calme et réservé, et leur rupture avait été un choc aussi fort pour elle que pour Julie. Elle avait pleuré pendant un mois, après le départ de Glen, et je me rappelais qu'elle avait blâmé Julie, à l'époque, comme maintenant. Ma sœur avait accepté cela, sans dire un mot susceptible de ternir l'image de Glen aux yeux de sa fille.

N'étant pas animée de sentiments aussi nobles, je questionnai Shannon :

— Ton père t'a parlé des raisons du divorce ?

Calée dans le canapé, Shannon leva les yeux au plafond d'un air exaspéré.

— On ne va pas recommencer ! J'en ai marre d'évoquer le sujet ; ça n'a aucun intérêt. Papa dit qu'il aime encore maman, mais qu'elle s'investissait trop dans son travail. Elle n'a jamais pigé que... sa vie de couple comptait plus que cette stupide Granny Fran. Si elle réfléchissait un peu, ils pourraient se remettre ensemble...

— Ton père t'a raconté ça ?

— Pas exactement, mais ça crève les yeux. Il ne sort jamais. J'ai l'impression qu'il attend que maman se décide. Si elle ne donnait pas systématiquement la priorité à sa prétendue carrière...

Malgré la colère qui montait en moi, je parvins à objecter d'une voix sereine :

— Sa *prétendue carrière* lui a permis de t'offrir une voiture, des leçons de violoncelle, plusieurs étés au camp de musique et des études supérieures... bien que celles-ci ne soient plus à l'ordre du jour.

Shannon me jeta un regard noir, avant de fixer à nouveau le plafond. Elle savait à présent de quel côté je me situais.

— Ecoute-moi, Shannon ! continuai-je. Je sais combien tu aimes tes parents et combien tu souhaiterais qu'ils reprennent une vie commune, mais tu te fais des illusions puériles. Il n'en est pas question ! Même si ta mère a accordé plus d'importance à son travail qu'il n'aurait fallu pour la parfaite harmonie de son couple, elle n'est pas responsable de ce divorce. Elle aimait ton père... Te souviens-tu de ce qu'elle a fait pour lui ? Ce voyage-surprise en France... L'annulation de sa tournée de promotion d'un livre, l'année dernière, pour soigner sa pneumonie... Tous les petits mots tendres qu'elle lui laissait à la maison... Et qui préparait les repas, alors qu'elle avait de longues journées, comme lui ?

Shannon avait tourné la tête, mais je la vis déglutir avec peine.

— Qui avait installé cette jolie maison pour vous trois ? martelai-je. Oui, elle se consacrait beaucoup à son boulot, mais ton père aussi. Je t'assure que ta mère n'a pas été une mauvaise épouse !

Je m'armai de courage, sachant que j'allais faire voler l'univers de Shannon en éclats.

— A vrai dire, Shannon, ton père est en pleine crise de la cinquantaine.

— Absolument pas !

— Je t'assure que si...

Pouvais-je m'autoriser à en dire plus ? Tandis que Shannon me dévisageait, les sourcils froncés, je me contentai d'ajouter :

— Ta mère a accepté tes reproches, mais c'est ton père qui a souhaité la rupture. Il voulait...

— Tu prétends qu'il la trompait ?

Un profond sillon se creusa entre les sourcils de Shannon. Elle semblait prête à discuter ce point avec moi.

— Tu ferais mieux d'en parler avec ton père, lui suggérai-je, après une brève hésitation.

— Je ne te crois pas, trancha-t-elle, les bras croisés sur son ventre en perpétuelle expansion.

— Shannon, ton père avait une liaison ! La femme qu'il fréquentait a appelé ta mère pour l'avertir. Imagines-tu son chagrin ? As-tu la moindre compassion pour elle ? Son cœur était déchiré... Qu'éprouverais-tu si l'homme que tu aimes... si Tanner, à qui tu fais apparemment confiance, voyait en secret une autre femme ? Dans quel état serais-tu ? Voilà ce que ta mère a dû encaisser !

Je me tus et Shannon resta d'abord muette, les yeux rivés sur moi.

— Pourquoi ne m'a-t-elle rien dit ? murmura-t-elle enfin d'une voix à peine audible.

— A ton avis ?

— Pour ne pas me monter contre papa ?

— Exactement.

Shannon se détourna en se mordant la lèvre inférieure.

— Je ne peux pas croire que papa a fait une chose pareille.

— Aucun être humain n'est infaillible, Shannon !

Glen me tuerait, et peut-être Julie aussi, s'ils assistaient à cette scène.

— Il traversait une sale période, repris-je ; et les gens s'imaginent parfois qu'une liaison résoudra leurs problèmes. Maintenant, ta mère n'aime plus ton père. Elle a été profondément blessée et a perdu sa confiance en lui. Je pense qu'il est clair pour l'un et l'autre qu'ils n'ont plus rien à faire ensemble. Mais il leur reste un point commun, qu'ils partageront toujours : leur amour pour toi. Depuis deux ans, ta mère lutte pour vivre en célibataire, alors qu'elle croyait demeurer jusqu'à la fin de ses jours aux côtés de ton père. Elle a fini par rencontrer un homme... un ami... avec qui elle a une idylle romantique... Elle a le droit d'avoir un compagnon, Shannon. Ne sois pas égoïste !

Des larmes perlaient à nouveau à la base de ses cils sombres.

— Tu me trouves égoïste ?

— Il me paraît normal d'être légèrement narcissique, à ton âge, finis-je par répondre. Voilà pourquoi les adolescentes ont du mal à devenir de bonnes mères. Si tu tiens à garder ton bébé, tu devras t'améliorer sur ce point !

Shannon cligna des yeux et une larme ruissela lentement sur sa joue.

— J'ai dit à maman que je ne souhaitais pas qu'elle rencontre Tanner.

— Eh bien, fis-je en essuyant la pommette de Shannon du revers de la main, qu'attends-tu pour organiser une rencontre ?

33

Julie

La veille au soir, deux événements extraordinaires s'étaient produits.

En parlant au téléphone avec Ethan, je m'étais plainte de mon manque d'inspiration à propos de la dernière aventure de Granny Fran. Ethan m'avait demandé de lui raconter l'intrigue et je m'étais aperçue, en lui décrivant mon blocage à propos du chapitre quatre, que je retrouvais l'envie d'écrire. Quelle bénédiction, pour moi, d'aborder un sujet sans aucun rapport avec la mort d'Isabel ou la grossesse de Shannon ! J'étais reconnaissante à Ethan d'avoir réveillé mon enthousiasme, mais la prudence s'imposait. Sachant que l'écriture m'avait toujours procuré un refuge, j'étais décidée à trouver désormais un équilibre entre ma vie et mes personnages. Au lieu de fuir la réalité, il était temps que je l'affronte.

Autre fait extraordinaire : Shannon m'avait appelée pour me présenter des excuses au sujet de sa réaction en découvrant que j'avais des relations sexuelles avec Ethan.

— Pas de problème, si tu veux sortir avec des hommes, avait-elle conclu. Navrée de t'avoir fait une scène !

— Merci, ma chérie, c'est une excellente nouvelle, répondis-je, sans chercher à analyser les causes de son changement d'humeur.

— Et puis, j'aimerais que tu rencontres Tanner, quand il viendra.

— Je le souhaite aussi, murmurai-je.

Nous avons pris la décision d'organiser, chez moi, un barbecue en l'honneur de Tanner. Il pourrait ainsi nous rencontrer, ma mère, Lucy et moi, en une fois.

— J'espère, ajoutai-je, qu'il ne sera pas déstabilisé par une réunion familiale.

Shannon m'assura qu'il était « parfaitement à l'aise en société ». Sentant une certaine irritation dans sa voix – notre trêve était donc fragile –, je décidai de mettre fin à la conversation. Si nous nous aventurions sur un terrain dangereux, par exemple son départ pour le Colorado, je risquais de perdre l'avantage que j'avais acquis.

J'étais donc tout à fait détendue, ce matin-là, lorsque je pris le volant pour aller voir Ethan à Bay Head Shores. A la mi-journée, en semaine, la circulation ne bouchonnait pas sur Parkway, mais c'était le dernier de mes soucis. Je n'aurais pas hésité à faire ce trajet, même si Ethan et moi n'avions eu que vingt minutes à passer ensemble.

Ethan m'ayant annoncé la visite de son père, j'avais acheté des sandwiches chez le traiteur. Comment se déroulerait cette rencontre avec M. Chapman, après tant d'années, et quels sujets pourrions-nous aborder sans risque ? Il faisait un temps superbe malgré la chaleur et l'odeur des sandwiches, posés sur le siège du passager, était alléchante. Une brève bouffée d'angoisse me surprit pourtant quand j'entrevis le canal, entre deux bâtisses à droite. Cette crispation involontaire de mes entrailles s'était presque dissipée quand j'arrivai chez Ethan.

J'aperçus une voiture dans l'allée, derrière le pick-up ; celle de M. Chapman, supposai-je. Je me garai donc dans la rue. Une femme brune, bien en chair, balayait le sable sur les marches de notre ancienne maison. Combien de centaines de fois m'étais-je attelée à ce travail ?

— Bonjour ! lançai-je en la saluant avec un entrain un peu excessif.

Elle leva les yeux et ébaucha un sourire à mon intention, avant de se remettre à la tâche. Sans doute m'avait-elle trouvée un peu bizarre.

Comme je frappais sur la porte-écran d'Ethan, j'aperçus celui-ci dans le jardin : assis près de la clôture, son père et lui faisaient face au canal. J'entrai, déposai les provisions sur le comptoir de la cuisine et ressortis. Mes hôtes ne semblèrent pas remarquer ma présence.

Mon attention se tourna vers le terrain voisin : deux petits garçons jouaient bruyamment dans une piscine circulaire, à l'ombre du chêne. Et leur mère s'affairait, au lieu de les surveiller ! Il aurait pu leur arriver malheur en un rien de temps !

Je dis bonjour de loin à Ethan et son père.

Ethan s'approcha aussitôt, un sourire aux lèvres, et planta un baiser sur ma joue en me serrant dans ses bras.

— Je suis heureux de te voir !

M. Chapman se leva avec peine.

— Je vous en prie, restez assis !

Déjà debout, il prit ma main entre les siennes. Le sourire qu'il m'adressait était chaleureux et bienveillant, mais je sentis ses doigts trembler. Il paraissait nettement plus âgé que ma mère. Je comprenais maintenant pourquoi Ethan souhaitait lui éviter le moindre choc.

— Julie Bauer ! fit-il. C'est un plaisir pour moi de te revoir. Tu es devenue une belle femme... N'est-ce pas, Ethan ?

Ethan me décocha un sourire.

— Une *très* belle femme !

Il traîna une chaise vers moi et je m'assis.

— Ravie de vous revoir, murmurai-je, tandis que M. Chapman reprenait place sur son siège. J'ai été navrée d'apprendre que Ned...

— Merci, dit M. Chapman en s'inclinant.

Il portait des lunettes de soleil à monture d'écaille démodée, qu'il devait posséder depuis des années.

— Tu as fait bonne route ? s'enquit Ethan.

Il était debout, les bras croisés. Dans son jean et son polo bleu marine, avec « Société Chapman » inscrit en rouge sur la poche, il avait de l'allure !

— Aucun problème, marmonnai-je. J'ai apporté des sandwiches que j'ai posés dans la cuisine.

— Excellente idée... As-tu faim, papa ?

Ethan haussait légèrement le ton quand il s'adressait à son père ; vu son âge, celui-ci devait être dur d'oreille.

— Oui, Ethan.

— Si j'allais les chercher ? proposai-je.

Une main sur mon épaule, Ethan me retint.

— Reste avec papa.

Après avoir pris nos commandes de boissons, Ethan me laissa en compagnie de son père.

M. Chapman joignit les mains sur la boucle de sa ceinture. Il semblait plus détendu maintenant qu'il n'avait plus d'efforts physiques à fournir.

— Eh bien, Julie, tu t'es vraiment fait un nom !

— Oh, si peu...

Je déplaçai ma chaise légèrement, sous prétexte de mieux voir M. Chapman ; en réalité, pour couver des yeux les petits voisins laissés sans surveillance.

— Chaque fois que je vois tes livres chez le libraire, je lui dis que j'ai connu l'auteur quand elle était enfant.

— Merci.

— Je parie que tu ne t'en doutes pas, mais c'est de toi que je me souviens le mieux.

— Ah oui ? Pourquoi ?

M. Chapman tendit un long doigt noueux vers moi.

— Parce que tu étais la plus intrépide des trois sœurs.

— Vous croyez ?

Selon moi, il ne rendait pas justice à Isabel, mais je n'étais pas en état de discuter ce point.

— Oui. Et la plus intelligente, aussi ! Tu avais toujours un livre à la main et rien ni personne ne te faisait peur. Tu t'aventurais de l'autre côté du canal, tu sympathisais avec les Noirs. Qui d'autre aurait osé ? Pas une seule personne habitant par ici, tu peux me croire !

— Ça m'a attiré pas mal d'ennuis.

Les enfants, à califourchon sur un énorme alligator gonflable, poussaient des cris de joie en s'éclaboussant.

— Tu cherchais à te faire un jugement par toi-même ; c'est ce que j'appréciais en toi. Une prouesse dans une famille comme la tienne ! Tu n'étais pas du genre à accepter les valeurs de tes parents sans les mettre en question.

Je n'aurais pas cru que cet homme m'avait observée avec un tel intérêt quand j'étais enfant. Sensible malgré moi à ses compliments, j'avais conscience que mon intrépidité m'avait plutôt handicapée, quoi qu'il en dise.

— Mes parents étaient très conservateurs...

Je me penchai pour enlever mes sandales et plongeai mes orteils dans le sable chaud.

— Ton père surtout et tu cherchais à lui tenir tête, n'est-ce pas ? En cela, tu étais plus proche de ta mère.

Je n'imaginais pas maman s'opposant à papa, mais je m'abstins de tout commentaire. A quoi bon analyser notre dynamique familiale au cours d'une banale conversation mondaine ?

— J'oublie toujours que vous étiez amis d'enfance, maman et vous, observai-je.

Le soleil réchauffait mes bras. Je m'étais mis de la crème avant mon départ, mais je devrais en emprunter à Ethan, si nous restions plus longtemps dehors.

— Oui, nous étions de bons copains, comme Ethan et toi.

M. Chapman promena son regard sur le canal ; pas un bateau n'était passé depuis que je m'étais assise.

— J'aimerais bien renouer avec elle, fit-il, pensif, mais elle refuse de m'adresser la parole.

J'hésitai un instant, avant de murmurer :

— Vous savez, monsieur Chapman, toutes les personnes que maman a connues alors lui rappellent une période particulièrement éprouvante pour notre famille.

Et voilà ! Nous étions dans le vif du sujet, par ma faute.

— Je comprends, Julie. A-t-elle déjà parlé avec les inspecteurs de police ?

— Non, je ne pense pas.

— La réouverture de ce dossier doit être très pénible pour elle.

— Pour vous aussi !

Un navire de pêche, chargé d'hommes et de matériel, glissa devant nous vers le nord. Il venait probablement du bras de mer.

M. Chapman le suivit des yeux en silence.

— Crois-tu que Ned a tué ta sœur ?

Glacée par cette question brutale, je me détournai vers notre ancien jardin. Les enfants paraissaient plus calmes : leurs têtes disparaissaient sous la surface de l'eau quelques instants, puis émergeaient. Ils devaient s'amuser à « qui peut retenir sa respiration le plus longtemps ? » – un jeu stupide et dangereux. Je l'avais interdit à Shannon, mais elle s'y était certainement livrée en cachette.

— Je n'en sais rien... Comment interpréter, sinon, la lettre de Ned destinée à la police ?

M. Chapman passa la langue sur ses lèvres gercées. Son visage me sembla particulièrement émacié... Etait-il malade, quoi qu'en dise Ethan ?

— Je pense que le document restera toujours une énigme, Julie.

— Ned aurait-il pu s'éclipser pendant qu'il était avec vous, la nuit de la mort d'Isabel ? demandai-je en évitant de prendre un ton accusateur.

Visiblement choqué, M. Chapman se dispensa de me répondre. Il passa à nouveau sa langue sur ses lèvres en rivant son regard sur le canal.

— Désolée, murmurai-je. J'essayais de comprendre...

— Il était avec moi à minuit ; et c'est l'heure à laquelle tu as dit que... ça s'est produit.

— En fait, je n'en ai jamais été sûre.

— Ned était dehors avec moi. Nous observions une pluie d'étoiles filantes. Il est allé se coucher bien après minuit. D'ailleurs, quelle motivation aurait-il pu avoir, lui qui adorait ta sœur ?

Je n'osai pas évoquer mes soupçons au sujet de la relation de Ned avec Pamela Durant. Mon seul espoir était que la vérité finisse par triompher un jour.

La porte-écran claqua enfin et Ethan reparut. Je me levai aussitôt pour l'aider, car il tenait en équilibre trois verres pleins, une pile d'assiettes en plastique et un plateau chargé de sandwiches.

M. Chapman prit le soda que je lui tendais. Une fois assis, Ethan et moi avons entamé les sandwiches.

— Je te revois faisant des allées et venues à bord de ton canot, ajouta M. Chapman. Entre ici et la baie...

— Je n'avais pas le droit d'aller plus loin.

— Tu es devenue une adolescente révoltée, je parie. M. Chapman semblait manquer d'appétit : il n'avait pas touché au sandwich.

— Absolument pas ! Après la mort d'Isabel, je me suis sentie beaucoup plus timorée.

Cette nouvelle parut attrister le vieil homme.

— Quel dommage !

— Julie refuse même de monter sur un bateau, intervint Ethan.

— Vraiment ? s'étonna M. Chapman. Quand je partirai, après le déjeuner, vous devriez aller faire un tour tous les deux. Le temps est splendide et il n'y a pas trop de monde qui navigue.

Ethan haussa les sourcils.

— Qu'en dis-tu, Julie ?

— Non, merci.

Les enfants d'à côté sortirent de la piscine et foncèrent à l'intérieur de la maison. Je me sentis déchargée de la mission de surveillance que je m'étais imposée.

— Il faudrait te rebaptiser, marmonna M. Chapman.

— Que voulez-vous dire ?

— Tu te faisais appeler Alice, la reine de l'aventure... Tu es devenue celle de l'angoisse, mais rien ne t'oblige à le rester, Julie.

— Exact, fit Ethan.

« Rien ne t'oblige à le rester. » Cette simple remarque de M. Chapman produisit un effet étrange sur moi.

— Je vais réfléchir, murmurai-je, sans vouloir m'engager, mais prête à envisager cette éventualité.

M. Chapman prit congé aussitôt après le déjeuner. Debout devant la maison, nous regardâmes sa voiture s'éloigner.

— D'accord pour faire cette balade en bateau ? me demanda Ethan, un bras autour de ma taille.

Je lui adressai une grimace dubitative.

— Autrefois, quelle sensation éprouvais-tu quand tu partais sur l'eau ?

— Je me sentais libre, répondis-je, après une minute de réflexion. Mais, cette nuit-là, tout a changé...

Ethan me fit pivoter sur moi-même, pour traverser le jardin en direction du dock.

— C'était en 1962 ; il y a un siècle... Viens, Julie !

Quand il m'eut escortée jusqu'au bord du canal, je le regardai détacher son embarcation en me remémorant la corde râpeuse et humide de mon petit canot. Grand-père m'avait appris différents nœuds dont je me souvenais encore.

— Allons, saute ! me cria Ethan, debout de l'autre côté du dock. J'arrive...

Je scrutai l'intérieur couleur fauve du bateau, qui se balançait légèrement dans le sillage d'un engin qui venait de passer. Un vertige me saisit quand je vis les sièges osciller, mais je tins bon. Assise sur le ponton, je pris le plat-bord avec mes pieds nus et me laissai glisser. Mon cœur battait à se rompre, comme si j'étais face au Grand Canyon. Je m'empressai de gagner l'avant en m'agrippant au bastingage.

Ethan sauta prestement et s'assit derrière le gouvernail. L'odeur d'essence, dont je me grisais autrefois, se mêlait à celle de l'eau. Je pris une profonde inspiration en me demandant si je pourrais réapprendre à l'aimer.

— Ça va ? s'enquit Ethan.

Je le rassurai d'un signe de tête.

Après avoir fait marche arrière sur le canal, il prit la direction de la rivière. Anxieuse et muette, je me tenais encore au bastingage lorsque nous approchâmes du « nouveau pont » de Lovelandtown. Il était plus haut que l'ancien, avec des piliers beaucoup plus espacés, de sorte que nous sommes passés sans peine entre eux. J'aperçus des maisons inconnues, construites ou restaurées depuis mon dernier séjour. Nous nous sommes engagés ensuite sur les eaux de la Manasquan River. L'air chaud et humide cinglait mes cheveux et les embruns rafraîchissaient mon visage. Toutes ces sensations me ramenaient non pas à la nuit où j'avais perdu ma sœur, mais aux douces heures de détente sur ma petite embarcation.

Je contemplai le visage d'Ethan. De profil, il avait gardé les traits du gamin qui disséquait les crabes, conservait les viscères des anguilles dans l'alcool, s'allongeait à plat ventre entre les roseaux et observait la faune des bas-fonds. Qui aurait pu se douter que je serais un jour à ses côtés, en train de savourer sa présence, de désirer l'homme qu'il était devenu ?

La gorge serrée, je formai un instant le vœu que Ned ne soit pas jugé coupable du meurtre d'Isabel. La souffrance d'Ethan serait trop vive...

— Tu aimes ça, hein ! me lança-t-il soudain avec conviction, tourné vers moi.

Je me rapprochai de lui, un bras autour du dossier de son siège.

— C'est *toi* que j'aime, lui soufflai-je à l'oreille en laissant reposer ma tête au creux de son épaule.

34

Julie

Deux soirs plus tard, j'organisai un barbecue en l'honneur de Tanner Stroh. J'avais convié tout le monde à six heures. A six heures et demie, maman, Lucy, Ethan et moi attendions encore Shannon et son compagnon. Je me sentais de plus en plus stressée et il aurait suffi d'un rien pour que je craque.

J'allai déposer la salade de pommes de terre sur la véranda. Assise à l'extrémité de la longue table garnie d'une plaque de verre, maman tranchait de superbes tomates de Jersey, cueillies dans son jardin, et les disposait sur un plat, parmi les feuilles de laitue et les cornichons. A l'extérieur, dans le patio, Ethan, revêtu d'un tablier rayé bleu et blanc, apporté dans ses bagages, retournait le poulet et les steaks hachés sur le gril. Debout près de lui, Lucy sirotait une bière en bavardant. A son entrée, elle m'avait adressé un discret sourire de connivence : Ethan lui plaisait donc, et j'en étais ravie.

Notre mère, qui avait accueilli chaleureusement Ethan malgré sa réticence initiale, semblait avoir retrouvé son entrain habituel. Un apaisement pour moi, d'autant plus que je m'étais inquiétée de sa réaction quand je lui avais fait part, quelques jours plus tôt, de la lettre écrite par Ned.

— Penses-tu qu'il fait trop chaud pour dîner dehors ? lui demandai-je.

La température m'avait paru plus douce avant, mais j'étais probablement victime d'une bouffée de chaleur.

— Ça ira.

Elle mit la dernière rondelle de tomate en place et posa le couteau sur la planche à découper.

— A quelle heure attendais-tu Shannon ?

— A six heures, chuchotai-je en m'emparant des ustensiles de cuisine.

— Ce jeune homme va nous faire mauvaise impression en arrivant ainsi en retard...

Maman souleva son verre et avala une gorgée de bière. Elle disait volontiers qu'elle s'autorisait à en boire une fois par an ; c'était, apparemment, le soir qu'elle avait choisi.

— J'ai hâte de le mettre sur le gril, annonça-t-elle en se frottant les mains.

Elle semblait prête à dévorer un morceau de choix et je ris malgré moi.

— Evitons de l'embarrasser, suggérai-je en emportant la planche et le couteau dans la maison.

Je revenais sur la véranda, avec les petits pains destinés aux hamburgers, quand j'entendis deux portières claquer dans la rue.

— Les voilà !

Je déposai mon chargement sur la table. Des voix me parvinrent du jardin et Shannon apparut, tenant la main d'un homme grand et mince. Maman et moi sommes allées les accueillir.

Tanner Stroh avait les cheveux bruns coupés court. Il portait des Dockers kaki et une chemise hawaïenne d'un bleu passé, à manches courtes. Son air bon chic bon genre, qui ne manquait pas de me rassurer, agacerait probablement Lucy.

Il me tendit la main.

— Ravi de faire votre connaissance, madame Sellers. Pardonnez-nous ce retard.

— Pas de problème, fis-je en lui serrant la main énergiquement. Je suis ravie moi aussi !

Je m'aperçus tout à coup que je m'attendais à découvrir un individu doté de multiples piercings, d'un pantalon *baggy* et de longs cheveux gras. Bien que Tanner n'ait pas l'allure bohème qu'affectionnait Shannon, il ne manquait pas de charme. Mais il était trop âgé pour elle ! Son front commençait à se dégarnir et sa peau se relâchait déjà autour des yeux.

Durant les présentations, je surpris Shannon en train d'examiner Ethan comme j'avais moi-même examiné Tanner, ce qui m'arracha un sourire. Poignées de main et paroles de bienvenue s'échangèrent avec la plus grande déférence. Tanner était cordial et courtois ; je me souvins alors d'Eddie Haskell, le jeune héros de *Leave it to Beaver,* qui dissimulait son agressivité pathologique sous des manières irréprochables.

Le repas était prêt. Ethan apporta les grillades et Lucy prit les commandes de boissons. Tanner opta pour une bière ; Shannon, pour une limonade. Je n'oublierais pas de contrôler la consommation d'alcool de ce jeune homme. Quant à Shannon, il se passerait encore trois ans avant qu'elle soit en âge – légalement – de boire avec lui. Elle avait son permis de conduire depuis un an à peine !

Dès que tout le monde fut assis, maman visa droit dans le mille.

— Comment avez-vous pu faire ça ? lança-t-elle carrément.

Tanner, surpris, allait répondre, quand Shannon lui vint en aide. J'aurais moi-même volé à son secours, si elle ne m'avait devancée. Ma mère manquait parfois de tact...

— Tout est ma faute, Nana ! J'avais oublié de prendre ma pilule.

— Ce n'est pas la meilleure façon de commencer notre vie de couple, madame...

Tanner avait buté sur le nom de famille de ma mère.

— Bauer, fit celle-ci.

— Madame Bauer, j'aime Shannon, et nous ferons de notre mieux pour que ça marche.

— C'est mon unique petite-fille ; j'espère que vous tiendrez parole...

— C'est promis !

Pour la première fois depuis son arrivée, Tanner semblait gêné.

— D'où êtes-vous originaire, Tanner ? s'enquit Ethan, dans l'espoir de détendre l'atmosphère.

— Du sud de la Californie. Mes parents y vivent.

— Comment réagissent-ils au sujet de... tout ça ?

Je fis un moulinet dans les airs, englobant Shannon et Tanner.

— Ils ne sont pas enchantés, admit-il. Mais ils accepteront Shannon et l'aimeront, dès qu'ils auront eu l'occasion de la rencontrer.

Je lui sus gré de sa franchise.

Où Shannon et Tanner passeraient-ils les vacances ? me demandai-je. Avec laquelle des deux familles ? Sur la côte Ouest ou la côte Est ? Aurais-je encore la possibilité de voir ma fille ?

Lucy tendit une perche à Tanner :

— Shannon m'a appris que vous êtes en doctorat...

Tanner glissa une seconde rondelle de tomate dans son hamburger.

— Il s'agit d'un programme d'études individuel, mi-histoire, mi-sciences sociales.

— Avez-vous commencé à rédiger votre thèse ? reprit Lucy.

— Oui, elle concerne la rencontre d'enfants de survivants de l'Holocauste avec ceux de criminels nazis. Comme je suis d'origine en partie allemande et en partie juive, ce sujet me fascine...

— Passionnant ! s'exclama Lucy avec un sincère intérêt.

Elle se lança dans l'une de ces discussions intellectuelles qu'elle chérissait ; l'enthousiasme de Tanner égalait le sien. Ethan se mêla à l'échange : il avait vu récemment, sur la chaîne Histoire, une émission au sujet des descendants de nazis. Maman fit allusion à un client régulier du McDo, survivant de l'Holocauste, et Shannon ajouta plusieurs fois son grain de sel. Elle tenait à montrer qu'elle avait des connaissances sur la question et que sa relation avec Tanner ne se limitait pas au sexe. Si seulement il avait eu dix années de moins ou Shannon dix de plus, ma réaction aurait été tout autre !

J'avais l'impression d'être la seule personne, autour de la table, incapable de s'exprimer à propos des recherches de Tanner. L'esprit ailleurs, j'attendis qu'il y ait une pause suffisante dans la conversation pour prendre la parole.

— Tanner, déclarai-je, j'estime que Shannon doit rester ici au moins jusqu'à l'accouchement et tant qu'elle n'est pas habituée à son nouveau rôle de...

Shannon me poignarda du regard.

— On en a déjà parlé !

Tanner s'essuya la bouche sur sa serviette.

— Je lui ai trouvé un médecin, madame Sellers. Et j'ai des économies qui nous permettront de tenir jusqu'à la fin de mon cursus. Tout ira bien. Je sais que la situation vous préoccupe ; j'ai moi-même été assez perturbé au début... Je croyais Shannon plus âgée, quand je l'ai rencontrée. Elle a une telle maturité et est si intelligente...

Il regarda Shannon en souriant.

— Elle est exceptionnelle !

Shannon lui rendit son sourire, presque timidement. Je ne doutais plus que Tanner était fou d'elle ; mais avait-il conscience de l'engagement qu'il prenait ?

Shannon se tourna vers Ethan.

— Maman m'a dit que votre fille a eu un enfant au même âge que moi.

Je tressaillis, mais il demeura impassible.

— Abby avait seize ans. Le bébé a été adopté par un couple formidable, qui avait des problèmes de stérilité.

— Je ne peux pas envisager une chose pareille, murmura Shannon.

Ethan avala une gorgée de bière.

— La situation était différente. Abby n'entretenait pas une relation sérieuse avec le garçon. Ils commençaient à sortir ensemble et, en l'occurrence, il l'a forcée.

— Un flirt tournant au viol ? fit maman, dont la sagacité me surprit.

— Exactement. Au début, Abby n'osait pas se confier à nous, mais elle a fini par nous parler et nous l'avons aidée à porter plainte. Le type a été condamné à effectuer des travaux d'intérêt général.

— Au moins, nous n'avons pas ce problème, nota Shannon, apparemment à mon intention.

« Tu vois que ça aurait pu être pire », semblait-elle insinuer.

Je me sentais satisfaite : nous discutions entre adultes. J'appréciais aussi l'attitude de Shannon, dépourvue d'hostilité manifeste à mon égard. Elle avait dû parler avec Lucy. Je n'avais pas la moindre idée de ce que lui avait dit ma sœur, mais je lui étais reconnaissante d'avoir plaidé ma cause d'une manière ou d'une autre. Enfin, j'essayais de voir Shannon sous un jour nouveau ; en dépit de mes efforts, elle demeurait à mes yeux une petite fille attendant un enfant.

La conversation se poursuivit jusqu'au dessert. Après le repas, alors que tout le monde m'aidait à débarrasser la table, je constatai le silence insolite de maman : elle n'avait pas prononcé un mot depuis la glace et le gâteau.

La voyant debout au comptoir, en train de rassembler les restes dans des récipients en plastique, je me penchai pour lui demander à l'oreille :

— Ça va, m'man ?

— La bière m'endort. Je crois que je vais rentrer chez moi.

Elle était venue à pied et je ne voulais pas qu'elle rentre seule à la tombée de la nuit, surtout si elle ne se sentait pas bien.

— Tu pourrais faire un somme et on te déposera chez toi en voiture un peu plus tard, lui suggérai-je.

— D'accord, fit-elle en fixant le couvercle de la boîte qu'elle venait de remplir.

Maman me surprit par sa docilité. Elle avait son teint

habituel, joliment ocré et rosi grâce aux nombreuses heures qu'elle passait dans le jardin.

— Au revoir, Nana !

Indifférente à nos paroles, Shannon se glissa entre sa grand-mère et moi.

— On doit partir...

Ma mère l'embrassa sur la joue en la serrant tendrement dans ses bras.

— Bonsoir, ma chérie !

Lucy fut la seule à donner une accolade chaleureuse à Tanner. Après le départ du jeune couple, je m'adressai à ma mère :

— Tu peux t'installer dans ma chambre...

Le jour où je lui avais parlé de la lettre de Ned, elle avait eu exactement la même attitude.

— Veux-tu que je t'accompagne ? ajoutai-je.

Debout au milieu de la cuisine, elle hocha la tête sans me répondre.

— M'man ? questionnai-je, avec une telle inquiétude dans ma voix que Lucy et Ethan se tournèrent pour nous observer.

— Il n'a pas été question, ce soir, de la passion de Shannon pour la musique, fit ma mère, les larmes aux yeux. Depuis que cette petite est en âge de s'exprimer, elle ne pense qu'à cet art. On aurait dit qu'elle n'était plus la même...

Elle désigna du doigt la porte par laquelle étaient sortis Shannon et Tanner.

— Ce type ne se préoccupe que de lui et des descendants des nazis... Je parie qu'il n'a pas demandé une seule fois à Shannon de jouer !

Lucy voulut passer un bras autour de ses épaules, mais elle la repoussa.

— Je suis lasse, Lucy. Je vais me reposer un peu et tu pourras ensuite me raccompagner.

— Bien sûr, fit ma sœur en laissant retomber son bras. Ethan s'approcha de moi, tandis que maman disparaissait dans le vestibule.

— Qu'est-ce qui lui prend ? maugréa Lucy.

Je me souvins de Shannon, dans sa petite enfance. Elle refusait d'écouter les chansonnettes qui amusaient les autres gosses. « Je veux écouter YoMaMa[1] », affirmait-elle.

Cela nous faisait rire aux éclats, Glen et moi.

— Maman a raison ! m'écriai-je. Il n'a pas été question de musique !

1. Célèbre violoncelliste. *(N.d.T.)*

35

Maria
1944

Un flirt tournant au viol...

Bien des gens de mon âge ridiculisent cette expression et n'y voient qu'une ruse permettant à une fille d'accuser son partenaire de l'avoir forcée, si elle a des regrets... Quant à moi, j'adhère à cette idée : elle allège ma culpabilité au sujet de ce qui m'est arrivé à la fin de l'été 1944.

Pour la première fois, Charles passait la semaine dans notre nouvelle maison, à Westfield, tandis que je séjournais à Bay Head Shores avec mes parents. Il était interne dans un hôpital pour anciens combattants, car il avait renoncé à la pédiatrie afin de servir sa patrie par tous les moyens. La guerre imprégnait chaque instant de notre vie, depuis les nouvelles diffusées continuellement à la radio, jusqu'au rationnement de l'alimentation, de l'essence et de la plupart des biens nécessaires à notre subsistance.

J'avais songé à rester à Westfield avec Charles et à l'accompagner pendant les week-ends, mais il jugeait absurde de me séquestrer dans une banlieue étouffante, alors qu'il aurait si peu de temps à me consacrer. Heureux de faire son devoir, il s'épuisait au travail !

J'étais très fière de lui mais trouvais le temps long

pendant la semaine. La chaleur du corps de Charles me manquait, ainsi que nos longues conversations à propos de notre avenir. Nous parlions de nos futurs enfants et de tout ce que nous souhaitions leur donner. Nous faisions l'amour... pas autant que je l'aurais désiré. Je savais que Charles était fatigué, et peut-être avais-je un instinct sexuel plus vif que la plupart des femmes. N'ayant jamais abordé ce sujet tabou avec mes copines, je doutais parfois d'avoir des réactions normales.

Mes parents menaient une vie mondaine trépidante. Des personnes peu sectaires à l'égard des origines de ma mère s'étaient installées à Bay Head Shores et tout ce monde-là se recevait fréquemment. Mes anciennes amies travaillaient ou étaient accaparées par un nouveau-né. Leurs époux, généralement sous les drapeaux, combattaient parfois en Europe. J'avais de la chance de savoir mon mari en sécurité sur le sol américain, mais souffrais de la solitude ; et celle-ci peut devenir périlleuse. A l'automne commencerait ma deuxième année d'études pour devenir enseignante. En attendant, que faire de ces interminables journées d'été, sinon lire et penser à Charles ?

Mon oisiveté m'a joué un mauvais tour...

Un jour où mes parents étaient sortis, je lisais *A Bell for Adano* sur la véranda, quand j'aperçus Ross, assis, seul, sur le ponton de son jardin. La nuit tombait et je distinguais l'extrémité rougeoyante de son cigare. Chaque fois qu'il secouait les cendres dans le canal, j'étais hypnotisée par leur trace lumineuse dans les ténèbres.

Délaissant ma lecture, je le regardai fumer pendant un temps infini. J'imaginais la saveur de sa bouche, évoquant le bois et le cuir. Je me levai du rocking-chair en pilote automatique et sortis, non sans faire claquer la porte-écran, pour ne pas surprendre Ross par mon apparition.

Je fis quelques pas vers le canal et m'installai sur le ponton, les bras autour de mes jambes repliées. L'eau était lisse comme un miroir, où se reflétait le disque blanc et brillant de la lune presque pleine. A trois ou quatre mètres de Ross, l'odeur du cigare, terminé, persistait dans l'air.

— Une belle nuit, dis-je en me tournant vers Ross.

Au clair de lune, je le voyais beaucoup plus distinctement que je n'aurais cru. Son regard posé sur moi, il caressait sa mâchoire d'un air pensif.

— Oui, Maria.

— Comment fais-tu pour venir en semaine ?

— J'ai pris un congé d'été à la fac de droit pour être avec Joan et le petit.

Je lui désignai les fenêtres obscures de leur maison.

— Ils ne sont pas là, ce soir ?

— Joan a des amis à Brielle. Elle est allée leur rendre visite avec Ned.

Ross était donc seul, lui aussi.

— Charles doit te manquer, reprit-il.

— Oui, mais ça pourrait être pire, s'il était outre-Atlantique.

En l'absence de Charles, j'avais l'étrange impression de redevenir une jeune fille, prête à passer la soirée au Jenkinson's Pavilion avec une bande d'amis ou au cinéma avec un flirt.

Ross se leva et s'étira. Je craignis un instant qu'il ne me fausse compagnie, mais il s'approcha de quelques pas pour s'asseoir à côté de moi, les jambes pendant au-dessus de l'eau.

— Je suis content, Maria, que tu aies rencontré un homme comme Charles. Il a des idées politiques idiotes, mais il te permettra de t'élever dans la hiérarchie sociale... Te voici femme de médecin...

— Je ne l'ai pas épousé pour cette raison.

— Evidemment, mais c'est un sérieux bonus pour toi.

— Je me moque de ce genre de considérations.

— Toujours aussi bagarreuse !

Ross saisit mon menton entre ses doigts et me fit tourner la tête vers lui.

— Tu m'as manqué, tu sais. Pas seulement sur le plan physique, mais toute ta personne... Notre amitié partagée...

Que lui répondre ? Seul l'aspect charnel de nos relations me manquait. Charles me comblait par sa conversation et son amour, mais le puritanisme de nos rapports sexuels, peu fréquents, me laissait insatisfaite. J'éprouvais un sentiment de frustration au souvenir des ébats passionnés et clandestins avec Ross, à l'abri des ronciers.

— Je regrette des choses que je n'ai pas le droit de regretter, dis-je en me dégageant de son emprise.

Ross regarda vers chez nous.

— Où sont tes parents ?

— Sortis.

— Viens avec moi.

Je me levai et saisis la main qu'il me tendait. Elle était plus douce et plus fraîche que celle de Charles. J'avais presque oublié son contact.

Après avoir pris le chemin entre nos deux maisons, nous sommes passés devant la fenêtre par laquelle je m'enfuyais pour aller rejoindre Ross. Sur la courte allée sableuse, j'ai fini par comprendre où il m'entraînait. En traversant la route étroite, j'ai senti la fraîcheur de la boue sous mes pieds et nous avons atteint le sable blanc du terrain envahi par les ronces.

— On ne devrait pas, Ross...

Il est resté muet et je n'ai pas lâché sa main. Je sentais la pression de mon sang – ou du sien – dans ma paume. Le sentiment d'une délicieuse transgression nous excitait, comme autrefois, et Ross eut vite fait de m'emmener derrière la végétation. Il cueillit quelques baies, qu'il porta à mes lèvres ; je les fis rouler dans ma bouche avant de les croquer. Plus jamais je n'ai mangé de mûres sans ressentir un plaisir coupable.

Ross m'allongea sur le sable et se pencha pour m'embrasser. J'eus une brève pensée pour Charles – pour qui je n'avais jamais éprouvé la sensation animale qui me tenaillait à cet instant –, avant de rendre ses baisers à Ross et de déboutonner sa chemise. Il m'arracha mes vêtements un à un, me laissant nue et pantelante de désir. Il me contempla, tandis que la lumière lunaire caressait ma peau.

— Ton corps merveilleux m'a manqué...

Penché, Ross a passé la langue sur la pointe de mes seins.

— Joan a un corps de garçon, tu sais. Même enceinte, elle n'avait pas une poitrine digne de ce nom...

Ross aurait mieux fait de se taire ! A la mention du nom de Joan, je me suis dégrisée. Je ne pouvais pas lui faire *ça* ; et encore moins à Charles. J'étais de glace.

Ross a entrouvert mes cuisses à l'aide de la sienne ; je l'ai repoussé.

— Il ne faut pas, Ross...

— Tu plaisantes ?

Il était parvenu à se glisser entre mes jambes et je sentais la pression de son sexe sur mon pubis.

— Ross, je te parle sérieusement, murmurai-je en essayant de me dégager. Je ne veux pas !

Il prit un léger recul, mais son pénis avait trouvé sa place. Mes efforts désespérés pour le tenir à distance restaient vains, car, sous l'emprise du désir qu'il avait allumé en moi, j'étais vulnérable. Il me pénétra. Furieuse, j'empoignai ses épaules, mordis sa clavicule, enfonçai mes ongles dans son dos. Plus je cherchais à lui échapper, plus son ardeur croissait. Ses poussées devenaient plus fortes, son souffle déchirait mes oreilles.

Je fondis en larmes, haletante et à bout de forces.

— Je t'en prie, Ross, arrête !

Malgré mes supplications, il acheva sa besogne ; puis il se retira, se laissant rouler sur le dos. Je m'agenouillai sur le sable, à la recherche de mes vêtements.

Il saisit mon bras au moment où je retrouvais mon soutien-gorge.

— Que fais-tu ? Tu ne vas pas te rhabiller tout de suite !

Je le dévisageai, ébahie.

— Je t'avais demandé de cesser !

— Tu parlais sérieusement ?

Je cinglai son torse avec mon sous-vêtement.

— Evidemment ! Tu m'as forcée...

— Maria ! Tu étais déchaînée.

— J'essayais de te repousser, Ross.

— Si tu l'avais vraiment souhaité, tu y serais parvenue.

— Tu es mille fois plus fort que moi !

— M'as-tu présenté la moindre objection quand je t'ai embrassée puis déshabillée ?

Il disait vrai : je n'avais pas protesté. Submergée de honte, j'aurais voulu remonter le cours du temps jusqu'au moment où j'avais aperçu Ross depuis la véranda. N'aurais-je pas agi différemment si j'avais pensé, ne serait-ce que deux secondes, à Charles, à Joan ou au petit Ned ?

J'enfilai mon soutien-gorge.

— Tu me permets de t'aider ?

Je fis un bond de côté en mettant mon chemisier sur mon soutien-gorge encore dégrafé.

— Tu es vraiment contrariée ? reprit Ross, perplexe.

— *Extrêmement !*

Je passai mon short, sans avoir récupéré mon slip.

— Désolé, Maria.

Ross voulut saisir ma cheville, mais rata son but. Tandis que je m'enfuyais dans un nuage de sable, je l'entendis répéter qu'il était « sincèrement désolé ».

En sanglots, je courus sans m'arrêter jusqu'à la villa. A peine arrivée, je revêtis un peignoir et mis de l'eau à chauffer sur la cuisinière, pour prendre un bain et effacer la moindre trace de Ross sur mon corps. Alors que j'attendais, pieds nus, en secouant le sable resté dans mes cheveux, je m'entendis psalmodier comme une démente :

— Pardon, Charles ! Pardon, Charles...

J'ai beau savoir qu'on peut qualifier l'événement qui m'a traumatisée de « flirt tournant au viol », je ne me suis jamais pardonné ce qui s'est passé cette nuit-là. Encore maintenant, à quatre-vingt-un ans, il m'arrive de me réveiller, honteuse, au milieu de la nuit en murmurant ces mots d'excuse.

36

Julie
1962

Ce jour-là, tout allait de travers. On était le dimanche 5 août, par ailleurs jour de la mort de Marilyn Monroe.

Après la messe, nous étions réunis – à l'exception d'Isabel – autour de la table de la véranda pour un copieux brunch dominical.

— Isabel ?

Maman a laissé planer le regard vers le salon : nous n'étions pas censés entamer les œufs au bacon et les toasts tant que ma sœur aînée n'était pas parmi nous et que nous n'avions pas dit le bénédicité.

Nous avons entendu le bruissement des pieds d'Isabel sur le linoléum, puis elle a surgi et s'est assise à côté de moi.

— Marilyn Monroe est morte, a-t-elle annoncé, tandis que nous nous tendions la main pour la prière.

— Qu'est-ce que tu racontes ? a dit notre mère, les doigts de Lucy dans les siens.

— Je viens de l'apprendre à la radio ; elle s'est suicidée.

— Mon Dieu ! a lâché grand-mère.

Papa a grommelé d'un air dégoûté :

— Elle est donc partie dans le péché, comme elle a vécu..

Curieuse, j'ai demandé comment elle s'était tuée.

— Je ne veux pas le savoir, a grondé Lucy en se bouchant les oreilles, tandis qu'Izzy se préparait à me répondre.

— Pas maintenant, Isabel ! est intervenue grand-mère. Pense à Lucy.

Que savais-je au sujet de Marilyn Monroe, sinon qu'elle était blonde et extrêmement sexy ? Les hommes se pâmaient devant elle, les femmes l'enviaient et pourtant, elle s'était supprimée...

— Disons le bénédicité, a décidé papa.

Il a pris ma main d'un côté, celle de grand-mère de l'autre. La tête inclinée, nous avons récité machinalement, avant d'entamer le repas. Papa était aux fourneaux, le dimanche, et ses œufs brouillés s'accompagnaient toujours d'oignons, de poivrons et de tomates. Ces déjeuners en famille étaient un moment privilégié pour moi.

Grand-mère a détaché les œufs servis sur son assiette avec le bord de sa fourchette.

— Les filles, grand-père et moi aimerions vous emmener faire un tour sur la promenade, ce soir.

J'ai sauté de joie et, comme de juste, Izzy a marmonné :

— Merci, grand-mère, mais j'ai d'autres projets.

— Tu viendras, m'man ? a demandé Lucy.

Notre mère s'est versé une seconde tasse de café.

— Non, ma chérie, il vaut mieux que je reste à la maison ; j'ai du ménage en retard.

Il m'a fallu des années pour comprendre combien elle

devait apprécier les rares instants où sa famille la laissait en paix.

Au milieu du repas, on a reparlé de Marilyn Monroe.

— Mes enfants, a dit notre père, il y a une leçon à tirer de la mort de Marilyn Monroe.

Lucy a posé son verre de jus de fruit d'un air indigné.

— Papa ! Pas maintenant !

— Tu es en âge de comprendre ces choses-là...

Il nous a regardées tour à tour, Isabel et moi.

— Elle a vécu dans le péché de très, très, très nombreuses manières. Non seulement elle bafouait Dieu, mais les hommes aussi...

— Je pense qu'elle n'était pas si épouvantable, a risqué grand-père en beurrant un second petit pain.

— Les faits sont éloquents, a soutenu papa. Elle avait de *multiples* liaisons avec des types mariés. Elle a détruit des couples... Et elle posait, dévêtue, pour des calendriers et des magazines.

— On l'a retrouvée nue, a proclamé Isabel.

Notre père a hoché la tête d'un air entendu.

— Ses avortements sont ses fautes les plus graves. Elle en a subi plusieurs.

J'ai sursauté : papa m'avait tout expliqué. Comment une femme pouvait-elle sacrifier son enfant ?

— Qu'est-ce que c'est, un avortement ? a hasardé Lucy.

Regard exaspéré de notre mère à son mari, par-dessus les boucles de Lucy.

— Tu n'as pas besoin de le savoir, Lucy !

— Le bruit court qu'elle a eu une liaison avec Kennedy, a repris papa.

— Tu bourres le crâne de tes filles avec des ragots ! s'est indignée grand-mère.

Papa a tapoté ses doigts sur le bord de sa tasse.

— A mon avis, c'est la pure vérité. Si le président est capable, hélas, de succomber à la tentation, je ne vois pas pourquoi Marilyn hésiterait à le tenter. Il n'y avait rien de bon à attendre d'une fille comme elle.

Mes pensées impures me semblèrent soudain bien bénignes par rapport aux fautes de Marilyn.

Un coude sur la table, Isabel tenait d'une main une tranche de bacon croustillant, qu'elle agitait distraitement.

— J'ai entendu parler d'une femme qui trompait son mari. Elle est partie en vacances avec son amoureux, ils ont pris un hélicoptère et quand elle est descendue, l'hélice lui a tranché le cou.

— Izzy ! a soupiré maman.

Lucy s'est levée de table et a disparu dans la maison en emportant son assiette.

— Je n'écoute plus ces histoires dégoûtantes !

Comme toujours, Isabel avait gagné l'approbation de notre père.

— Exactement... a-t-il articulé en l'observant à travers la table.

Quel aveuglement ! Et je n'avais même pas l'aplomb de lui dire qu'Izzy et Ned se retrouvaient sur le radeau chaque soir. Mes efforts pour pousser ma sœur dans les bras de Bruno avaient jusqu'à présent échoué et, les nuits où je sortais en bateau, Isabel et Ned s'étreignaient, s'embrassaient, et plus encore.

Dans l'après-midi, papa repartit pour Westfield, et je vis que Wanda et sa famille étaient encore sur l'autre rive du canal. Habituellement, ils ne pêchaient que le matin, mais, le temps étant assez frais, ils avaient dû choisir de rester toute la journée. Je décidai de les rejoindre.

Après avoir pris mon matériel de pêche dans le garage, j'allai sur le côté de la maison chercher un drap de bain sur la corde à linge. Celui d'Isabel, magnifique, se distinguait, avec son motif de girafe, parmi les serviettes usées. Puisque Izzy était déjà à la plage, je pouvais le lui emprunter sans risque, à condition que je l'aie remis en place avant qu'elle soit rentrée. Je le jetai sur mon bras, avant de me diriger vers l'arrière du jardin.

Comme ma ligne s'était rompue la dernière fois que je l'avais utilisée, je m'assis sur l'un des sièges d'extérieur pour la réparer. Dans le dock voisin, Ned et Ethan étaient sur le Boston Whaler avec leur père. J'apercevais le sommet de leurs crânes. Une discussion houleuse parvenait à mes oreilles, sans que je puisse en distinguer clairement le contenu.

Soudain, M. Chapman haussa le ton.

— J'ai dit *non* !

Ned vociféra quelque chose, mais ses mots restèrent inintelligibles pour moi.

— Rentre à la maison, Ethan !

Soit M. Chapman punissait son fils pour quelque méfait, soit – hypothèse plus vraisemblable, d'après le timbre de sa voix – cette conversation ne lui était pas destinée. Je fis mine d'être absorbée par ma tâche, au cas où l'un des Chapman regarderait dans ma direction ; en réalité, je m'efforçais d'entendre ce qu'ils disaient.

Quand la porte de la véranda eut claqué derrière Ethan, M. Chapman reprit la parole.

— Je t'interdis de la voir ce soir !

Si je ne parvenais pas à séparer Isabel et Ned, M. Chapman s'en chargerait peut-être. Partagée entre la curiosité et l'espoir, j'avais le nez collé à ma ligne, dont je respirais l'odeur saumâtre.

— Puisque tu savais, pourquoi as-tu cette réaction brutale ? s'étonnait Ned.

Son père baissa encore le ton. J'eus beau pencher la tête vers chez eux, les cheveux rejetés derrière mon oreille, je ne perçus rien. L'échange verbal se poursuivit quelques minutes encore et M. Chapman rentra chez lui. Pauvre Ned ! Je savais à quel point on se sent frustré et furieux après ce genre de remontrances.

Ayant terminé depuis longtemps ma réparation, j'emportai ma canne, mon seau et le drap de bain jusqu'à notre dock. Je descendis l'échelle et m'apprêtais à sauter dans le canot, quand Ned m'appela doucement.

Comme il approchait, je laissai tomber mon attirail dans le bateau et remontai jusqu'à lui. Une fois sur le sable, je me préparais à lui dire bonjour, mais il mit un doigt sur ses lèvres. D'un signe, je lui indiquai que j'avais compris : nous ne devions pas nous faire remarquer.

Il attendit d'être juste à côté de moi pour chuchoter :

— Izzy est à la maison ?

Il jeta un coup d'œil vers la sienne, comme s'il craignait d'être épié par son père. Manifestement, il mourait d'angoisse.

— Non, fis-je, étonnée de ne pas voir la petite girafe entre ses mains. Je crois qu'elle est allée à la plage avec Mitzi et Pam.

Je guettais une lueur d'excitation sur le visage de Ned à la mention de Pam, mais il ne manifesta aucun intérêt particulier. Soit George l'avait confondu avec un autre garçon quand il avait cru l'apercevoir sur le canal avec Pam, soit il avait cherché à me taquiner.

— Tu pourrais lui transmettre un message ?

— Bien sûr !

Je n'osai pas avouer à Ned que j'étais prête à tout pour lui, mais j'étais enchantée qu'il s'adresse à moi un dimanche. Mes cheveux étaient toujours brillants et ondulés, ce jour-là, parce que je me faisais un shampoing et un brushing avant d'aller à la messe. Ned avait-il remarqué comme ils étaient beaux ? D'un geste que j'espérais sexy, je les rejetai par-dessus mon épaule en parlant.

— Peux-tu lui dire que je ne la verrai pas ce soir ? me demanda Ned.

Je me sentis fière qu'il me traite comme une adulte digne de partager ses secrets !

— Pas de problème, je lui dirai.

— Merci !

Je grinçai des dents à l'idée qu'il allait m'ébouriffer les cheveux comme à une enfant, mais il plaça sa main sur ma nuque en me regardant dans les yeux.

— Tu es super, Jules.

Rien ne m'empêchait de me dresser sur la pointe des pieds pour l'embrasser : il était si proche de moi et si beau... Mais je gardai mes talons nus collés au sable et lui souris, pour lui faire comprendre que j'appréciais son compliment. Je repartis ensuite vers l'échelle.

Un moment après, encore excitée par le contact des doigts de Ned, je lançai ma ligne dans l'eau depuis l'autre côté du canal. J'avais suspendu le drap de bain d'Isabel sur la clôture, face à moi, de sorte que les grands yeux aux longs cils de la girafe semblaient posés sur moi. Wanda aimait tant cette serviette que j'aurais voulu lui en faire cadeau.

— Tu en as vu des vraies ? me demanda-t-elle, un doigt tendu vers la bête.

— Au zoo de New York, bien sûr ! Pas toi ?

— Hum !

En pêchant, j'échafaudai un nouveau projet. Je pourrais économiser assez d'argent pour que Wanda et peut-être George – s'il était gentil – prennent le train et passent la journée au zoo avec moi. Si Wanda n'avait jamais vu une girafe, elle n'avait probablement jamais vu non plus ni éléphant, ni rhinocéros, ni n'importe quel animal sauvage. Je me ferais une joie de l'initier à cet univers qu'elle ignorait ! J'essayais de trouver un moyen de m'absenter de chez moi, quand George m'arracha à mes pensées.

— Si tu me disais pourquoi l'amoureux de ta grande sœur parle à une gamine comme toi ?

Sans doute m'avait-il vue discuter avec Ned.

— Il me trouve super, lançai-je, le nez en l'air.

— Super... quoi ?

J'ignorai sa question.

— Si on allait un de ces jours, tous les trois, au zoo de New York ? suggérai-je.

— Tu crois que ton père te donnerait son autorisation ? demanda Wanda.

George se contenta de hocher la tête.

— Allez-y toutes les deux ! J'ai pas envie de me faire pincer en train de passer la frontière avec une fille blanche.

Notre discussion s'est poursuivie pendant plus d'une heure : je mûrissais mon plan, tandis que Wanda et George m'expliquaient pourquoi cela ne marcherait pas. Salena et les hommes se tenaient à une certaine distance, et je les entendais chanter en accompagnant les airs diffusés par la radio noire. Le poisson ne mordait pas, mais c'était le dernier de nos soucis.

Des bateaux de tailles et de formes diverses faisaient régner une grande animation sur le canal. Certains des plus grands se balançaient devant nous, attendant de passer. Dès qu'un encombrement s'était constitué, le pont émettait son cliquetis habituel, tandis que, au-dessus, la chaussée basculait lentement. Habituée à observer l'ouvrage depuis l'autre côté du canal, je buvais ce spectacle des yeux, quand un hors-bord vint s'arrêter sur le ponton, face à moi.

— Salut, Julie !

Surprise à la vue de Bruno, je lui rendis son salut. Sa chevelure sombre était légèrement ébouriffée par le vent, ce qui le rendait encore plus séduisant. Comme il était torse nu, ses muscles se dessinaient sous sa peau bronzée. Et quand il portait sa cigarette à sa bouche, son bras se transformait en un réseau accidenté de collines et de vallées.

— Que fais-tu ici ?

Il dévisagea Wanda, puis George, avant de reposer son regard sur moi. Sans ses lunettes de soleil, il pouvait difficilement masquer sa surprise. Comment pouvais-je frayer avec des Noirs ?

— Je pêche avec mes amis, Wanda et George. Et voici Bruno, précisai-je en me tournant vers eux.

Wanda et George gardèrent le silence : ils savaient que mon monde ne se mêlait pas facilement au leur.

— J'avais une question à te poser, fit Bruno.

Son engin dansa sur l'eau au passage d'un bateau ; il le maintint en équilibre.

— Vous êtes très proches, Isabel et toi ?

— Assez... Pourquoi ?

— A ton avis, est-ce que c'est sérieux entre elle et Ned ?

La promenade que j'avais programmée pour ma sœur, en compagnie de Ned et de Bruno, n'avait pas eu les conséquences que je souhaitais, mais une autre occasion semblait se présenter.

— J'ai l'impression qu'elle s'intéresse à lui moins qu'avant, murmurai-je.

— Pas un mot de notre conversation !

Bruno remuait à peine les lèvres, comme si ses paroles ne comptaient pas beaucoup pour lui. Je n'en devins que plus audacieuse.

— Qu'est-ce que tu attends pour lui parler ?

— Je ne sais pas si je suis son type d'homme...

— Elle ne sait peut-être pas encore quel est son *type*... répliquai-je d'un air entendu.

— C'est difficile de lui parler. Quand je la vois, il y a presque toujours Ned ou l'une de ses copines dans les parages.

Bruno me facilitait vraiment la tâche !

— Je sais comment tu peux la voir en tête à tête.

— Comment ?

— Vers minuit, il lui arrive de nager jusqu'au radeau pour s'y asseoir et rêver. Elle aime ces instants de solitude...

A vrai dire, Izzy avait horreur de cela, et je pensais plutôt à moi et au plaisir que me procuraient mes escapades nocturnes. Mais que m'importait la vérité ?

— Bizarre, fit Bruno.

Il n'était sans doute pas enclin à la méditation, lui non plus. Izzy et lui s'entendraient donc à la perfection.

— Elle apprécie d'être seule de temps en temps, insistai-je en haussant les épaules. Retrouve-la ce soir et tu pourras discuter avec elle sans être dérangé.

— Hum ! marmonna Bruno. Ned est un bon copain...

Il tourna ses magnifiques yeux verts du côté du pont de Lovelandtown et se mordit la lèvre inférieure. Je m'étonnai d'un tel manque d'assurance chez un garçon aussi imposant.

— Mais c'est tout de même une bonne idée Tu es sûre qu'elle sera là ce soir ?

— Absolument !

— Comment le sais-tu ?

— Papa rentre à Westfield, le dimanche, alors Isabel se sent plus libre. Elle risque moins de se faire repérer !

— Tu es sympa, Julie. Merci.

— Y a pas de quoi.

Bruno regarda derrière lui avant de reculer, puis s'éloigna vers le pont en me saluant. Quand le ronronnement du moteur se mêla aux autres bruits du canal, George se tourna vers moi :

— Ma fille, tu vas t'attirer des ennuis, grommela-t-il.

Je n'ai pas transmis le message de Ned à Isabel. Ce soir-là, nous sommes allées, Lucy et moi, sur la promenade en planches avec nos grands-parents, et Izzy est sortie avec des copines. Je savais qu'elle les quitterait pour rejoindre Ned sur le radeau. Elle était censée rentrer à la maison avant onze heures et demie, mais elle n'en tiendrait pas compte, se doutant que maman dormirait déjà. Mon projet m'excitait follement et je n'avais rien d'autre en tête quand je fis des tours de manège et mangeai une barbe à papa offerte par grand-père.

Je me sentais si astucieuse !

Après notre retour, je montai avec Lucy en attendant

qu'elle s'endorme. Allongée sur mon lit, je relisais *Alice et le pickpocket* derrière le rideau, mais dès la première phrase, je me mis à penser à Izzy et à ce qui se passerait à minuit. J'espérais que Bruno serait un peu plus posé que d'habitude. Je l'imaginais accostant au radeau et s'exclamant : « Isabel, c'est toi ? » comme s'il était étonné de l'apercevoir. Il avait intérêt à jouer la surprise et à ne pas dire bêtement : « Julie m'a prévenu que tu serais là. » S'il faisait cette gaffe, je le tuerais !

Isabel jetterait probablement un coup d'œil vers la plage en s'étonnant que Ned ne soit pas encore arrivé. Serait-elle gênée par la présence de Bruno ? Sans doute, car elle ne souhaiterait pas que son amoureux la surprenne en compagnie d'un autre pendant qu'elle l'attendait. Après avoir bavardé quelques minutes, elle commencerait à se détendre. Se rendant compte que Ned lui faisait faux bond ce soir-là pour une raison inconnue, elle verrait Bruno sous un jour nouveau. Seul un éclat de lune brillait dans la nuit ; Izzy ne risquait donc pas d'admirer les yeux de Bruno, mais elle pourrait tout de même le trouver séduisant. Je n'allais pas jusqu'à imaginer qu'elle l'inviterait sur le radeau, mais ils entameraient au moins une conversation. Et si elle se mettait à le comparer à Ned, avec un peu de chance, ce serait aux dépens de celui-ci.

Lucy s'endormit rapidement, ce qui était fréquent en ma présence. Après avoir tassé le dessus-de-lit sous les couvertures, je traversai le grenier à pas de loup et descendis les marches branlantes.

J'entendis les ronflements de grand-père en passant dans le salon, puis rejoignis maman et grand-mère sur la véranda pour une canasta. J'eus autant de mal à me concentrer sur la partie que j'en avais eu sur ma lecture.

— Tu n'es pas en forme, constata ma mère.

J'avais distribué douze cartes à chacune de nous, au lieu de onze. Ma troisième erreur en quelques minutes !

— Je me sens un peu fatiguée...

Grand-mère pressa sa paume contre mon front.

— Je ne suis pas malade, protestai-je en riant.

— Les deux font la paire, reprit grand-mère. Julie se sent fatiguée et Maria est presque aveugle...

Maman avait les yeux rouges et brillants. Elle nous apprit qu'elle s'était projeté du sable à la figure en secouant une couverture de plage avant de la laver.

— J'y vois parfaitement ! affirma-t-elle.

Elle semblait nerveuse.

Grand-mère fixa son jeu.

— J'ai rencontré Libby Wilson à l'église, ce matin, nous annonça-t-elle au bout d'un moment.

Ma mère piocha.

— Oui, je t'ai vue discuter avec elle. Que devient-elle ?

— Aucune idée ! Libby ne dit rien de ce qui la concerne, mais elle se rattrape avec les affaires d'autrui.

Grand-mère parlait vite. Son accent italien me paraissait particulièrement charmant, quoique difficile à suivre, quand elle s'animait.

— Qu'as-tu appris à ce sujet ?

Ma mère se défaussa d'un quatre de pique, puis tamponna son œil gauche larmoyant avec un mouchoir.

— Betty Sanders est à nouveau malade !

— Mon Dieu ! C'est la troisième fois... S'agirait-il par hasard d'un... ?

Maman baissa la voix : en ce temps-là, on ne prononçait pas le mot « cancer », comme si le simple fait d'évoquer la maladie vous rendait vulnérable.

J'essayais d'apercevoir sa montre. Elle semblait afficher dix heures et demie, mais je ne pouvais en jurer.

— Probablement, dit grand-mère en plaçant quatre reines sur la table, devant elle. Il paraît qu'on lui a retiré tous ses organes féminins, cette fois-ci.

— Oh ! fis-je, histoire de participer à la conversation.

Mon esprit était ailleurs, d'autant plus que j'ignorais qui était Betty Sanders.

— Je vais lui envoyer un mot, annonça ma mère.

— Libby m'a raconté que, l'automne dernier, le fils de Madge a été arrêté. Tu ne devineras jamais pourquoi.

— Pourquoi ?

— Accusé de viol, chuchota grand-mère.

— Doux Jésus ! Il est en prison ?

— On n'a pas pu l'épingler, parce que la victime était dévergondée.

Sur ces mots, grand-mère me donna un coup de coude.

— A toi de jouer, Julie.

— C'est terrible, fit maman tandis que je piochais. Le viol reste le viol, même s'il s'agit d'une dévergondée.

Cette allusion au sexe, en ma présence, me flattait. J'avais l'impression d'avoir franchi un seuil depuis mes premières règles et de ne plus passer pour une enfant aux yeux des adultes. Je savais que violer une femme signifiait lui imposer des relations sexuelles. Mais comment était-ce possible ? Comment s'y prenait un homme pour y parvenir ? Comment pouvait-il obliger une femme à ouvrir les jambes ? Le sexe, même mutuellement consenti, me semblait à peine imaginable. Je gardais un souvenir cuisant de ma tentative d'utiliser un tampon périodique. Si le sexe était une affaire si ardue, le viol pouvait-il exister ?

— Cette fille avait mauvaise réputation, objecta grand-mère. D'après Libby, Madge est furieuse que quelqu'un ait pu accuser son fils à tort.

— Et quand Madge Walker se met en colère, ce n'est pas rien, plaisanta ma mère. Te souviens-tu du jour où son mari a renversé par mégarde son verre sur elle, au club ?

Madge Walker... Distraite comme je l'étais, il me fallut un moment pour comprendre.

— Comment s'appelle son fils ?

— Je ne sais pas, mais elle n'en a qu'un.

Combien de familles Walker y avait-il dans notre petite communauté ?

— Il me semble qu'il s'appelle Bruce, fit alors maman.

— Peut-être, repartit grand-mère.

Mon cœur se mit à battre de plus en plus vite et je scrutai le visage de ma mère : obnubilée par ses cartes, elle ne voyait pas le lien entre ce Bruce Walker qui avait peut-être commis un viol et Bruno, le garçon figurant parmi les copains d'Isabel. Elle avait même autorisé ma sœur à faire un tour en bateau avec Ned, pourvu que Bruno les accompagne.

Et dire que j'avais envoyé Bruno retrouver Izzy, qui serait seule avec lui en pleine nuit !

— La police a conclu qu'il n'avait pas réellement forcé la fille ? demandai-je en me débarrassant d'un sept de trèfle sans y prêter attention.

Grand-mère leva le petit doigt.

— On n'a rien pu prouver. C'était une fille de mœurs légères, mais elle avait des bleus. Voilà pourquoi il faut toujours songer à ta réputation, Julie.

— Même s'il ne s'agit pas d'un viol au sens propre du terme, ce garçon a fait des choses répréhensibles, constata maman en s'essuyant les yeux.

— C'était un *viol,* Libby en est certaine, trancha grand-mère.

Maman et grand-mère continuèrent à papoter au sujet des gens du voisinage, tandis que mon esprit vagabondait. Bruno m'avait semblé fort peu sûr de lui, quand je lui avais suggéré de parler à Isabel. Un violeur n'aurait pas eu cet air intimidé et vulnérable. Il était certainement innocent et cette fille avait menti pour lui attirer des ennuis.

Une fois couchée, vers onze heures, je ne parvins pas à trouver le sommeil. Avais-je mis Isabel en danger ? Etait-elle encore chez l'une de ses copines ? Devais-je me faufiler dehors pour essayer de la prévenir ? J'aurais souhaité téléphoner, mais l'appareil était sur le mur du salon, trop près de la chambre à coucher de mes parents.

Je me glissai au pied de mon lit, derrière le rideau de l'alcôve, pour jeter un coup d'œil par la fenêtre. Il faisait nuit noire et le canal était à peine visible. L'eau, les bois et le ciel avaient le même ton bleu marine. Assise, j'écoutai les grillons, de plus en plus perplexe à mesure que les minutes s'écoulaient. Je me souvins brusquement de Bruno parlant d'Isabel dans la voiture de Ned et faisant avec ses mains une allusion muette à ses seins. Mon Dieu !

Mais non, tout se passerait bien ! Bruno n'irait peut-être pas voir Isabel. Elle reviendrait donc à la maison, furieuse contre Ned. Une bonne chose pour moi, du moins jusqu'à ce qu'il révèle à ma sœur qu'il m'avait chargée de la prévenir. Je venais de comprendre combien

Ned serait contrarié par mon prétendu oubli. Il ne me restait plus le moindre espoir d'éveiller un jour son intérêt !

Le mot « viol » me revenait sans cesse à l'esprit. Bruno était-il un violeur ? J'eus une pensée pour celle qui l'avait accusé. Elle avait des « bleus », d'après ce qu'avait raconté grand-mère.

Je me levai, incapable de rester au lit. Le réveil, sur ma table de nuit, indiquait minuit moins le quart. A quoi bon ressasser ? Le moment était venu de passer à l'action, c'est-à-dire d'aller à la plage. Je descendis tranquillement l'escalier escamotable : si le courant était orienté vers la baie, je prendrais le bateau ; sinon, je courrais. J'aurais souhaité utiliser mon vélo, mais si j'ouvrais la porte du garage, je risquais de réveiller la maisonnée.

Une fois sur la véranda, je décidai d'aller chercher Ned. Je lui avouerais ma faute et lui demanderais de m'accompagner. L'affaire était assez sérieuse pour que je passe aux aveux !

Je sortis de la villa en catimini et courus, à travers le sable, jusqu'à la porte derrière la maison des Chapman. La main levée pour frapper, j'eus une hésitation : pas une lumière ne brillait aux fenêtres. A quoi bon réveiller les parents de Ned et leur expliquer ma machination stupide ? Ils avertiraient maman, ce qui serait une perte de temps inutile. Je fis volte-face. Dans les ténèbres, j'aperçus le contour de quatre sièges de jardin alignés, tandis que je battais en retraite vers notre ponton.

Le flux, lent, s'écoulait vers la baie et l'eau luisait de méduses phosphorescentes. C'était la première fois que je voyais ce scintillement cet été-là. Je jugeai que c'était bon signe : j'avais besoin de me rassurer sur la suite des événements. Je détachai le bateau, descendis l'échelle et sortis du dock à la rame.

Le canot glissa vers la baie. Assise près du moteur, je tenais la barre pour contrôler la direction. Combien de temps s'était écoulé depuis que j'avais regardé l'heure ? Cinq minutes ? Dix ? Dès que je parviendrais à l'extrémité du canal, je mettrais le moteur en marche pour atteindre le radeau. Bruno ne serait sans doute pas arrivé, car il n'était pas encore minuit ; j'aurais donc le temps de dire à Isabel que j'avais oublié de lui transmettre le message de Ned et la ramènerais chez nous. Et si Bruno était déjà là ? Eh bien, j'inventerais quelque chose sur-le-champ ! N'importe quoi, pour ne pas laisser ma sœur en tête à tête avec lui !

C'était le moment de lancer le moteur. Je tirai sur le câble et n'obtins pour tout résultat que des crachotements. Je réitérai mon geste encore et encore ; la mécanique se comportait comme le jour où j'avais emmené Wanda et George sur la rivière, mais George n'était pas là pour me remplacer. Je m'acharnai, en vain, et dérivai. Un frisson me traversa lorsque j'atteignis la vaste étendue d'eau sombre. Une brise soudaine m'éloignait du but que je m'étais fixé. Il fallait à tout prix que je parvienne à démarrer. J'insistai, le bras endolori par l'effort et les doigts brûlants d'ampoules. Je fis une pause, les yeux tournés vers « notre » plage, dans l'espoir de discerner le radeau. Rien ne troublait le silence et un souffle léger caressait mon visage.

Soudain, un cri fusa dans la nuit.

Je me levai d'un bond en faisant tournoyer mes bras pour ne pas tomber par-dessus bord.

— Isabel !

Le vent entraîna le son de ma voix derrière moi.

Un autre cri retentit et j'entendis distinctement un appel au secours... C'était Isabel, sans l'ombre d'un doute.

— Izzy ! Izzy ! hurlai-je, les mains en coupe autour de ma bouche.

Je m'effondrai à genoux dans le canot, tirant de toutes mes forces sur le câble. Au milieu de mes sanglots, je ne cessai d'appeler ma sœur, tandis que je dérivais au large de la baie de Barnegat.

37

Lucy
1962

Dès que j'ouvris les yeux, je sus que j'étais seule dans le grenier. La lampe de chevet était allumée derrière le rideau de Julie, mais la montagne boursouflée que j'apercevais dans son lit ne correspondait pas à sa silhouette, à moins qu'elle n'ait pris vingt-cinq kilos depuis la veille. Les stridulations nocturnes des grillons et le clapotis de l'eau, portés par la brise, me parvenaient à travers les fenêtres ouvertes. Le rideau n'était pas encore tiré autour du lit d'Isabel et le couvre-lit en chenille blanche était soigneusement remonté sous les oreillers. Au bord de la panique, je retins mon souffle. Quelqu'un se cachait derrière la cheminée qui trônait au milieu de l'espace ! Ou derrière le rideau de la salle de bains !

C'était plus fort que moi : quand je levai les yeux au plafond, la tête d'homme était là... Au lieu de me ridiculiser en hurlant comme je l'avais fait récemment, j'allais m'en tirer par mes propres moyens. Je n'étais plus un bébé !

Au bout de trois ou quatre minutes, paralysée par la peur, je n'avais pas encore eu la force de m'asseoir. Je réussis à me déplacer lentement et sans bruit, pour ne pas alerter l'intrus qui se dissimulait tout près. Après avoir marché sur la pointe des pieds jusqu'à l'escalier, je faillis dégringoler dans les marches en prenant la fuite. Le cœur battant, je me retrouvai, seule, au milieu du salon. Où étaient passées grand-mère, maman et Julie ? Plus aucune lumière dans la maison... Quelle heure était-il ? Julie dormait probablement sur la véranda et Isabel, chez Mitzi ou Pam.

Mon père était à Westfield mais, du corridor longeant la chambre des parents, j'entendis la respiration paisible de maman. Il n'en fallut pas plus pour me rassurer. Je m'allongeai sur les coussins moelleux du canapé et sombrai dans un profond sommeil en respirant l'odeur de moisi du vieux tissu d'ameublement.

— Lucy !

La voix de grand-mère me réveilla. Debout au centre de la pièce, elle transportait une pile d'assiettes pour dresser la table du petit déjeuner.

— Tu as passé la nuit ici ?

— Hum ! fis-je, désorientée, en m'asseyant sur le canapé. Isabel n'était pas rentrée et Julie a dormi sur la véranda.

— Qu'est-ce qu'on va faire d'une fille comme toi ?

Grand-mère sortit sur la véranda et je la vis jeter un coup d'œil vers le lit.

— Où est Julie ? me demanda-t-elle en posant son fardeau.

— Aucune idée. Elle a dû remonter...

— Va lui dire que c'est l'heure du petit déjeuner. Es-tu sûre qu'elle a couché en bas ? J'ai l'impression que les draps n'ont pas été défaits.

Encore dans les vapes, j'allai au grenier. Julie ne s'y trouvait pas et la loupiote était allumée sur sa table de nuit. Je passai derrière le rideau pour l'éteindre et vis le dessus-de-lit négligemment empilé sous les couvertures, pour me duper. A quoi bon m'inquiéter au sujet de Julie ? Elle avait dû se lever de bonne heure et avait fait son lit – ce qui n'était guère dans ses habitudes – avant de partir pêcher des poissons ou des crabes.

J'enfilai mon short sur mon maillot de bain et redescendis. L'odeur du café et du bacon flottait déjà dans l'air, tandis que maman se mettait à table.

Grand-père apparut, portant un plat garni de tranches de bacon.

De sa main libre, il m'ébouriffa les cheveux.

— Bonjour, mon rayon de soleil.

— Bonjour, grand-père, répondis-je en le suivant sur la véranda.

Ma mère me regarda m'asseoir.

— Où sont passées Isabel et Julie ?

— Je pensais qu'Isabel était restée chez une copine...

Maman fronça les sourcils :

— Laquelle ? Elle ne m'a pas demandé l'autorisation.

— J'sais pas...

— Et Julie est là-haut ?

— Non. Je croyais qu'elle avait dormi sur la véranda.

Ma mère examina le lit, comme grand-mère une vingtaine de minutes plus tôt. Des sillons creusaient son front.

— J'ai fait ce lit moi-même avant-hier. On dirait qu'il est demeuré intact.

Grand-père se leva si brusquement que la table vibra au contact de ses cuisses. Il scrutait le dock.

— Le canot a disparu !

Grand-mère, maman et moi avons tourné la tête lorsqu'il a poussé la porte-écran. Dans le jardin, il a regardé à droite, puis à gauche quand il a atteint la clôture près du canal. De ma place, je ne distinguais que deux voiliers se dirigeant vers la baie.

Grand-père est revenu à grands pas vers nous.

— Je ne vois personne !

Son ton anxieux me coupa instantanément l'appétit et je laissai tomber ma tranche de bacon dans mon assiette.

— Je téléphone chez Mitzi, annonça maman en se levant. Quoique...

Elle se tourna vers grand-mère d'un air préoccupé :

— Pourquoi Isabel et Julie auraient-elles disparu *toutes les deux* ? Et le canot ? Ça n'a aucun sens !

— Ne dramatise pas, fit grand-mère. Il y a sûrement une explication logique.

Ma mère appela Mitzi et Pam. Isabel n'avait dormi chez aucune des deux ; et elles ne l'avaient pas vue depuis qu'elle était partie de chez Mitzi, tard dans la soirée, pour rentrer à la maison. J'observai maman après qu'elle eut parlé à Pam : elle faisait face à la demeure des Chapman et, bien que plusieurs murs la séparent de Ned, je savais à qui elle pensait.

Après avoir retiré son tablier, elle s'éclipsa par la porte de derrière. Grand-mère et moi étions assises à table, sans toucher à notre petit déjeuner.

— On s'affole pour rien, dit-elle.

Debout à côté de la porte-écran, grand-père fixait le canal en attendant le retour de ma mère. Elle reparut au bout d'un moment. En la voyant courir à travers le jardin, pour la première fois de ma vie, je compris qu'un événement terrible s'était produit.

Grand-père poussa le battant et maman déboula sur la véranda.

— Il y a un problème ! Ned n'a pas vu Isabel depuis hier matin... Joan Chapman était assise dehors, ce matin au lever du soleil, et elle a remarqué que notre embarcation n'était pas là. Elle pensait que tu étais à la pêche, papa.

Je me levai, en larmes, et tordis mes mains comme une vieille femme.

— Il faut appeler la police maritime, déclara grand-père.

Ma mère tourna les yeux vers le terrain des Chapman, où j'aperçus Ned en train de détacher la vedette du ponton.

— Ned part à la recherche des filles, expliqua maman.

Grand-père sortit.

— Où vas-tu ? s'enquit grand-mère.

— J'accompagne Ned !

Ma mère avança vers les portes-fenêtres permettant d'accéder à la maison depuis la véranda.

— J'appelle Charles ! Il faut absolument qu'il vienne.

— Ne te hâte pas de conclure, suggéra grand-mère. Je pense que...

Maman fit volte-face.

— *Mère !* s'exclama-t-elle d'un ton qui me rappela aussitôt Izzy. Isabel et Julie ont disparu, et le canot aussi. On peut s'attendre au pire...

Grand-mère s'était levée ; elle passa un bras autour de mes épaules.

— Maria, tu es en train de perturber Lucy.

— Il y a peut-être de quoi, chuchota ma mère en s'engouffrant dans le salon.

Grand-mère me lâcha, marmonna quelques mots en italien et se mit à débarrasser la table. Je m'approchai de la porte-écran, le nez collé contre le treillis métallique, dont je respirai l'effluve en regardant grand-père et Ned Chapman filer en direction de la baie. Depuis lors, j'assimile cette odeur de métal et de poussière à cet instant.

38

Julie
1962

Au cours de cette nuit effroyable, mon canot finit par accoster. J'espérais avoir abordé l'une des petites îles broussailleuses, à l'entrée de la baie, mais j'étais si anxieuse et déboussolée que je n'avais aucune certitude. L'eau clapotait presque en silence contre la coque et, derrière moi, s'élevaient les stridulations des grillons et les coassements des grenouilles à des fréquences variées. Des moustiques, invisibles et insatiables, fondaient en piqué sur mes bras, mes jambes et mon visage. J'étais terrorisée, moi qui n'avais pratiquement peur de rien, à cette époque.

Qu'avait donc fait Bruno à Isabel ? Je priais le ciel qu'elle ait pu s'enfuir avant qu'il parvienne à la brutaliser ou à la violer. J'imaginais Izzy courant, pieds nus et peut-être dévêtue, sans reprendre son souffle, jusqu'à ce qu'elle ait atteint la maison. Si elle était indemne, je faisais le serment de ne plus avoir de pensées impures, de ne plus proférer un seul mensonge et de ne plus désobéir à mes parents. Ma conduite devait changer, car j'étais une fille peu recommandable.

Assise dans l'embarcation, je n'osais pas en sortir. Pieds nus, sur quoi allais-je marcher ? J'avais perdu mon sentiment de sécurité et je comprenais, pour la première fois, ce que ressentait Lucy dans l'obscurité du grenier. Plus jamais je ne me moquerais d'elle. Je chérirais mes sœurs. Mais que Dieu protège Isabel !

Puisque je n'irais nulle part, je m'allongeai au fond du bateau. Je n'avais même pas une serviette à étaler sous moi ; je me rappelai alors que j'avais oublié le drap de bain d'Isabel de l'autre côté du canal. Que d'erreurs j'avais commises, au cours de cette maudite journée ! Je vis, sans aucun plaisir, quelques étoiles filantes traverser la voûte céleste et sombrai dans un sommeil agité, en entendant résonner le cri d'Izzy dans ma tête.

Le soleil levant commençait à réchauffer l'air quand je me réveillai sous un ciel rose. Je sursautai, au souvenir de l'endroit où j'étais, puis gémis de douleur, car j'avais attrapé un torticolis pendant la nuit. Je dus tourner mon corps tout entier pour voir que je me trouvais effectivement sur l'un des îlots à l'entrée de la baie, mais si loin de notre plage que je ne distinguais même pas le radeau. Si le canot n'avait pas achevé sa course là, jusqu'où aurais-je dérivé ?

Au loin, j'apercevais deux voiliers et un engin semblable au mien. A bord, des gens semblaient pêcher. Je me levai avec précaution et agitai les bras dans leur direction.

— Au secours ! criai-je. Au secours !

Ils ne me remarquèrent pas et les voiliers gardèrent leur cap.

Un bruit de moteur me surprit ; j'exécutai une volte-face. Un Chris-Craft passait comme une flèche à proximité. Je fis des gestes frénétiques en hurlant pour attirer l'attention des passagers.

— Par ici !

J'allais désespérer, quand le Chris-Craft tourna et se dirigea vers moi.

Le jeune homme qui le pilotait l'arrêta à une dizaine de mètres du rivage : il craignait manifestement de s'échouer s'il approchait davantage.

— En panne ? lança-t-il.

Un autre garçon et deux filles l'accompagnaient. Une paire de skis dépassait du bord.

— Oui, marmonnai-je. Je n'ai pas réussi à... En fait, j'ai calé et je n'arrive pas à redémarrer.

A quoi bon dire à cet inconnu que j'avais passé la nuit là ? Mes piqûres me démangeaient horriblement et je n'avais qu'une envie : rentrer à la maison. Peu m'importait la punition qui me serait infligée ! Je voulais en finir avec cette sale histoire dans laquelle je nous avais fourrées, ma sœur et moi. L'avait-on hospitalisée ? Allait-on à l'hôpital quand on était victime d'un viol ?

Mon sauveur retira son tee-shirt, sauta dans l'eau, qui lui arrivait jusqu'à la taille, et avança lentement vers moi. Il me rejoignit bientôt. Il était beaucoup plus jeune que je ne l'avais cru et devait avoir seize ou dix-sept ans. Son premier réflexe fut de tirer sur le câble du moteur à plusieurs reprises, sans succès.

— Hors service ! conclut-il. Viens avec nous, on va te déposer où tu voudras.

— J'habite sur le canal et j'ai hâte d'être chez moi.

— D'accord, grommela mon interlocuteur, comme si ma réponse ne l'enchantait pas. Ton canot n'ira plus nulle part ; on t'emmène.

Je montai sur le Chris-Craft, aidée par les trois autres navigateurs, quand j'aperçus le Boston Whaler des Chapman à moins de cinquante mètres. Grand-père se tenait près de Ned. La fatigue et la confusion aidant, je ne m'étonnai même pas de les voir ensemble.

— Hé ! lançai-je.

Je m'empressai d'expliquer à mes compagnons, interloqués, qui étaient ces deux personnes.

Je criai à nouveau et celui qui m'avait sauvée actionna la sirène. Grand-père tourna la tête, je lui adressai de grands signes et la vedette changea de cap. Dès qu'elle nous eut rejoints, je remerciai mes sauveteurs et grimpai à bord, soutenue par grand-père.

Mon supplice prenait fin ! Je m'effondrai sur un siège, sur le point de craquer, mais je ne pouvais pas me permettre de sangloter en présence de Ned.

— Où est Isabel ? me demanda-t-il aussitôt.

Une soudaine angoisse me serra la gorge.

— Qu'est-ce que tu veux dire ?

— Quand nous nous sommes réveillés, ce matin, vous aviez disparu toutes les deux, précisa grand-père.

Tétanisée, j'imaginai aussitôt des mensonges pour me protéger.

— J'ai oublié de lui transmettre que... tu ne pouvais pas la rejoindre hier soir, Ned.

Mais n'avais-je pas prêté serment de ne plus mentir, si ma sœur s'en sortait indemne ? Je passai donc aux aveux :

— En réalité, je n'ai pas oublié. Je ne l'ai pas prévenue, à cause de Bruno... Il voulait lui parler, alors je lui ai dit où il pourrait s'entretenir avec elle en tête à tête.

Il était si tôt que Ned ne portait pas encore ses lunettes

de soleil. Quand il me dévisagea, je vis une lueur de colère briller dans ses yeux bleus.

— Tu lui as arrangé un rendez-vous avec Bruno ! s'indigna-t-il.

— Qu'est-ce que c'est que cette histoire ? s'enquit grand-père.

Ned s'avança d'un pas, posa ses mains autour de ma taille, me souleva et me jeta à l'eau.

Je coulai comme une pierre et revins à la surface en crachotant.

— Petite garce !

— Hé là ! fit grand-père, une main levée pour me protéger des insultes de Ned.

Il se pencha ensuite pour m'aider à remonter. Je me mis à frissonner, malgré la chaleur de l'air et la température à peine plus fraîche de la flotte. Mon cou crispé m'envoyait des décharges de douleur dans la nuque.

— Vous deux, reprit grand-père, ce n'est pas le moment de vous disputer, même si vous n'êtes pas d'accord ; il s'agit d'une situation sérieuse. J'exige la vérité !

Au passage d'un bateau de plus grande taille, le Boston Whaler se souleva et retomba. J'eus la nausée. Nous savions, Ned et moi, que nous avions des choses à cacher, mais qu'il nous serait impossible de les dissimuler très longtemps.

— Nous nous retrouvons quelquefois sur le radeau de la plage, Isabel et moi, expliqua Ned. A minuit...

Grand-père se figea, sans laisser sa colère transparaître sur son visage.

— Bon ! Et que s'est-il passé hier soir ?

— Bruno m'a demandé où il pourrait trouver Isabel,

balbutiai-je. Je lui ai dit qu'elle serait certainement sur le radeau à minuit. J'y suis allée aussi... et j'ai...

Je m'interrompis, glacée d'effroi.

— Et tu as... *quoi* ? s'impatienta Ned.

— J'ai entendu Isabel crier... Elle appelait au...

— Actionne ta sirène ! ordonna grand-père à Ned.

Mais il s'en chargea lui-même, tout en faisant un signe de l'autre main.

En me retournant, je vis la vedette de la police maritime, qu'il venait de héler.

— Nous avons récupéré Julie, la fillette de douze ans, annonça grand-père, dès que les policiers furent à portée de voix, mais l'aînée n'a toujours pas reparu.

Je compris alors que des recherches avaient été lancées pour nous retrouver.

— Elles n'étaient pas ensemble ? fit son interlocuteur.

— Non. Il faut aller immédiatement au radeau de la plage de Bay Head Shores ! La petite a entendu un cri venant de là, vers minuit.

Nous avons foncé dans cette direction. Debout à côté de Ned, grand-père se retenait au pare-brise en regardant droit devant lui.

— Pardon, grand-père ! ai-je murmuré.

Il ne m'a pas répondu. Le bruit assourdissant du moteur avait peut-être couvert mes paroles. Ned a ralenti aux abords de la plate-forme déserte. Sur la plage, une femme promenait un grand chien brun.

La vedette de la police s'est garée le long du radeau, mais Ned avait les yeux posés sur un amas d'algues, en bordure du sable.

— Mon Dieu ! s'est-il exclamé.

Après s'être débarrassé de son tee-shirt, il a plongé et

nous l'avons regardé nager vers le point qu'il fixait. Il m'a fallu un long moment pour prendre conscience que le corps de ma sœur gisait là.

Ensuite, mon souvenir le plus marquant est une douleur lancinante à la poitrine et à la gorge. Je croyais avoir une crise cardiaque. Ce jour-là, j'ai compris ce que signifiait « lugubre ». C'est aussi le jour où ma mère m'a frappée. Elle qui n'avait jamais levé la main sur moi m'a giflée violemment quand elle a appris le rôle que j'avais joué dans la mort d'Isabel.

— Comment as-tu été capable de faire une chose pareille ?

Ma joue me brûlait et mon visage ruisselait de larmes, mais maman a insisté :

— Tu étais sur la véranda avec grand-mère et moi, hier soir, quand nous avons parlé du fils Walker. Tu nous as entendues dire qu'il avait été accusé de viol et tu n'as pas bronché ! Comment est-ce possible ?

Elle se préparait à m'administrer une autre claque, alors grand-père s'est interposé.

— Maria, calme-toi !

— Il fallait prévenir les adultes ! a crié ma mère.

Grand-père a passé un bras autour de mes épaules, mais maman n'arrêtait pas de hurler :

— *Comment est-ce possible ? Comment ?*

Que répondre ? Présenter des excuses me semblait si vain que je demeurais muette. La tête baissée, j'essayais de me blottir contre grand-père, mais il me paraissait distant, malgré son attitude protectrice.

Un serpent s'était niché au fond de mes entrailles.

— Je me sens mal ! m'écriai-je.

Je m'arrachai à l'étreinte de grand-père et fonçai dans la salle de bains.

Ne pouvant vomir, car j'avais le ventre vide, je m'assis sur le couvercle des toilettes et sanglotai. J'entendais maman et grand-mère gémir dans le salon. Personne ne vint me réconforter. Je dus rester ainsi une quarantaine de minutes, trop effrayée pour sortir de la pièce et affronter ma famille.

Mon père arriva. Ma mère lui parla dans le corridor près de la salle de bains. Je les imaginai en train de s'embrasser. Le chagrin de papa était aussi violent que celui de maman ; mes larmes redoublèrent, tandis que je tanguais d'avant en arrière. Je savais que j'avais privé papa de sa fille préférée...

Quand des portières claquèrent, je me mis à la fenêtre : un véhicule de la police s'était garé sur le chemin de terre devant la maison et deux hommes en uniforme longeaient le trottoir.

Les yeux fermés, je perçus des pas proches, puis on frappa à la porte.

— Julie, ça va ? s'enquit grand-père.

— Oui...

— Sors ! Les policiers souhaitent te parler.

Je me levai et allai ouvrir à contrecœur. Je fixai grand-père. Ses yeux étaient rougis.

— Grand-père...

J'aurais voulu lui dire que je ne l'avais pas fait exprès, mais mon péché était impardonnable. Une main sur mon épaule, il me guida jusqu'au salon. Je distinguai le jardin, où les officiers de police s'entretenaient avec mon père. Des voix s'échappaient de la chambre de mes parents :

maman et grand-mère y étaient avec Lucy. Des voix étouffées, entrecoupées de sanglots ; puis un hoquet de ma sœur.

J'essuyai mon visage du revers de la main en traversant la véranda. Grand-père ouvrit la porte-écran et je faillis trébucher sur les deux marches menant à l'extérieur, car j'avais les jambes comme du coton. Papa leva les yeux quand le battant se referma avec un bruit sec derrière nous. Je reconnus l'inspecteur Davis, qui avait chanté mes louanges le jour où j'avais retrouvé Donnie Jakes sur la plage. Héroïne déchue, je me sentis humiliée.

Ned et son père étaient également présents. Je pris soudain conscience de ma bêtise : Ned appartenait au monde des hommes. Comment avais-je pu m'imaginer qu'une gamine aux jambes maigres comme moi lui inspirerait des sentiments romantiques ? Je n'étais qu'une petite oie qui jouait à des jeux d'adultes, aux conséquences dramatiques.

Mon père s'approcha en boitillant et me serra contre lui.

— Je sais que tu ne lui voulais pas de mal, souffla-t-il à mon oreille, brisé.

Il se tourna ensuite vers les policiers, mais je lui serais éternellement reconnaissante de ces quelques mots.

— Vous étiez censé rencontrer Isabel Bauer, la nuit dernière ?

Davis s'adressait à Ned, qui semblait déjà se lasser de répondre à ses questions.

— En principe, mais je n'ai pas pu...

Ned jeta un coup d'œil à son père et je me souvins de la discussion à la suite de laquelle il avait renoncé à voir ma sœur.

— Comme je n'étais pas autorisé à sortir hier soir, j'avais demandé à Julie de transmettre ce message à Izzy.

— Pourquoi n'étiez-vous pas autorisé à sortir ?

— Mon fils n'a guère participé aux tâches ménagères, cet été, intervint M. Chapman. Toujours par monts et par vaux... Nous avions décidé, ma femme et moi, qu'il resterait à la maison, pour une fois.

— Avez-vous pris part aux *tâches ménagères,* hier soir ? demanda Davis.

— Oui, confirma Ned.

— Qu'avez-vous fait exactement ?

— Je n'ai pas tué Izzy ! Vous devriez interroger Bruno Walker.

— Je ne prétends pas que vous l'avez tuée et je vais me mettre en quête de M. Walker. Pour l'instant, j'essaie de reconstituer ce qui s'est passé durant la soirée. Qu'avez-vous fait dans la maison ?

— J'ai balayé et lavé la vaisselle, et mon frère l'a essuyée. J'ai plié le linge... J'ai réparé une radio... Ça ne vous suffit pas ?

— Du calme, Ned, chuchota M. Chapman. Cette attitude ne te mènera à rien.

— Et où étiez-vous hier, vers minuit ? reprit Davis.

— Vous n'avez pas à considérer mon fils comme un suspect, objecta M. Chapman. Il ne répondra plus à vos questions tant que nous n'aurons pas contacté son avocat.

Je me rappelai alors que M. Chapman était lui-même avocat et président de la Cour suprême du New Jersey. Je n'avais pas à m'inquiéter pour Ned, son père saurait le conseiller. Pourquoi l'inspecteur, qui avait été si charmant avec moi quand j'avais retrouvé Donnie Jakes, questionnait-il Ned de cette manière ? Cet aspect caché de sa personnalité me décevait.

— Réponds, Ned ! s'écria papa. Où étais-tu la nuit dernière ?

Je remarquai que le collègue de Davis avait posé la main sur le bras de mon père, comme pour le retenir de frapper Ned au visage. Qu'avait bien pu apprendre papa avant que j'arrive avec grand-père ? J'imaginais sa réaction lorsqu'il avait découvert qu'Isabel et Ned se retrouvaient presque chaque soir sur le radeau.

— Il s'est démené dans la maison, intervint M. Chapman. J'étais fier qu'il nous ait finalement aidés, puis nous avons passé une heure dans le jardin à observer la pluie d'étoiles filantes...

Il lança un regard à son fils.

— Nous avons mangé des crèmes glacées... Il devait être environ minuit quand nous sommes rentrés nous coucher. N'est-ce pas, Ned ?

Ned baissa les yeux et marmonna :

— Je n'ai pas vérifié l'heure.

Davis fit claquer son bloc-notes.

— Très bien, vous pouvez disposer. Nous allons rester en contact... A présent, j'aimerais m'entretenir avec Julie, que voici.

Ned repartit, suivi par son père ; papa m'escorta jusqu'au siège de jardin à deux places. Je m'assis à côté de lui et grand-père prit une chaise près de nous, tandis que Davis et l'autre policier s'adossaient à la clôture métallique.

— Si tu commençais par le commencement, Julie, me dit Davis d'un ton bienveillant.

Je fis un récit détaillé des événements, retenant mes larmes pour lui fournir un témoignage convenable. Et sans omettre que j'avais arrangé un rendez-vous entre Bruno et ma sœur quand je pêchais avec Wanda !

— Je t'avais demandé de ne pas aller là-bas, soupira mon père, comme si le fait que j'aie frayé avec la famille Lewis était la cause de cette histoire tragique.

J'avouai aussi que j'avais pris l'habitude, chaque soir, d'observer Isabel et Ned sur le radeau.

— J'étais jalouse d'elle, soufflai-je d'une voix rauque. Je ne voulais pas qu'elle soit la préférée de Ned... Mais je ne souhaitais pas sa mort...

Mon père posa une main sur mon dos. Je n'aurais su dire s'il voulait me rassurer par ce geste ou s'il me faisait comprendre que je parlais trop et que j'aurais intérêt à me taire.

Une fois seule avec mes parents, après le départ des inspecteurs, je me sentis encore plus mal à l'aise. Une tension insupportable régnait à la maison. Maman et grand-mère s'affairaient dans la cuisine ; leur silence était ponctué de soudaines crises de sanglots. Papa et grand-père discutaient gravement sur la balancelle, près du lit de la véranda. Lucy s'était pelotonnée sur le canapé du séjour, les yeux fermés, le pouce dans la bouche et le nez encore rouge à force d'avoir pleuré. Où aller ? Je songeai un instant à me réfugier dans la lecture, mais les énigmes infantiles et artificielles d'*Alice* ne m'inspiraient plus que du dégoût.

Le regard perdu dans le vague, je m'installai un moment à côté de Lucy. Je souhaitais de tout mon cœur qu'elle se réveille pour me parler, mais elle dormait comme une droguée. L'était-elle ? Quelqu'un lui avait peut-être administré je ne sais quelle médication pour qu'elle s'écroule malgré son chagrin.

Je finis par me relever et me diriger vers la cuisine.

— Je peux vous aider ? demandai-je d'une toute petite voix.

J'essayai de me glisser sur la pointe des pieds dans le giron familial.

Ma mère m'observa d'un air étonné, comme si elle avait oublié mon existence ; puis elle se détourna.

— Désolée de t'avoir frappée, Julie, me dit-elle en se concentrant sur le contenu de la poêle à frire.

— Ce n'est rien.

Grand-mère me tendit le couteau Econome en me désignant un tas de pommes de terre sur le comptoir.

— Tiens ! Tu peux les éplucher.

Nous avons travaillé dans un silence inhabituel mais bienvenu. Nos paroles n'auraient pu être dictées que par la souffrance et la colère. Je pelai chaque tubercule à la perfection en extrayant méthodiquement les yeux. J'aurais aimé que cette tâche se prolonge tout l'après-midi, car je n'avais aucune idée de ce que je pourrais faire ensuite.

Le téléphone sonna. Maman tressaillit sans esquisser un pas en direction du salon. Figée devant l'évier, une spatule à demi lavée dans la main, elle laissa à mon père le soin d'aller répondre. Nous l'entendîmes dire « allô » dans le combiné ; mais nous avions beau tendre l'oreille, l'essentiel de la conversation nous échappa.

Il nous rejoignit enfin.

— Isabel n'a pas été... Il n'y a pas eu de viol, grâce au ciel !

— Que s'est-il passé, d'après la police ?

Je n'avais jamais entendu ma mère s'exprimer d'une manière aussi hésitante, comme si elle craignait de connaître la réponse.

— Isabel s'est noyée, mais elle a d'abord été malmenée. Elle a des contusions sur l'épaule et le bras, et une bosse à la tête. Elle a sans doute cherché à repousser ce dénommé Walker, puisqu'elle est tombée à l'eau – à moins qu'elle n'ait sauté – et son crâne a heurté le bord du radeau.

Maman jeta brusquement l'ustensile contre le mur et enfouit son visage entre ses mains. Papa s'approcha et la prit dans ses bras ; grand-mère vint les enlacer tous les deux.

Je restai seule au milieu de la cuisine, serrant l'épluche-légumes. Personne ne remarqua les larmes qui ruisselaient sur mes joues.

Davis revint à l'instant où nous nous mettions à table, pour un repas qui ne tentait aucun de nous. Mon père alla ouvrir et l'escorta jusqu'à la véranda.

— Navré de vous déranger, mais j'ai besoin de parler à Julie une fois encore, marmonna Davis.

Papa hocha la tête silencieusement. Je me levai en traînant ma chaise, et sortis entre Davis et lui. Nous avons repris notre place sur le double siège de jardin, papa et moi ; Davis s'est assis en face, les coudes sur les genoux et les mains jointes.

— Nous avons retrouvé Bruno Walker, a-t-il annoncé.

Je haïssais Bruno... La veille, au cours de notre rencontre, j'avais espéré que ma sœur se laisserait séduire par ses yeux merveilleux...

— Où était-il ? fit mon père.

— A Ortley Beach.

— A-t-il avoué ?

— Il a déclaré qu'il était avec des amis dans une villa et qu'il était rentré se coucher, après les avoir quittés vers une heure du matin. Nous avons parlé à plusieurs de ces jeunes gens individuellement. Tous ont confirmé la version de M. Walker.

— Quelle ordure ! grommela mon père.

Davis avait rivé son regard sur moi.

— Reparle-moi du moment où tu as dit à Bruno que ta sœur serait sur le radeau vers minuit. Où étais-tu ?

— De l'autre côté du canal.

— Avec ton amie... Comment s'appelle-t-elle, déjà ?

— Wanda Lewis.

— Elles ne sont pas vraiment amies, intervint mon père.

Je compris aussitôt que ce n'était pas le moment d'entamer une discussion avec lui.

— Quelqu'un d'autre a-t-il pu entendre ta conversation avec M. Walker ?

« Ma fille, tu vas t'attirer des ennuis », me dis-je.

— George, le frère de Wanda, était là. D'autres membres de sa famille aussi, mais pas assez près pour entendre, précisai-je en montrant du doigt l'endroit où Salena et les hommes pêchaient.

— Le dénommé George pouvait entendre ?

J'acquiesçai, comprenant ce que laissait supposer Davis.

— George est incapable de faire du mal !

— Pourquoi questionnez-vous ma fille au sujet de ce... George ?

Mon père prononçait son prénom comme s'il s'agissait d'un objet et non d'un être humain.

— M. Walker affirme que M. Lewis paraissait très intéressé, quand Julie a dit qu'Isabel serait seule sur le radeau.

— Bruno essaie de mettre la responsabilité sur le dos de quelqu'un d'autre !

Mon cœur se serra : je me souvenais, malgré tout, de certaines remarques admiratives de George au sujet d'Izzy et du regard assassin qu'il avait jeté à mon père, le jour où il m'avait ramenée à la maison.

— C'est possible, admit Davis. En tout cas, nous devons parler à M. Lewis. Sais-tu comment nous pourrions le joindre ?

— Je n'ai ni son numéro de téléphone ni son adresse, mais je crois que sa sœur et lui habitent South Street. S'il fait beau, ils viendront probablement sur le canal demain matin. Je suis sûre que George n'est pas coupable !

— Tu ne connais pas bien ces gens-là, ricana papa. Comment saurais-tu de quoi ce garçon est capable ?

— Il est gentil avec moi !

Cette réponse mit mon père en rage.

— Voilà ce qui arrive quand tu désobéis, conclut-il. Je supposai qu'il avait raison.

Pas moyen de trouver le sommeil ! Je m'étais couchée de bonne heure au grenier, avec Lucy, maussade et pleurnicheuse. Je pleurais, moi aussi ; nous pleurions tous. Par instants, je croyais me dominer, mais j'éclatais aussitôt en sanglots.

Je me remémorais sans cesse la nuit précédente et

analysais chacun de mes actes : si j'avais agi différemment, aurais-je pu sauver la vie de ma sœur ? Je me revoyais en train d'observer le canal dans les ténèbres, par la fenêtre du grenier. Si j'étais partie plus tôt de la maison, aurais-je pu intervenir ? Et si j'avais emmené Ned avec moi ? A bord de la vedette, nous serions arrivés sans encombre au radeau. Mais peut-être trop tard...

Tout à coup, je m'assis dans mon lit. Quand j'avais couru frapper chez les Chapman, j'avais remarqué que les lumières étaient éteintes chez eux. J'avais regardé vers le canal : les sièges de jardin étaient vides. Je revoyais aussi les policiers en train d'interroger Ned dans l'après-midi et son regard rivé sur le sable, tandis que son père affirmait qu'ils avaient observé une pluie d'étoiles filantes, derrière leur maison. M. Chapman avait-il forgé un alibi pour sauver son fils ?

Une main sur la bouche, je frissonnai.

Oh, Ned ! pensai-je alors. Pourquoi ?

39

Julie
1962

Je me réveillai, le lendemain matin, bien décidée à mener ma propre enquête. Les éléments en ma possession n'étaient pas cohérents. Je ferais part aux policiers de mes soupçons au sujet de Ned lorsque j'aurais pu rassembler des indices suffisants. L'idée que George était peut-être le meurtrier de ma sœur me navrait, mais je me sentais deux fois plus abattue depuis que je soupçonnais Ned. Cela dit, je saurais me montrer objective et aussi détachée que possible, lorsque je me mettrais en quête de preuves.

Quelle consolation de m'acquitter d'une tâche qui me donnait le sentiment de me rendre utile, tout en me permettant d'éviter ma famille ! Je partis de bon matin et marchai vers la plage en réfléchissant. Puisque Ned m'avait chargée de dire à Isabel qu'il ne pourrait pas la rejoindre, cette nuit-là, comment pouvait-il s'attendre à la trouver sur le radeau ? J'obtins une réponse à cette question à peine quelques minutes plus tard.

Aux abords de la maison des Caruso, j'aperçus Mitzi en train de lessiver la voiture de ses parents. Elle tenta vaguement de se cacher derrière mais comprit que je l'avais vue.

Après avoir haussé les épaules d'un air résigné, elle me regarda approcher.

— Salut, Mitzi ! lançai-je en remontant l'allée.

— Salut, Julie !

Elle cessa de frotter la carrosserie à l'aide d'une éponge savonneuse. Son air contrit faisait peine à voir.

— Ça va ? Ta mère et ta grand-mère ?

— Bouleversées... La police t'a interrogée ?

— On m'a contactée pour me demander à quelle heure Izzy était partie de chez moi...

— A quelle heure ?

— Onze heures et demie.

Mitzi tordit l'éponge au-dessus du sol ; elle avait les mains potelées, comme le reste de sa personne.

— Elle allait... Tu sais qu'elle allait toujours retrouver Ned à minuit.

— Oui.

— Il était vraiment furieux que tu n'aies pas transmis à Izzy ce message pour lui annoncer qu'il ne pourrait pas venir. Même s'il a pu, et finalement il n'a pas pu !

Mitzi étouffa un rire, se rappelant qu'il s'agissait d'une conversation sérieuse.

— Qu'est-ce que tu racontes ? Il a pu, et finalement il n'a pas pu ?

— Il a appelé Izzy chez moi pour lui faire savoir qu'il tâcherait de s'arranger pour venir. Alors, il s'est aperçu que tu ne l'avais pas prévenue. Izzy était fâchée, elle aussi... En tout cas, Ned lui a dit qu'il pourrait peut-être la rejoindre. Il n'était pas sûr, mais... Finalement, il n'a pas pu. Incroyable, non ? La seule fois où il ne se libère pas, ce Noir est là. Quelle malchance ! Tu dois être... Je parie que tu tuerais ce garçon, si tu mettais la main sur lui.

— Bien sûr !

Il valait mieux ne pas contrarier Mitzi, mais ma tête se mit à tourner.

— Ils l'ont arrêté. Je suppose que tu es au courant.

— Ils ont arrêté qui ? George ?

— Oui, ce Noir. J'ai appris la nouvelle à la radio, juste avant de sortir.

— Qu'est-ce que tu as entendu ?

— Ils ont mis la main sur lui et il prétend qu'il n'est pas coupable.

— Il ne l'est peut-être pas.

— Qui pourrait l'être, à part lui ?

Mitzi voulut chasser ses boucles sombres de son visage, mais elles retombèrent aussitôt. Sa chevelure frisée devait lui donner bien du souci.

— J'ai du mal à me rendre compte que je suis la troisième des dernières personnes à avoir vu Izzy vivante, reprit-elle comme si elle avait mûrement réfléchi.

— La *troisième...*

— Je veux dire que le crimi... enfin, la personne qui a fait ça est la première. Ensuite, il y a Pam, qui est partie avec Izzy, comme toujours. Elle est la deuxième... Et moi, la troisième !

Cela me parut logique, car Pam habitait entre la maison de Mitzi et la plage.

— Ned va sans doute sortir avec Pam, maintenant, conclut Mitzi.

Je mis des années à m'apercevoir du manque de tact de Mitzi Caruso. Sur le moment, la goujaterie de sa remarque m'avait échappé : je ne pensais qu'à ses implications.

Après avoir quitté Mitzi, je poursuivis mon chemin en récapitulant les indices dont je disposais. D'abord, l'alibi de Ned me semblait mensonger, car je n'avais pas vu Ned avec son père dans leur jardin. Deuxièmement, il avait dit à Isabel qu'il viendrait peut-être au rendez-vous, ce qu'il n'avait pas signalé, autant que je sache, à la police. Troisièmement, sa motivation pouvait être liée à son intérêt pour Pam ; mais assassiner Izzy pour avoir la voie libre me paraissait une solution extrême.

En passant devant chez Pam Durant, sur la lagune, je décidai d'aller la questionner après que j'aurais exploré la plage. Elle me parlerait plus volontiers qu'aux inspecteurs de police, car elle se sentirait moins méfiante à mon égard.

La plage était déserte. Il restait sans doute quelques policiers dans les parages, mais ils avaient cessé les recherches. D'autant plus qu'ils croyaient probablement tenir le coupable ! Quant à moi, j'étais de plus en plus certaine qu'ils se trompaient.

Je m'approchai de l'endroit où le corps d'Isabel avait été retrouvé et regardai les menus objets déposés par les vagues. Un bâton d'Esquimau, une tasse en plastique... Je ne pris même pas la peine de les ramasser : de telles broutilles ne m'intéressaient plus.

Les larmes aux yeux, je foulai les algues enchevêtrées et m'assis à l'emplacement exact où avait reposé Izzy. Tandis que l'eau éclaboussait mes jambes, je passai mes doigts dans les vrilles végétales. Il n'y avait rien. Mais qu'espérais-je trouver ?

Le cœur et les mains vides, je repris la route menant chez Pam. Un chien aboya en m'entendant frapper à la porte des Durant. A travers les fenêtres de la maison, j'apercevais la lagune de l'autre côté, comme le canal depuis chez moi.

Pam vint m'ouvrir, son doberman – le seul chien qui m'ait jamais fait peur – à ses côtés.

— Julie ! Je suis si peinée... Entre !

Elle m'embrassa, mais je me crispai, sans quitter l'animal des yeux.

— Je voulais te parler...

Le doberman flaira le dos de ma main. Pam l'éloigna en scrutant mon visage. Je la dévisageai à mon tour. Pas une larme dans ses yeux !

— Si nous allions à l'arrière ?

— Tes parents ne sont pas ici ? demandai-je en traversant le salon.

— Je suis seule.

Pam s'arrêta devant la porte de la cuisine.

— Veux-tu une limonade ?

Je refusai d'un signe de tête. Pam poussa la porte-écran donnant sur le jardin, pavé de pierres blondes et lisses. Au moins, le chien était resté à l'intérieur.

— J'ai cru mourir en apprenant la nouvelle, Julie ! Je suis la dernière personne à avoir vu Izzy vivante.

Alors que Mitzi avait eu la modestie de se considérer comme la « troisième des dernières personnes », Pam se donnait la première place.

Assises sur le ponton, Pam et moi avons balancé nos pieds au-dessus du paisible lagon. Pam était si jolie... Sa longue queue-de-cheval, blonde comme les blés, tombait en spirale sur son épaule.

— Je ne peux pas croire qu'Izzy n'est plus là, murmura-t-elle. C'est la première fois que quelqu'un de mon entourage meurt... Quelle tragédie !

— Sais-tu où était Ned la nuit où Isabel a été assassinée ? lançai-je de but en blanc.

— Il était chez lui.

— En train de regarder une pluie d'étoiles filantes avec son père, d'après son témoignage...

— C'est sans doute vrai. Il n'avait pas la permission de sortir, non ? Tu étais censée prévenir ta sœur, mais tu ne l'as pas fait.

— Ensuite, il a appelé Izzy pour lui dire qu'il viendrait !

— Qu'il *pourrait peut-être* venir ; il n'était pas sûr.

Pam planta son regard dans le mien.

— Tu sais bien que Ned n'aurait jamais fait de mal à Isabel !

— J'essaie d'élucider certains points.

Pam tendit les jambes pour contempler ses orteils aux ongles colorés.

— Ned est passé me voir, hier. Bouleversé ! Il avait très peur que les flics ne l'accusent.

« Et tu l'as consolé ! » songeai-je.

— Peut-être à juste titre, murmurai-je simplement.

— Quoi !

Pam plia les genoux et sa figure se rembrunit.

— Tu es folle, Julie ! Ned sauve des vies sur la plage. Comment pourrait-il commettre un crime ?

N'osant insister, je gardai mes griefs pour moi. Alice aurait su questionner Pam plus adroitement ! Nous avons bavardé encore un moment et je suis repartie, sans aucun indice me permettant de confirmer mes soupçons.

J'avais encore une personne à interroger et je savais où la trouver. Je marchai jusqu'aux bas-fonds, à l'extrémité de Shore Boulevard, et le long du chemin traversant les hautes herbes.

— Qui est là ? demanda Ethan, surpris par leur bruissement.

En entendant sa voix anxieuse, je compris à quel point nous étions à bout de nerfs l'un et l'autre.

— Moi !

Je le trouvai assis au bord de l'eau, où il avait installé un petit laboratoire de recherches, comprenant un filet de pêche, un microscope et une brochure sur la faune sous-marine.

— Que veux-tu, Julie ?

Je m'assis à côté de lui, et sentis le sable humide et frais sous mes cuisses.

— Ned a-t-il vraiment passé toute la nuit chez vous, quand Isabel a été assassinée ?

— Qu'est-ce que j'en sais ? Ma parole, tu te prends de plus en plus pour Alice !

— Et toi, pour un vrai savant !

Je renversai le microscope du revers de la main, ce qui m'emplit aussitôt de remords. A part Lucy, Ethan était le seul être au monde plus faible que moi et j'étais en train de me venger sur lui de mes frustrations.

— Attention !

Après avoir ramassé l'appareil, Ethan le nicha délicatement entre ses mains.

— Il s'agit d'un instrument de précision et tu aurais pu l'esquinter. Ça ne va pas, non !

— Je pense que c'est peut-être ton frère qui a tué ma sœur.

— Tu perds la boule ? protesta Ethan en remontant ses lunettes sur son nez.

Ce geste m'exaspérait.

Ethan hocha la tête en direction de la rive opposée du canal.

— La police a déjà arrêté ce Noir. Si quelqu'un est

responsable de la mort de ta sœur, c'est toi, parce que tu lui as raconté qu'Isabel serait seule sur la plage, cette nuit-là.

— Je ne l'ai pas tuée ! m'écriai-je, les yeux brûlants de larmes.

— Mon frère non plus ! Il était consigné à la maison.

— Il a probablement réussi à sortir en cachette, comme d'habitude !

— Tu dis des bêtises, Julie.

Avec douceur, Ethan reposa le microscope sur le sable.

— D'ailleurs, que sais-tu des habitudes de Ned ?

— Je ne manque pas d'informations.

— Si Ned était coupable, il ne serait pas dans cet état maintenant. Il n'arrête pas de pleurer...

— Il pleure peut-être parce qu'il a tué Isabel et qu'il...

— Tais-toi !

En un éclair, Ethan me cloua sur le sable, de ses bras maigres que j'apercevais au-dessus de moi. Il enfonçait son genou dans mon ventre. En suffoquant, je rassemblai mes forces pour le repousser et le fis rouler de manière à me trouver à califourchon sur lui. Le coup de poing qui atterrit sur sa joue lui arracha un cri. Il saignait légèrement du nez, mais je m'en fichais. Je lui décochai un second coup. Sa tête était à quelques centimètres de l'eau, et je pouvais facilement l'orienter de sorte que le nez et la bouche en soient recouverts.

Horrifiée à cette pensée, je lâchai Ethan. Après m'être relevée tant bien que mal, je m'enfuis, aveuglée par les larmes et en proie à toutes sortes d'émotions contradictoires. J'avais le cœur dans un étau et les poings si serrés que je trouvai ensuite la trace sanglante de mes ongles sur mes paumes. J'avais envie de tuer ; mais qui ?

J'appelai la police. Nous avions du mal à communiquer, mes parents et moi, et je ne voyais pas comment leur demander d'intervenir à ma place. Davis, à qui je fis part de mes soupçons, m'écouta attentivement. Il m'apprit ensuite que George Lewis n'avait pas d'alibi valable. Il avait déclaré aux inspecteurs qu'il se trouvait sur la promenade en planches de Seaside Heights, en train d'attendre des copains qui lui avaient fait faux bond. En outre, il avait le visage et les bras égratignés, prétendument à la suite d'une bagarre sur la plage, cette nuit-là, avec un Blanc qu'il ne connaissait pas. Mais les policiers n'avaient retrouvé aucun témoin de la scène. On avait découvert, chez les Lewis, le slip de bain humide de George et – fait beaucoup plus compromettant – une serviette appartenant à Isabel.

— Je l'avais emportée de l'autre côté du canal et je l'ai oubliée ! hurlai-je presque dans le combiné.

— Elle était tachée de sang, Julie ! lâcha Davis. M. Lewis affirme qu'il l'a utilisée après cette rixe. Ta sœur et lui ont le même groupe sanguin. Il est donc impossible de savoir s'il s'agit de son sang ou de celui d'Isabel ; toutefois, il est clair qu'il a participé à une bagarre.

— Les sièges, derrière la maison des Chapman, étaient vides hier soir ! répétai-je.

— Nous interrogerons à nouveau les Chapman sur ce point. Je comprends ton trouble... Tu veux t'assurer que nous avons arrêté le *vrai* coupable et je te remercie de ton appel. Mais, je t'en prie, Julie, laisse-nous faire notre travail !

Questionnés à nouveau, Ned et M. Chapman déclarèrent qu'ils s'étaient allongés sur une couverture, la nuit de la mort d'Isabel, et que c'était la raison pour laquelle je ne les avais pas vus quand j'avais couru chez eux. Je persistais à croire que je les aurais aperçus, s'ils avaient été là et trouvais bizarre qu'ils ne m'aient pas remarquée quand j'avais traversé leur jardin. Même si j'étais passée derrière eux, ils m'avaient sûrement entendue monter dans le canot ! Mais personne ne semblait douter de leur parole.

Le père de Bruno engagea un avocat – celui qui, un an plus tôt, avait tiré Bruno d'affaire quand il avait été accusé de viol. George, lui, ne savait même pas qui était son père et n'avait pas les moyens de s'offrir un défenseur. Mis en accusation, il fut condamné pour homicide volontaire.

Aucun soupçon ne pesa sur Ned. Le fils du président de la Cour suprême du New Jersey fut présumé innocent... par tout le monde, sauf moi.

40

Julie
1962

En quelques jours, nous avons plié bagage et quitté définitivement la villa, ce qui mit fin à mes investigations. Les obsèques d'Isabel eurent lieu le lendemain de notre retour à Westfield. Je n'y assistai pas, car je m'étais réveillée, ce matin-là, avec un terrible mal de ventre – d'origine, sans aucun doute, psychosomatique. Le simple fait de soulever ma tête de l'oreiller me donnait le tournis et me soulevait l'estomac. On envoya Lucy chez des voisins, tandis que je restais seule à la maison, avec mes entrailles douloureuses et ma conscience troublée. Je me croyais atteinte d'un cancer et étais horrifiée à l'idée de mourir avec un énorme péché mortel à me reprocher.

Le samedi suivant, j'attendis mon tour au confessionnal. Assise entre ma mère et ma sœur sur un banc, à Holy Trinity, je réfléchissais à ce que j'allais raconter. J'arrivais d'ordinaire avec ma liste de fautes apprises par cœur, mais celle que j'avais à avouer n'appartenait à aucune de mes catégories habituelles. Bien que j'aie maintes fois songé à cette confession depuis l'événement, j'entrai dans la petite cellule sombre sans savoir comment démarrer.

Advienne que pourra ! A l'instant où le confesseur tira

le rideau, je fondis en larmes. J'avais affaire au père Fagan, le prêtre le plus âgé de notre paroisse : un homme aux cheveux blancs, qui marchait en boitillant comme mon père, et dont les longues mains s'étaient posées doucement sur ma tête plus d'une fois au cours des dernières années. Mes sanglots déchirants devaient s'entendre de l'autre extrémité de l'église. Ma mère allait-elle venir s'assurer que tout allait bien ? Allait-elle me prendre dans ses bras, comme elle ne le faisait plus depuis la mort d'Isabel ? Hélas, elle n'en fit rien.

— Dis-moi, mon enfant, ce qui te trouble, glissa le père Fagan au milieu de mes pleurs.

— Je... J'ai fait une chose... en rapport avec la mort de ma sœur.

Nouvelle crise de larmes.

— Ah ! commenta mon interlocuteur d'une voix sereine et nullement choquée.

Etait-il au courant du décès d'Isabel et de mon rôle dans cette tragédie ? J'appris ensuite qu'il avait officié à l'occasion des obsèques.

— Je te propose de passer me voir au rectorat, demain après la messe. Est-ce possible ?

Malgré ma surprise et ma gêne à l'idée de lui livrer mes fautes face à face, je ne pouvais refuser son offre.

— Oui, mon père.

— Très bien. Viens à une heure ; nous bavarderons.

A peine debout, je retombai à genoux.

— Et si je meurs entre-temps ? J'ai commis un péché mortel...

— Il t'a été pardonné, mon enfant.

— Mais... je ne vous ai même pas raconté ce que j'ai fait. Je crois que c'est impardonnable.

— Rien n'est impardonnable, Julie. Pour l'instant, va dire trois *Je vous salue Marie*, agenouillée devant l'autel, et fais un acte de contrition. A demain.

Je me relevai, sidérée que le père Fagan m'ait appelée par mon prénom. Mais j'avais le sentiment de ne pas être réellement absoute, car il n'avait sans doute pas compris à quel point j'étais blâmable.

Le lendemain, papa me conduisit au rectorat et m'attendit au parloir pendant mon entretien avec le prêtre. Celui-ci me fit asseoir dans une petite pièce meublée de chaises bizarres et d'un lustre pendu au plafond, où je lui racontai *tout*.

— Tu as commis le péché d'envie, me déclara-t-il, après m'avoir écoutée en hochant la tête de temps en temps.

Il trônait sur un grand siège qui me semblait digne d'un roi, les mains jointes comme s'il se préparait à prier.

— Tu as éprouvé du désir pour le petit ami de ta sœur, tu as menti à tes parents et à beaucoup d'autres gens... Par ailleurs, tu as désobéi.

Je baissai les yeux.

— Mais, conclut-il, tu n'as commis aucun crime !

— Elle ne serait pas morte si je...

— Tu ne souhaitais pas sa mort.

Une de mes larmes glissa de mes cils et forma une tache sombre sur mon chemisier bleu.

— Non, admis-je.

— Tu ne souhaitais pas sa mort, répéta le père Fagan, comme s'il cherchait à me convaincre.

— J'aimais ma sœur.

— Je sais.

Je compris que l'entrevue prenait fin. J'en étais

navrée, car j'avais pu m'exprimer en toute confiance, alors que je n'osais plus rien dire chez moi.

— Julie, sache que tu peux venir me voir quand tu veux. A n'importe quel moment ! N'hésite pas à m'appeler au milieu de la nuit si tu en éprouves le besoin. Notre Seigneur et Son serviteur seront toujours là pour toi. Et maintenant, prions pour que ta sœur repose en paix.

Pendant quelques minutes, je restai assise, la tête inclinée, tandis que le père Fagan demandait à Dieu de veiller sur Isabel. Un soupçon d'apaisement s'insinua alors dans mon cœur.

Après les prières, j'allais sortir du bureau, quand je m'aperçus que je n'avais pas eu de vraie pénitence. Les *Je vous salue Marie* de la veille ne comptaient pas ; c'était beaucoup moins que ce que m'aurait imposé le prêtre de Point Pleasant pour une seule pensée impure.

— Vous avez oublié de me donner une pénitence, murmurai-je, une main sur le loquet de la porte.

— Tu peux t'en passer, répliqua le père Fagan. Tu devras porter le poids de ce que tu as fait jusqu'à la fin de tes jours...

Il voyait assez juste !

Mes grands-parents mirent la maison en vente, par ma faute aussi... et l'affaire fut rapidement conclue. Ce bien faisait partie de notre histoire familiale depuis près de quarante ans. Nous ne sommes plus retournés au bord de la mer en été ; un chapitre de notre vie était clos.

On ne m'a jamais dit : « Julie, tu es coupable. Julie, tu es un être ignoble », mais tout le monde le pensait. Pendant des semaines, maman ne m'a pas adressé la parole sans répéter : « Pourquoi ? Pourquoi ? Pourquoi ? »

Qu'était-il advenu de la vie de famille chaleureuse que j'avais connue jusqu'alors ? Petit à petit, mon sort s'est adouci ; mais, à part mon père, dont je n'ai pas oublié les paroles de compassion immédiate, personne n'a cherché à me rassurer. Personne ne m'a dit ; « Calme-toi, Julie. Chacun sait que tu ne cherchais pas la mort d'Isabel. » Personne, à l'exception du père Fagan, ne m'a prodigué ce genre de consolation dans les semaines et les mois qui ont suivi la mort d'Izzy.

J'avais besoin d'entendre un membre de ma famille prononcer de tels mots, mais je n'ai pas eu cette chance.

41

Lucy

— Reconnais-tu cette bâtisse ? me demanda Julie en prenant le tournant de Bay Head Shores.

Elle me montrait du doigt un minuscule magasin d'antiquités, inséré sous la rampe du pont de Lovelandtown.

— Pas le moins du monde !

— En effet, c'est méconnaissable. Il n'y avait autrefois qu'un petit pont et l'antiquaire était la « boutique du coin »... Enfin, c'est comme ça que nous l'avions baptisée. Tu adorais les *button candies*...

— Je m'en souviens, dis-je en me remémorant les longues plaques de pastilles colorées.

— Un jour, le camion antimoustique nous a aspergées, alors que nous passions à vélo pour rentrer à la maison.

— Je m'en souviens aussi ! Je suis tombée et je me suis blessée au bras.

J'examinai l'un de mes bras, en quête d'une cicatrice, mais je ne savais même plus duquel il s'agissait.

— Parions que nous allons mourir prématurément à cause du DDT... ou je ne sais quel autre produit chimique, ajoutai-je.

Julie aborda le virage suivant.

— Veux-tu que nous roulions le long de la baie et de notre ancienne plage, avant d'aller chez Ethan ?

— Plus tard !

Je souffrais d'une infection urinaire, une injustice flagrante, car je n'avais pas eu de relations sexuelles depuis des mois. A cet instant, une urgence s'imposait à moi : avoir accès à des toilettes.

C'était un vendredi, en début d'après-midi, et Ethan nous avait invités, Julie, Shannon, Tanner et moi, à passer le week-end chez lui. Shannon et Tanner avaient décliné l'offre, mais j'avais accepté. Quelque chose m'attirait sur la côte. Je voulais voir ce que j'avais gardé en mémoire.

Pour maintes raisons, j'aurais souhaité que Shannon et Tanner nous accompagnent. Je désirais que ma nièce découvre une part importante de l'enfance de sa mère, mais nous avions surtout besoin, Julie et moi, de rester quelque temps avec le jeune couple.

Tanner m'avait fait bonne impression le jour du barbecue. Un jeune homme brillant, sensible aux problèmes sociaux – et beau, par-dessus le marché – n'était pas un si mauvais choix. Après tout, Shannon aurait pu tomber plus mal ! Certes, il était un peu trop âgé pour elle, comme l'affirmait Julie, mais cela ne nous concernait pas. Ce qui me chagrinait et désespérait Julie était le fait que Shannon ait décidé de s'installer si loin. Mais quand j'étais jeune, amoureuse et avide d'indépendance, moi aussi, les visites à ma famille étaient le dernier de mes soucis.

— Tu sais, Julie, murmurai-je alors, il suffira d'aller voir Shannon au Colorado plusieurs fois par an. On emmènera maman avec nous.

— Quoi ?

D'abord surprise, Julie pouffa de rire.

— Ah, tu reviens à ce problème !

Nous avions parlé de Shannon et Tanner pendant presque tout le trajet, mais Julie avait changé de longueur d'onde ; elle pensait à présent à nos vacances d'autrefois et à Ethan.

— Je n'ai pas l'intention de me rendre au Colorado plusieurs fois par an, parce que je ne laisserai pas Shannon partir, conclut-elle.

— Elle est enceinte. Je te rappelle qu'elle peut être légalement émancipée et faire ce qui lui plaît.

Ma sœur s'engagea dans un autre tournant.

— Si on en parlait plus tard, Lucy.

— Comme tu voudras... Je regrette de te compliquer la vie.

Nous avions pris ce pli depuis peu : Julie refusait d'admettre le départ de Shannon et je m'efforçais de la ramener à la réalité.

A notre droite, j'aperçus alors le canal.

— C'est notre ancienne rue ?

— Oui.

— Je ne l'aurais jamais reconnue, avec toutes ces constructions !

Julie arrêta la voiture face à une villa jaune et blanc, style Cape Cod.

— Et celle-ci, tu la reconnais ?

— C'est la nôtre ? demandai-je, bien que l'édifice ne me dise rien.

Ma sœur acquiesça.

Je remarquai la boîte à lettres, peinte comme une marine et surmontée d'un voilier.

— Quelqu'un chérit cette maison, ajoutai-je.

— Et voici celle d'Ethan, fit Julie en s'engageant dans l'allée voisine.

Elle ouvrit sa portière avant même d'avoir coupé le contact. Son comportement avait changé de façon spectaculaire depuis quelque temps. Elle était navrée au sujet de Shannon et son passé lui pesait plus que jamais, mais il y avait en elle une joie qu'elle n'avait jamais manifestée, même à l'époque où elle était tombée amoureuse de Glen. L'individu à l'origine de cette métamorphose apparut sur le pas de sa porte et se dirigea vers nous. Il étreignit longuement Julie et planta un baiser sur sa nuque.

La scène me fit sourire.

— Bienvenue, Lucy ! lança Ethan en me gratifiant d'une version plus courte et désinvolte de l'accueil réservé à ma sœur.

Après l'avoir salué, je lui avouai mon envie pressante d'aller aux toilettes.

— A mi-chemin dans le corridor, sur la droite. On se retrouve dans le jardin.

Quand je regagnai l'arrière de la demeure, j'aperçus le canal à travers les stores relevés de la véranda ; soudain, tout me parut familier. Julie et Ethan, adossés à la clôture métallique, observaient le va-et-vient des bateaux en ce début de week-end. J'allai les rejoindre, avec un sentiment troublant de déjà-vu. Le courant était si rapide ! Je me rappelai la peur et les cauchemars qu'il m'inspirait. Je rêvais que je tombais et que j'étais entraînée, malgré mes efforts pour nager vers l'un des docks.

Je me plaçai près de Julie en frissonnant.

— L'eau me terrifiait.

Julie passa un bras autour de mes épaules.

— Tu étais une petite fille si craintive...

Elle me désigna le terrain voisin, que je n'avais même pas songé à regarder.

— Tu t'en souviens ?

Je vis, de l'autre côté, un petit garçon en train de jouer dans une piscine. Il chevauchait un énorme alligator en plastique, tandis qu'une femme robuste, aux cheveux noirs, se détendait en lisant sur un transat près de lui. Le haut d'une vedette émergeait du dock. La longue véranda vert sombre m'était étrangement familière.

— J'aimerais voir l'intérieur de la maison ; me rendre compte des changements...

— Tout est différent, observa Ethan. Je téléphonerai aux Klein un peu plus tard et nous ferons un tour chez eux. Tu n'es pas obligée de venir, si tu n'y tiens pas, ajouta-t-il à l'intention de Julie.

— Je crois que je supporterai l'épreuve, fit celle-ci en se mordant les lèvres.

Ethan et elle avaient certainement abordé le sujet auparavant.

Nous avons passé le reste de l'après-midi à bord du bateau d'Ethan. Je naviguais sur le canal pour la première fois de mon existence, car j'avais été trop timorée pour m'y risquer quand j'étais enfant. J'y prenais un grand plaisir, mais j'étais surtout ébahie de voir Julie à nouveau sur l'eau. Elle rit de bon cœur quand le sillage d'un engin beaucoup plus puissant fit déferler sur nous un Niagara, nous donnant l'apparence de femmes entre deux âges dans un concours de tee-shirts mouillés. Grâce à Ethan, Julie retrouvait l'amour et une forme de vitalité qu'elle avait perdue depuis des années. Ma gorge se noua en les entendant rire.

Après le dîner, quand le ciel prit une teinte fuchsia au coucher du soleil, nous traversâmes, pieds nus, le jardin devant notre ancienne maison. Au premier coup frappé sur le cadre de la porte-écran, la jeune femme brune aperçue plus tôt vint nous ouvrir.

— Je m'appelle Ruth Klein, nous annonça-t-elle après nous avoir saluées, Julie et moi. J'ai appris que vous avez habité ce lieu, autrefois.

— Voici Julie Sellers, dit Ethan, une main posée sur le dos de Julie ; et sa sœur, Lucy Bauer.

Julie et moi restions blotties l'une contre l'autre, près de l'entrée.

— Quand avez-vous vécu ici ? demanda Ruth.

C'était une belle femme, malgré ses rondeurs. Sa peau rosée n'avait pas un défaut et ses yeux bleus contrastaient joliment avec sa chevelure sombre.

— Notre grand-père a construit la villa en 1926, précisa Julie. Lucy et moi y passions nos vacances dans les années cinquante et au début des années soixante.

— Ça doit être totalement différent, maintenant. Par où voulez-vous commencer la visite ?

Julie tourna les yeux vers la porte entrouverte, sur notre gauche.

— C'était la chambre de nos grands-parents.

— Venez !

Ruth poussa le battant. La petite pièce était meublée d'un immense lit surélevé, d'une commode aux lignes épurées et d'une armoire.

— La chambre des parents, annonça-t-elle.

— Il y avait aussi une salle d'eau, se remémora Julie.

— Elle y est toujours.

Nous avons suivi Ruth et jeté un coup d'œil, à tour de rôle, dans le minuscule espace. Les toilettes et le lavabo sur pied semblaient neufs ; une baignoire triangulaire occupait un coin.

— Il n'y avait qu'une douche, observa Julie.

— Je suppose que les précédents propriétaires l'avaient supprimée.

Nous nous sommes engagées dans le corridor et Ruth nous a désigné, sur la gauche, la chambre de son fils – juste assez vaste pour contenir des lits jumeaux et une commode.

Je questionnai Julie :

— C'était la chambre de papa et maman ?

— Pas très spacieuse, hein ? me répondit-elle en souriant.

De l'autre côté du couloir, la cuisine, avec ses placards vitrés et ses plans de travail en granit, ne ressemblait en rien à celle que nous avions connue.

Julie passa la main sur la roche bleutée.

— Magnifique ! Je peux vous assurer que ce n'était pas comme ça, à notre époque.

— Ces aménagements et, bien sûr, la situation de cette maison expliquent le coup de foudre que nous avons eu pour elle, nous confia Ruth.

Au bout du couloir s'ouvrait le salon, peint en jaune pâle, et dont les chaises et les fauteuils étaient recouverts de divers imprimés bleu et jaune. Des rideaux blancs, vaporeux, voilaient les fenêtres.

La pièce me parut plus ouverte qu'autrefois et j'en fis la remarque à Julie.

— Parce qu'elle était d'une teinte plus sombre, suggéra-t-elle.

— C'est ici que nous jouions à Uncle Wiggly, rappela Ethan.

— Pardon ? pouffa Ruth.

— C'était un jeu de société, lui expliqua Julie.

Je remarquai le stratifié couleur chêne, sous mes pieds nus, à la place du linoléum.

— Oh, m'écriai-je quand mon regard dévia sur le côté, un véritable escalier !

— Vous voulez monter ? s'enquit Ruth.

Julie souleva ses cheveux sur sa nuque, comme elle le faisait souvent à l'occasion d'une bouffée de chaleur.

— Ça ne vous ennuie pas ? C'était un grenier, quand nous étions gosses, avec quelques lits isolés par des rideaux...

— Comme un dortoir ?

— Un peu...

Après avoir gravi les marches derrière Ruth, nous avons découvert un espace méconnaissable. Il était divisé en un bureau éclairé par trois Velux, une grande salle de jeu, deux petites chambres et une salle d'eau munie d'une douche. Le tout semblait impeccable et entretenu avec amour. Comment cet endroit aurait-il pu évoquer de mauvais souvenirs ? Aucune trace des événements passés ne risquait de troubler la sérénité des nouveaux habitants.

Je faillis demander l'autorisation d'utiliser la salle d'eau : mon infection urinaire me laissait un répit, mais risquait de me rappeler à l'ordre d'une seconde à l'autre. Comme Julie, Ruth et Ethan redescendaient déjà l'escalier, je décidai d'attendre.

Au rez-de-chaussée, Julie s'adressa à notre hôtesse en lui effleurant le bras :

— Je suis heureuse de voir comme notre maison est devenue jolie... Manifestement, vous vous y plaisez.

— Oh oui ! s'écria Ruth.

Elle nous guida vers les portes-fenêtres ouvrant sur la véranda.

— La véranda était déjà comme ça ?

— A peu près. Nous y passions la plus grande partie de notre temps.

Je me souvenais de cette pièce ; c'était celle qui avait le moins changé, avec sa vue sur le canal. Au fond du jardin trônait une longue table de ferme, entourée de six chaises avec un dossier à barreaux. Des rocking-chairs blancs façon osier, des causeuses et des guéridons occupaient le reste de l'espace.

Le jeune garçon aperçu dans la piscine partageait un transat avec un homme qui semblait lui lire un livre, au crépuscule. Rien ne me touche plus qu'un père ou une mère en train de faire la lecture à son enfant.

— Je voudrais vous présenter ma famille, dit Ruth, qui avait suivi mon regard.

Dehors, le sable, déjà plus frais sous mes pieds, me procura une agréable sensation. L'homme se leva dès qu'il nous vit.

— Salut, Ethan. Je suppose que tu es en compagnie des anciens propriétaires des lieux...

Ethan nous présenta Jim, le mari de Ruth, et Carter, leur fils de sept ans. Nous parlâmes à bâtons rompus de la villa et des environs, en chassant les moustiques tandis que la nuit nous enveloppait.

Julie se dirigea vers un des angles de la construction.

— Quand j'étais petite, j'avais enfoui à cet endroit une boîte au trésor, annonça-t-elle.

Carter parut brusquement s'intéresser à la conversation.

— Une boîte au trésor ?

— Vous pensez qu'elle y est encore ? fit Ruth, intriguée.

Julie haussa les épaules.

— Aucune idée ! Quelqu'un risque de l'avoir trouvée au cours des quarante dernières années. Et s'il y a eu des travaux au niveau des fondations, elle a pu être endommagée...

— A moins qu'elle ne soit toujours là, renchérit Ethan en poussant Julie du coude. Tu veux voir ?

— Elle n'était enterrée qu'à quelques dizaines de centimètres de profondeur, en fait.

Je compris que Julie s'évertuait à rassurer nos hôtes sur ses intentions : elle n'allait pas retourner le jardin de fond en comble.

Ruth échangea un regard avec son mari. « Après tout, pourquoi pas ? » semblait-elle dire.

— Je vais chercher une pelle et une torche, déclara Jim en filant au garage.

Carter leva les yeux vers Julie ; ils étaient bleus, comme ceux de sa mère, remarquai-je malgré la pénombre.

— Qu'est-ce que tu mettais dans cette boîte ?

— Des choses que j'avais trouvées par hasard. De petits objets sans valeur...

Jim revint avec une pelle et une puissante lanterne halogène.

— Vous savez, reprit Ruth, à la vue de l'outil court

apporté par son mari, les gens ont ajouté de la terre fraîche au fil des ans. Quand nous avons emménagé, nous avons fait venir deux camions pleins. Si la boîte subsiste, elle est peut-être inaccessible...

Julie s'agenouilla et évalua d'un coup d'œil la distance par rapport à l'angle du mur. Elle avait l'air de se souvenir de l'emplacement exact de la cachette.

Elle dégagea une légère couche de terre puis enfonça le tranchant de la pelle à quatre-vingt-dix degrés. Nous entendîmes un bruit mat...

— Mon Dieu ! s'exclama Julie.

Tout le monde s'assit à même le sol. Tandis que Julie s'affairait et que Jim tenait la lanterne en équilibre sur ses genoux, j'aidais Carter à déblayer le sable à la main.

Bientôt, le dessus de la boîte apparut. Il nous suffit de presser nos doigts de chaque côté, Julie et moi.

— Un, deux, trois, compta Julie en me fixant dans les yeux.

Nous soulevâmes ensemble le couvercle, au milieu d'un léger nuage de poussière.

Carter tendit la main vers la boîte. J'aurais voulu l'en empêcher, car cette initiative revenait à Julie.

Par chance, Ruth sembla deviner ma pensée.

— Une minute, Carter. Laisse Julie regarder la première : c'est *sa* boîte. Peut-être te permettra-t-elle, ensuite, d'y ranger des jouets et d'autres objets...

Julie remercia Ruth d'un signe de tête et rassura Carter :

— Dès ce soir, cette boîte sera à toi.

— Ah bon ! répondit Carter en plaçant sagement ses mains sur ses genoux.

Quel enfant délicieux !

Julie, pour sa part, brûlait d'impatience, à l'idée de

retrouver les reliques de son passé. Et moi, en attendant que les antibiotiques terrassent mon infection, j'avais un besoin pressant de me réfugier aux toilettes. A l'instant où j'allais m'éclipser, Julie poussa un cri perçant.

Elle brandit une chaussure de bébé en cuir, qui avait dû être blanche en d'autres temps. A la lumière de la lanterne, elle tirait plutôt sur l'orange jaunâtre.

— Sans blague ! Je l'avais trouvée dans les bas-fonds où grand-père plaçait sa nasse à appâts. Et où Ethan avait installé son laboratoire de recherches sous-marines...

— Dire que j'avais oublié tout ça ! lâcha celui-ci en riant.

— Ton microscope a continué à fonctionner, après que... tu vois ce que je veux dire ?

Je compris que la question avait un sens secret, connu de Julie et Ethan seulement.

— Oui, je n'ai pas eu de problème, répondit Ethan.

Julie fouilla à nouveau dans la boîte.

— Et regardez ça !

Elle brandissait un vieux quarante-cinq tours, qu'elle exposa en riant au faisceau lumineux de la lanterne.

— Neil Sedaka, *Happy Birthday Sweet Sixteen*... Je me demande où j'avais dégoté ça...

Je dus l'interrompre à contrecœur :

— Désolée, mais je vais faire un tour aux toilettes... Je file chez Ethan et je reviens dans une minute !

— Allez chez nous, fit aimablement Ruth en hochant la tête vers la maison.

Je la remerciai. Je me précipitai, gravis les deux marches de la véranda, poussai la porte-écran et fonçai dans le couloir jusqu'à la salle d'eau. Derrière moi, ma sœur s'égosillait, au fil de ses découvertes.

42

Julie

J'ai éprouvé des sensations bien étranges en fouillant dans cette boîte...

L'éclairage défectueux du jardin était une aubaine pour moi, car je me serais sentie humiliée, si quelqu'un avait remarqué mes yeux embués de larmes. Je ressentais de la sympathie pour la fillette solitaire qui avait caché ces objets insignifiants, dans l'espoir d'élucider un mystère. Comment aurait-elle pu se douter qu'une funeste énigme l'attendait au milieu de l'été ?

En retrouvant de vieux lambeaux de tissu, la balle de ping-pong cabossée et la chaussure de bébé, je mesurai mieux que jamais à quel point j'étais alors une enfant immature et sans conscience du danger. Mes seuls sujets de frayeur provenaient des *Alice,* dont l'héroïne finissait toujours par avoir gain de cause.

Un objet caché au fond de la boîte, entre un autre disque et un fragment de tissu, attira mon attention. Soudain, je croyais reconnaître...

— Pourriez-vous rapprocher légèrement la lanterne ? demandai-je à Jim.

Dans le halo lumineux, je vis que c'était bien *elle.* Bicolore, comme dans mes souvenirs.

Je tendis la main et sortis la girafe en plastique.

— Ce n'est pas moi qui l'ai mise là ! m'écriai-je, avec la certitude de dire la vérité.

— Quoi ? s'exclama Ethan.

Il se tenait si près de moi que je sentis son souffle sur mon épaule nue.

— Un jouet... Une girafe qu'Isabel et Ned avaient l'habitude de...

Ethan m'interrompit et s'empara de l'animal.

— La girafe de Ned ! Un cadeau de notre oncle... J'avais reçu un éléphant. Un puzzle...

— Un *puzzle ?* Moi qui croyais qu'il s'agissait d'un code par lequel Isabel et Ned communiquaient !

— Ta sœur et mon frère ?

J'acquiesçai en regardant Ethan manipuler l'arrière et le cou de la bête. Qui aurait cru que ces pièces étaient mobiles ?

D'un seul coup, la moitié rouge se sépara de la violette. J'éclatai de rire.

— Que j'étais sotte ! Ils devaient s'adresser des billets doux, à l'aide de cette girafe...

Ethan exposa les deux parties de l'objet à la lumière de la lanterne.

— En effet, souffla-t-il, on dirait qu'il y a un papier caché là-dedans...

43

Lucy

A peine sortie de la salle d'eau, je me suis engagée dans le corridor et, debout devant la porte-écran, j'ai entendu des rires sur la route. En me tournant pour voir, je n'ai distingué, dans l'obscurité, qu'un groupe d'enfants détalant avec des gloussements. Je n'aurais su dire combien ils étaient ni s'il s'agissait de filles ou de garçons, mais, à cet instant, j'ai pensé une fois de plus à la nuit de la mort d'Isabel.

Mes souvenirs ont alors chassé Julie et sa boîte Alice de mon esprit.

Me réveillant seule au grenier, cette nuit-là, j'avais pris la ferme résolution de ne pas crier. Je me rappelais ma descente affolée de l'escalier escamotable, qui avait vibré sous mon poids plume. Avant de me diriger vers la chambre de mes parents puis vers le canapé, où j'avais dormi, j'étais d'abord partie à la recherche de Julie, sur la véranda, ainsi que je me l'étais remémoré précédemment. J'avais regardé du côté du lit, à l'extrémité de la pièce, mais il faisait beaucoup trop sombre pour que je voie si ma sœur était là.

Je l'avais appelée doucement, sans obtenir de réponse. L'obscurité m'oppressait et j'entendais le clapotis de l'eau contre le pont. Le coassement d'une grenouille s'était joint à la musique nocturne des grillons. Je sentais la présence des bois, sur la droite, mais les arbres disparaissaient dans les ténèbres. Craignant que quelque danger invisible ne fonde sur moi, j'avais tourné casaque en direction du salon, puis du couloir.

Debout derrière la porte de mes parents, j'avais écouté la respiration de maman. J'avais songé à prendre des coussins et à m'installer par terre pour dormir, mais une soudaine envie d'aller aux toilettes m'avait empêchée de mettre mon projet à exécution. Rassérénée par les ronflements de grand-père, qui s'échappaient de la chambre à coucher principale, j'avais longé le corridor d'un pas tranquille. La porte-écran donnant sur le jardin en façade était maintenue par un lourd butoir métallique, en forme de chien. Il faisait si sombre de l'autre côté... Quelle idée de ne pas fermer les portes à clé la nuit ! Le battant n'était retenu que par une légère chaînette, si facile à forcer qu'elle m'offrait un piètre réconfort.

Ce fut un plaisir pour moi d'allumer enfin la lampe de la salle d'eau pour y voir clair. Quand je me fus soulagée, je ne pris pas la peine de tirer la chasse. A quoi bon réveiller la maisonnée ? Je devrais alors justifier ma présence en bas à pareille heure ! Après avoir éteint, je sortis furtivement de l'étroit espace. A ma droite, l'environnement me paraissait sombre et inquiétant ; je m'arrêtai donc devant la porte-écran, attendant que mes yeux s'accommodent à l'obscurité.

Dehors, une lumière brilla un instant à proximité de la route. Une luciole ? Le point minuscule devint orange et je compris qu'il s'agissait d'une cigarette. La personne qui fumait s'engagea, dans le noir, sur le chemin menant à notre maison. Isabel... Je souris, tranquillisée. A son retour de chez Pam ou de chez Mitzi, elle savourait une dernière clope. Mais comment ferait-elle pour entrer ? Elle avait de la chance que je sois là !

Je soulevai la chaînette d'un doigt, avant de pousser la porte pour l'ouvrir, quand la silhouette ténébreuse poursuivit son chemin au-delà de notre allée. Après avoir remis la sécurité en place, je perdis de vue le fumeur que j'avais pris pour Isabel, mais la lumière persista, décrivant un angle aigu dans les airs, quand il s'engagea dans l'allée des Chapman.

44

Julie

— Il fait trop sombre pour lire ici, murmurai-je en dépliant soigneusement le papier que j'avais extrait de l'avant de la girafe. Je ne suis même pas sûre que quel que chose y soit écrit.

Jim approcha la lanterne, mais Ethan m'effleura l'épaule.

— Rentrons chez moi ! Nous avons déjà abusé de l'hospitalité des Klein.

Il paraissait soucieux. Un mot laissé par ma défunte sœur ou son regretté frère risquait, en effet, de réveiller des émotions qu'il ne souhaitait guère partager avec ses voisins.

— Mais c'est passionnant ! s'écria Ruth, sans nul doute intriguée par ce que nous avions découvert.

— Probablement une lettre d'amour laissée par mon frère à la sœur de Julie, suggéra Ethan. Sans intérêt pour un enfant...

Il se releva. Je tassai le papier dans la girafe en maintenant les deux moitiés, avant de me redresser à mon tour, aidée par Ethan.

Ruth et Jim suivirent notre exemple, mais Carter resta assis à côté de la boîte, le regard posé sur elle. Il songeait peut-être aux trésors qu'il pourrait bientôt y enfouir.

La porte-écran de la véranda grinça lorsque Lucy vint nous rejoindre.

Je remerciai les Klein pour cette visite guidée et m'adressai à Carter :

— Cette boîte est à toi.

— Génial !

— Dis merci à Julie, fit sa mère.

Carter obéit, et je remerciai Ruth et Jim à mon tour. Jim m'adressa un sourire fantomatique à la lueur de la lanterne.

— Revenez quand vous voudrez ! insista Ruth.

Je pris Lucy par le bras en regagnant le jardin d'Ethan.

— Nous avons trouvé cette bestiole en plastique dans la boîte Alice. Elle contenait un papier... Je suppose qu'Isabel et Ned utilisaient ce jouet pour s'envoyer des messages ; mais je suis sûre, à quatre-vingt-dix-huit pour cent, de ne l'avoir *jamais* caché dans la boîte.

Lucy garda d'abord le silence. Quand Ethan poussa sa porte d'entrée, elle me glissa à l'oreille :

— Un souvenir m'est revenu, au sujet de la nuit où Isabel est morte...

— Quoi ? fis-je en baissant instinctivement la voix.

Lucy resta muette ; je répétai ma question.

— Plus tard, Julie.

J'évitai de brusquer ma sœur : elle avait certainement de bonnes raisons de se taire devant Ethan.

Sur la véranda, celui-ci alluma un lampadaire, qui inonda la table de lumière. Nous nous assîmes tous les trois.

— Jetons un coup d'œil ensemble, proposa Ethan.

J'ouvris la girafe, dépliai le papier et l'aplatis soigneusement. Quelques lignes étaient écrites sur une demi-feuille rose pâle, déchirée d'un côté. Avec le temps, l'écriture avait pris une teinte violette, mais je la reconnus aussitôt.

— L'écriture d'Izzy !

Celle-ci, très caractéristique avec ses lettres arrondies, avait attiré des ennuis à ma sœur au catéchisme.

Je lus tout haut :

— « Espèce de porc *ahissable* ! J'ai hâte de tout raconter à mon père, qui m'adore et qui sera sans pitié... »

Sous le choc, aucun de nous ne dit mot.

— Mon Dieu, ils étaient en train de rompre, lâcha Ethan le premier d'une voix lasse.

J'allais évoquer mes soupçons à propos du penchant de Ned pour Pam, quand je m'aperçus que Lucy était en larmes.

— Oh, mon chou ! murmurai-je, croyant qu'elle cédait à l'émotion.

Mais ce n'était pas cela !

Ethan lui tendit un mouchoir et elle s'adressa à moi, après s'être tamponné les yeux :

— La nuit de la mort d'Isabel, je me suis réveillée seule au grenier. Comme j'avais peur, je suis descendue te chercher. Bien sûr, je ne t'ai pas trouvée : tu étais sur le canot. Alors, je suis allée aux toilettes et j'ai regardé vers la route en en sortant. Le bout d'une cigarette brillait dans la nuit. J'ai cru qu'Isabel revenait de chez l'une de ses copines, mais, en fait, la personne est passée devant chez nous... Avant de remonter *ton* allée, Ethan !

Lucy s'était tournée vers lui.

Les yeux fermés, il se cala dans son siège. Un long silence plana.

— Je me sens mal... dit enfin Ethan.

— Ned fumait ? s'enquit Lucy.

— Comme un sapeur !

— Désolée, soufflai-je à Ethan.

— C'est tout de même étrange...

Ethan ouvrit les yeux et parcourut à nouveau le papier, comme s'il essayait de lire entre les lignes.

— Comment interpréter ça? Ned a-t-il vraiment trompé Isabel ?

Ethan hocha la tête d'un air résolu.

— Je ne peux pas imaginer que Ned ait tué quelqu'un !

— Je crois qu'il fréquentait secrètement Pam Durant, observai-je.

— Pourquoi ?

J'expliquai à Ethan l'origine de mes soupçons. George affirmait les avoir vus sur le même bateau ; Mitzi avait pensé qu'ils sortiraient ensemble après la mort d'Isabel ; enfin, Ned avait cherché du réconfort auprès de Pam.

— Isabel a dû s'en apercevoir, suggérai-je. Elle a écrit ce mot à Ned, ils se sont retrouvés sur le radeau, ils se sont disputés et...

— Sans doute un accident, observa gentiment Lucy. Ned n'avait pas l'intention de la tuer.

— Ça ne colle pas, objecta Ethan. Rappelle-toi, Julie, que Ned t'avait demandé de prévenir Isabel qu'il ne pourrait pas la rejoindre.

— Oui, mais il l'a appelée chez Mitzi pour lui dire qu'il viendrait peut-être.

Ethan parut surpris par ce détail qu'il avait, jusque-là, ignoré.

— Comment ce mot a-t-il atterri dans ta boîte ? s'étonna alors Lucy.

— Pas la moindre idée ! répondis-je. Isabel et Ned faisaient appel à moi pour se passer la girafe, mais je n'avais pas compris qu'ils pouvaient y cacher des messages... Je n'en garde aucun souvenir, mais c'est peut-être moi, après tout, qui ai fourré cette bête dans la boîte.

— A moins que Ned ne s'en soit chargé en se disant que, si tu la trouvais, tu devinerais ce qui s'était passé et que tu le dénoncerais... intervint Lucy. Il se sentait peut-être coupable, sans avoir la force d'avouer.

— Une minute ! s'exclama Ethan. Ned avait un alibi : il était dans le jardin avec papa.

Je posai la main sur l'avant-bras d'Ethan.

— N'as-tu jamais pensé que ton père a forgé cet alibi de toutes pièces pour le protéger ?

— Il n'aurait jamais fait ça !

Ethan ponctua sa phrase d'un hochement de tête, mais il me sembla évident qu'il prenait ses désirs pour des réalités.

Ethan et moi n'avons pas fermé l'œil, cette nuit-là. Ethan se tournait et se retournait dans le lit. Pour ma part, j'étais obsédée, pas tellement à cause de la lettre d'Isabel et de la possibilité que Ned soit responsable de sa mort, mais parce que j'avais vu l'écriture de ma sœur... si vivante encore, tant d'années après. Ses voyelles arrondies et l'orthographe inexacte de « haïssable » humanisaient Izzy et la paraient d'une émouvante candeur.

Le lendemain matin, au petit déjeuner, Lucy proposa de partir de bonne heure et d'aller rendre visite à notre mère pour lui montrer notre découverte, avant de la remettre à la police.

— A quoi bon la faire souffrir ? ripostai-je. Tu sais bien qu'elle est un peu à côté de ses pompes, ces derniers temps. Ça n'arrangera sûrement pas les choses !

En un sens, je cherchais à me protéger en parlant le moins possible d'Isabel à maman.

— Nous risquons de la perturber, admit Lucy, mais nous n'avons pas le choix. Il vaut mieux l'informer nous-mêmes que de laisser un policier s'en charger.

— A mon avis, Lucy a raison, intervint Ethan. Dès que les flics auront vu le papier, ils souhaiteront interroger mon père à nouveau. Mais je ne peux pas croire qu'il ait menti au sujet de l'endroit où se trouvait Ned cette nuit-là !

Lucy lui vint en aide :

— Il ne mentait peut-être pas. Il a pu se tromper d'heure. Donne-lui une chance de s'expliquer !

Ethan laissa planer son regard sur le canal et sur la circulation incessante du samedi matin.

— J'aimerais tant que Ned soit parmi nous pour nous dévoiler ce qui s'est passé, grommela-t-il entre ses dents.

— Et moi donc ! soupirai-je.

Je déposai Lucy chez elle, à Plainfield. Nous avions prévu de nous rencontrer chez maman l'après-midi, après son retour du McDo. En m'engageant dans ma rue, à Westfield, je ressentis un profond chagrin, mêlé de colère. J'avais vu juste depuis toujours au sujet de Ned ! Si seulement George Lewis avait été encore en vie, j'aurais enfin pu le serrer dans mes bras ; lui demander pardon de ne pas avoir su prouver la culpabilité de Ned quand j'avais douze ans.

Je ralentis aux abords de chez moi. De nombreuses voitures encombraient l'allée et débordaient jusqu'à la rue. L'une d'elles appartenait à Shannon ; les autres m'étaient inconnues. Je compris que ma fille avait trahi ma confiance : profitant de mon départ, elle avait organisé une soirée à la maison – soirée qui s'était apparemment prolongée jusqu'au lendemain matin. Avait-elle prévu que les festivités dureraient tout le week-end ?

Faute de place, je me garai devant la demeure voisine. J'ouvris ma porte. Une puanteur de bière éventée et peut-être de marijuana – mais n'était-ce pas un tour que me jouait mon imagination ? – me sauta au visage. Des jeunes gens dormaient dans la salle de séjour, certains à même le sol. Une fille, allongée sur le canapé, leva la tête quand j'entrai.

— Où est Shannon ? la questionnai-je, rouge de colère.

— Quelle Shannon ? Celle qui habite ici ?

— Oui, grommelai-je, les dents serrées.

— Je crois qu'elle est là-haut.

Je montai dans la chambre de Shannon : deux jeunes filles blondes, dont l'une était nue, dormaient, enlacées. De plus en plus furieuse, je me dirigeai vers ma chambre et y pénétrai brusquement. Shannon et Tanner occupaient mon lit. Tanner dormait, mais Shannon, réveillée par le grincement du battant, s'assit subitement en tirant le drap sur elle. Ses longs cheveux tombaient, enchevêtrés, sur ses épaules nues.

— Qu'est-ce que tu fabriques ? lui demandai-je, après avoir jeté mon sac sur la commode.

— Désolée, m'man.

Elle serra le drap autour de sa poitrine et ajouta à mi-voix, sans doute pour ne pas déranger Tanner :

— Les gens étaient de plus en plus nombreux... Je suis vraiment désolée ! Nous voulions faire le ménage avant ton retour, passer l'aspirateur, ranger...

Avais-je ma propre fille sous les yeux ?

— Je ne te reconnais pas, murmurai-je, abasourdie. Qu'est devenue la jeune fille responsable que j'ai élevée ?

— Je suis responsable ! Je ne t'aurais rien caché, mais je ne m'attendais pas à te voir rentrer si tôt.

— En tout cas, je tiens à te dire, Shannon, qu'il n'est pas question que tu files au Colorado. Je suis ta mère, que tu le veuilles ou non, et je ne te laisserai pas vivre de cette manière !

J'agitai la main en direction de Tanner.

— Et cet homme se permet de coucher avec toi dans *mon* lit !

Tanner dormait-il réellement tandis que je déclamais ma tirade ? A mon avis, il faisait semblant et m'écoutait.

— J'ai décidé de partir, proclama Shannon.

— Non !

Elle hocha la tête et une expression déplaisante se peignit sur son joli visage.

— Quelquefois, je te déteste !

Je ne l'avais pas entendue prononcer ces mots-là depuis l'époque où, à l'âge de quatre ans, elle me réclamait, en vain, de lui acheter des bonbons à l'épicerie. Je ne flanchai pas.

— Ça m'est égal, ripostai-je. Je t'enfermerai dans ta chambre s'il le faut. Je dois te protéger.

Ma voix se brisa sur ce dernier mot et je fondis en larmes. Affalée sur le siège devant ma coiffeuse, j'enfouis mon visage entre mes mains. J'entendis ma fille se lever et rajuster ses vêtements, mais je ne pensais qu'au message haineux, caché par Izzy dans la girafe. Pour une fois, sa colère n'était pas dirigée contre maman, comme il arrivait souvent à l'époque. Un jour, elle lui avait même dit qu'elle la haïssait. Notre mère s'était-elle sentie aussi blessée et découragée que moi à l'instant présent ?

Shannon s'approcha et m'entoura de ses bras. Blottie contre elle, je perçus l'arrondi de plus en plus évident de son ventre contre ma joue.

— Pardon, m'man, murmura-t-elle. J'ai eu tort.

Je restai muette, pensant aux efforts de maman pour serrer la bride à Isabel et à son échec spectaculaire. Elle devait avoir si peur que sa fille échappe à son contrôle. Exactement ce que je ressentais à l'égard de Shannon !

45

Maria

Julie et Lucy m'attendaient à la maison quand je suis rentrée du McDo. J'avais l'intention de me changer et de me rendre à l'hôpital pour accomplir mes fonctions bénévoles, mais mes filles désiraient me parler. Devant leur air solennel, j'ai renoncé à mes projets.

— Qu'y a-t-il ? leur ai-je demandé.

Il se passait toujours trop de choses, à mon gré, dans ma famille. Allais-je apprendre que la police se préparait à m'interroger au sujet d'Isabel ? Je fis mon possible pour dissimuler mon trouble.

— Nous voulons simplement discuter, m'a répondu Julie.

Je n'en crus pas un mot. Mais à quoi bon l'obliger à m'avouer la vérité ? Tôt ou tard, je saurais...

Lucy appela la responsable dont je dépendais à l'hôpital pour annuler ma visite, tandis que j'enlevais mon uniforme dans ma chambre. Quand je revins dans le salon, Julie et Lucy patientaient, assises dans des fauteuils. Elles avaient le visage sinistre ! Mon cœur s'est emballé. Je me suis installée sur le canapé, les mains jointes devant moi.

— Dites-moi tout !

— Nous voulons te parler de la mort d'Isabel, a murmuré Lucy.

— Les policiers vont me questionner ?

— Non, a déclaré Julie, mais nous avons fait une découverte dont nous voudrions t'informer, avant qu'ils s'en mêlent.

Mon calme n'était qu'apparent et je me crispai.

Julie sortit alors de son sac un jouet bizarre, rouge et violet.

— Qu'est-ce que c'est ? Une girafe ?

— Oui.

Elle posa l'animal sur ses genoux.

— Nous étions chez Ethan, hier soir, Lucy et moi, et nous avons parlé aux propriétaires actuels de notre maison.

J'eus un coup au cœur à cette évocation de nos étés au bord du canal.

— Te souviens-tu de ma boîte Alice ? reprit Julie. Celle dans laquelle je cachais mes prétendus indices...

Une boîte ? Je ne savais absolument pas de quoi il était question.

— Je me souviens de ta collection d'indices. Tu te passionnais pour ça, à Westfield... Pendant les vacances au bord de la mer aussi ?

— Oui. Grand-père m'avait donné une vieille boîte à pain destinée à mes trésors. Il m'avait aidée à l'enfouir dans le jardin.

— J'avais oublié...

— En fait, c'était un secret. Quand nous avons rendu visite aux nouveaux occupants des lieux, ils m'ont autorisée à creuser à l'endroit où la boîte avait été enterrée. Et je l'ai retrouvée. Elle contenait cette girafe, que je n'ai aucun souvenir d'avoir placée là.

— Alors ? demandai-je, avec l'impression d'avoir un casse-tête à résoudre.

Julie manipula la bête, qui se décomposa en deux morceaux.

— Isabel et Ned se faisaient passer des petits mots à l'aide de ce jouet.

— Oh ! murmurai-je entre mes dents.

Je ne m'étais doutée de rien, moi qui me donnais tant de mal pour éloigner ces jeunes gens l'un de l'autre !

— Nous avons découvert un papier à l'intérieur.

De la partie arrière de l'animal, Julie retira une feuille pliée.

— Veux-tu que je te fasse la lecture ou préfères-tu voir de tes propres yeux ?

— Je veux voir.

D'abord hésitante, Julie se leva et glissa le papier dans ma main. Je le dépliai et le lissai sur mes cuisses, puis chaussai mes lunettes pour lire le texte décoloré.

— Oh ! fis-je à nouveau, bouleversée par l'écriture juvénile d'Isabel et horrifiée par le sens des mots que j'avais sous les yeux.

— Désolée, m'man, lâcha Julie. Je comprends combien c'est pénible pour toi...

— On suppose que c'est le dernier message adressé à Ned par Isabel, intervint Lucy. Ned l'a peut-être mis dans la boîte de Julie en pensant qu'elle y jetterait un coup d'œil avant notre départ. Si elle le montrait aux inspecteurs, ils s'apercevraient qu'Izzy était furieuse contre lui, qu'il l'avait probablement retrouvée sur le radeau et que...

— Chut ! murmurai-je en fermant les yeux.

J'entendais la vibration de mon souffle dans le profond silence de la pièce.

— Tu voudrais ne pas en parler, m'man ? me demanda doucement Julie.

Ni elle ni Lucy ne pouvaient comprendre la raison de ma détresse. J'allais me trouver dans l'obligation de leur avouer des choses que j'aurais préféré passer définitivement sous silence.

Je rouvris les yeux et posai mon regard sur Julie, puis sur Lucy.

— Je suis persuadée que ce mot n'était pas destiné à Ned Chapman.

— Mais si, m'man ! protesta Julie. Bien sûr que...

Je l'interrompis d'un geste.

— Je vous dois la vérité, mes filles. J'aurais préféré garder le secret et je regrette... Mais vous avez le droit de savoir...

— Qu'est-ce que tu racontes ? grommela Lucy.

J'effleurai le papier que mon Isabel avait, jadis, touché, et levai un regard embué sur Julie et Lucy.

— Nous n'étions pas de simples amis d'enfance, M. Chap... Ross Chapman et moi... Nous sortions ensemble quand nous étions adolescents...

— Sans blague ? s'écria Julie.

— Nous sortions ensemble, mais sa famille ne voulait pas de moi, à cause de mes origines à moitié italiennes. Donc, nous nous sommes vus clandestinement pendant des années.

— Comme Isabel et Ned, observa Lucy.

— Tu l'aimais ? s'enquit Julie.

— Oui, pendant une certaine période. Et il m'a longtemps attirée...

Je me sentais mal à l'aise, car je n'avais pas l'habitude d'aborder de tels sujets avec Julie ou Lucy.

— Pourtant je le trouvais irresponsable, car il avait laissé ses parents lui imposer sa conduite.

Me voyant plonger dans mes souvenirs, mes filles attendirent patiemment la suite.

— J'ai épousé votre père en 1944, repris-je. Mais, cet été-là, j'ai eu des relations avec Ross...

— M'man ! s'exclama Lucy d'une voix plus affligée qu'hostile.

— Aujourd'hui, on appellerait peut-être ça un « flirt tournant au viol »... comme pour la fille d'Ethan. J'étais d'abord consentante, puis je me suis rendu compte de ce que je faisais... de ce que *nous* faisions... J'ai supplié Ross d'arrêter, mais il a continué. J'ai honte de vous faire de pareils aveux...

— Oh, ma petite maman !

Je n'osais même plus regarder Julie et Lucy dans les yeux, mais le cri du cœur de Julie m'émut. Elle vint s'asseoir à côté de moi et posa une main sur mon épaule avec une certaine maladresse. Ce contact me réchauffa le cœur.

— Ça peut arriver. Tu n'as pas à avoir honte, m'man. Tu étais jeune...

— Je me sens d'autant plus coupable que, quelques mois après, j'attendais un enfant. Je n'aurais su dire si j'étais enceinte de votre père ou de Ross...

Julie et Lucy échangèrent un regard en comprenant le sens de mes paroles.

— Isabel aurait pu être la fille de M. Chapman ? demanda Lucy.

— Je l'ignore... Je n'ai jamais eu aucune certitude. Votre père et moi... faisions l'amour pratiquement tous les week-ends, cet été-là, et je ne me suis donnée à Ross qu'une fois...

Isabel était née en avril. Bien qu'elle soit blonde, comme Ross, Charles ne s'était posé aucune question. Il la considérait comme son petit ange, alors qu'elle me semblait un vivant rappel de ma faute. Lorsque nous l'avions amenée à Bay Head Shores, fin juin, Ross l'avait observée un instant, puis il avait fait un calcul rapide, dont il avait conclu qu'elle était sa fille. J'avais lu sa pensée dans ses yeux.

— Au moment de sa naissance, Isabel avait les cheveux clairs ; mais vous vous rappelez qu'elle est devenue brune en grandissant. Et elle avait le nez droit de votre père. Pourtant, je ne peux rien affirmer...

— Je comprends que tu aies voulu l'éloigner de Ned ! lança Julie. Ma pauvre maman, ça a dû être terrible pour toi...

Une main à nouveau sur mon épaule, elle se mit à me masser doucement à travers mon pull. Quel réconfort !

— Pouvais-tu te confier à quelqu'un, m'man ? s'enquit Lucy. Avais-tu des copines ?

Lucy aurait trouvé ma solitude insupportable. Quoi qu'il arrive, elle avait besoin de se livrer. Si elle avait un bouton, elle se trouvait un groupe de soutien pour partager son problème. A l'époque, je n'avais aucune envie de parler. Personne ne devait être au courant de mon ignominie.

Lucy s'installa à côté de moi, symétriquement par rapport à Julie.

— Je suis contente que tu nous aies mises au courant.

Lucy embaumait le shampoing citronné, Julie fleurait bon l'eau de Cologne. Jamais je ne m'étais sentie ainsi : rassurée, soutenue, comprise par mes deux filles. J'avais conscience de les avoir choquées, mais ni Julie ni Lucy ne me blâmaient. Je les aimais tant...

Je pris une main de chacune d'elles et la portai à mes lèvres.

— Merci, mes chéries, murmurai-je, mais je ne vous ai pas encore tout révélé.

1962

L'été de la mort d'Isabel fut, évidemment, le pire de ma vie. Mais je me sentais déjà troublée avant la tragédie. Depuis l'année précédente, Izzy était devenue difficile – une attitude normale de la part d'une adolescente, pourtant j'avais beaucoup de mal à relever ce défi. Plus j'étais soucieuse, plus je serrais la vis à Isabel, qui réagissait comme un animal en cage. Je m'inquiétais de ses relations avec Ned, et priais le ciel chaque soir qu'ils ne soient pas frère et sœur. Au fond de moi-même, je ne croyais pas à cette hypothèse, mais puisqu'elle était envisageable, mon devoir était de les séparer. Plus j'essayais, plus Izzy se cabrait.

La veille de sa mort, mes parents avaient fait une promenade nocturne avec Julie et Lucy, et Charles était rentré à Westfield.

Je lavais la vaisselle dans la cuisine, quand j'entendis frapper à la porte-écran de la véranda. Après avoir tourné le robinet, je prêtai l'oreille.

— Maria ?

Je reconnus la voix de Ross – qu'il m'arrivait encore d'entendre, quand il était dans le jardin avec sa femme ou ses fils.

Je me séchai les mains à l'aide d'un torchon et traversai le salon, en direction de la véranda. Ross était derrière la porte, le visage collé au grillage et la main en visière pour voir à l'intérieur de notre maison.

— Salut, Ross ! lançai-je sans m'approcher.

— Je peux entrer ? Il faut que je te parle...

Je lui ouvris. Rétrospectivement, je regrette de ne pas l'avoir rejoint dans le jardin. Tout aurait pu prendre une autre tournure, si je ne l'avais pas laissé franchir le seuil.

Il semblait nerveux... dans la mesure où le président de la Cour suprême d'un Etat américain peut donner cette impression.

— J'ai vu tes parents sortir avec tes filles, m'annonça-t-il.

— Ils sont allés faire un tour sur la promenade.

— Isabel aussi ?

Ross regarda derrière moi, comme s'il risquait de l'apercevoir.

— Non, elle est chez une copine.

— Tant mieux ! Je voudrais te parler...

— Tu me l'as déjà dit.

Je croisais les bras sur ma poitrine avec une lassitude manifeste.

— Peut-on entrer ? insista Ross en scrutant l'extrémité de la véranda, face à sa maison.

Je suivis son regard. Aucun mouvement n'était visible du côté des Chapman, mais il était clair que Ross tenait à m'entretenir sans aucun témoin.

Cédant à sa demande, je lui proposai de venir dans le salon.

Il prit place dans le rocking-chair en osier. Accoudée à

l'un des sièges capitonnés, j'évitai de m'asseoir, afin que la conversation ne s'éternise pas.

— Je suis certain qu'Isabel et Ned ont des relations... fit Ross d'emblée.

Voulait-il parler de rapports sexuels ?

— Je ne pense pas, rétorquai-je.

— Tu te caches la tête dans le sable pour ne rien voir ! Ils sont beaucoup plus souvent ensemble que tu ne crois... et que je ne crois. Ethan m'a confié qu'ils se retrouvent clandestinement.

— Il essaie peut-être d'attirer des ennuis à son grand frère, suggérai-je, le cœur palpitant. Je sais toujours où se trouve Izzy et avec qui elle est. Elle ne revient jamais après l'heure...

Ma réponse était absurde, mais je n'allais sûrement pas reconnaître que j'avais perdu le contrôle de ma fille.

Ross me sourit.

— Nos parents en auraient dit autant quand nous avions l'âge d'Isabel et de Ned. Tu ne penses pas ?

J'évitai son regard, car il avait raison.

— Fais-moi le plaisir de me croire un instant, reprit Ross. Si tu admets qu'Isabel et Ned sont amoureux, nous pourrons trouver moyen, à nous deux, de mettre un terme à leur relation. D'accord ?

J'avais passé le début de l'été à empêcher Izzy et Ned de se fréquenter, et je croyais être arrivée à mes fins. Par ailleurs, un second problème se posait : je ne tenais pas à admettre l'éventualité qu'Isabel soit la fille de Ross. J'étais sûre, à quatre-vingt-dix pour cent, qu'elle était l'enfant de Charles... mais les dix pour cent restants m'obsédaient.

— D'accord ! Parce que s'il y a la moindre possibilité

que... tu vois ce que je veux dire. Mais c'est aberrant ! S'ils avaient des relations, je suis persuadée que je le saurais.

— Ouvre les yeux, Maria ! gronda Ross.

Il se leva en agitant les mains.

— Isabel ne ressemble pas le moins du monde à Charles.

— Ni à toi !

— Elle a le menton et les pommettes de ma mère.

— Ça suffit !

Je me mis à rire pour cacher mon embarras.

— Tu ferais mieux de rentrer chez toi, Ross, et de...

— Je ne laisserai pas mon fils baiser sa sœur !

— Va-t'en, m'écriai-je, furieuse, en marchant à grands pas vers la porte de la véranda. Va-t'en immédiatement !

— Espérons au moins qu'il ne va pas lui faire un enfant, conclut Ross, le visage écarlate.

Après son départ, je passais mes mains sur mes yeux en soupirant, quand un bruissement dans le grenier me surprit. Des pas sur le plancher... Je tournai la tête et aperçus Isabel en haut de l'escalier. Elle descendit les marches précipitamment, tandis que je la regardais, tétanisée.

— De quoi parlais-tu ? fit-elle en sautant les dernières marches.

— Izzy !

Je m'efforçai d'adopter un ton désinvolte, comme si rien de ce qu'elle avait entendu ne devait être pris au sérieux.

— Je te croyais avec Mitzi et Pam.

— J'avais la migraine ; d'ailleurs, ça ne te regarde pas.

Des flammes paraissaient jaillir de ses yeux noirs. Elle ne ressemblait pas à Ross. Pas le moins du monde !

— J'ai entendu M. Chapman raconter que je pourrais être la sœur de Ned. Qu'est-ce que c'est que cette histoire ?

— Il s'agit d'un malentendu, ma chérie.

— Dis-moi comment je pourrais être sa *sœur* !

Je restai sans voix, tandis qu'Isabel semblait tomber des nues.

— Espèce de coureuse ! Tu étais mariée avec papa et tu couchais avec M. Chapman...

Isabel plaqua une main sur sa bouche, comme si elle avait la nausée.

— Mon Dieu ! Tu me dégoûtes.

Impossible de nier ou de me justifier.

— Je suis fautive, Isabel, admis-je ; mais je peux t'assurer que tu es la fille de papa. Tu n'as aucun souci à te faire.

— C'est pour ça que tu te donnais tant de mal pour m'éloigner de Ned ?

Ses yeux étaient noyés de larmes et je mourais d'envie de l'étreindre, mais elle ne m'aurait pas permis de l'approcher.

— Vous êtes trop jeunes, Ned et toi, pour prendre des engagements sérieux.

Elle me jeta un regard haineux.

— J'ai hâte de tout raconter à papa ! Tu n'es qu'une pute... et tu oses m'imposer ces principes que je suis censée respecter. Comment veux-tu que je te fasse confiance ?

Elle pivota sur elle-même et fonça, à travers le corridor, vers la porte de la maison.

Dans un silence de mort, je joignis les mains devant moi. Isabel détruirait Charles si elle lui parlait, et je serais anéantie à mon tour. Charles ne divorcerait pas, mais ce serait la fin de notre couple. A quoi bon y penser à cet instant ? L'état affectif de mon enfant était mon principal souci.

Dehors, j'aperçus Isabel, assise de l'autre côté de la rue, au milieu des buissons de ronces ; elle pleurait à chaudes larmes, non loin de l'endroit où elle avait peut-être été conçue. Je traversai pour la rejoindre, mais elle se crispa à mon contact.

— Dis-moi la vérité ! gémit-elle. Dis-moi que Ned n'est pas mon frère !

— Je pense sincèrement qu'il ne l'est pas... mais, sait-on jamais ?

— Mon Dieu !

Isabel se leva, le corps secoué de sanglots, puis elle se pencha et ramassa une poignée de sable, qu'elle me lança au visage. Sur le point de hurler de douleur, j'écarquillai les yeux en les protégeant de mes deux mains.

— C'est décidé ! s'égosilla Isabel au-dessus de ma tête. Ce week-end, quand papa viendra, je vais tout lui raconter... Je lui dirai que sa femme n'est qu'une pute. J'ai hâte de lui parler et j'espère qu'il demandera le divorce.

Il me fallut plusieurs minutes avant d'ouvrir les yeux assez grands pour regagner la maison. Je dus ensuite les rincer une demi-heure à l'eau courante. Il ne me restait plus qu'à avouer la vérité à Charles avant qu'Isabel me dénonce, mais le destin en décida autrement.

— Izzy a donc adressé ces injures à M. Chapman, conclut Julie quand j'eus terminé mon récit.

— C'est plus que vraisemblable ! Mais, ajoutai-je en prenant le papier entre mes mains, je ne sais ni comment ni pourquoi ce mot destiné à Ross a abouti dans ta boîte.

46

Julie

J'arrivai au coucher du soleil sur le parking de la résidence pour personnes âgées autonomes de Lakewood. Je baissai la vitre de ma voiture. Tandis qu'une brise tiède emplissait l'habitacle, je guettais le pick-up d'Ethan, les yeux rivés sur l'entrée du domaine.

Je venais de passer une journée longue et difficile, débutant par la découverte du lendemain de fête de Shannon, chez moi. Pendant que j'étais chez maman, Tanner et elle avaient travaillé dur pour tout remettre en ordre. Malgré l'embarras qu'avait manifesté Tanner, mon estime pour lui en avait pris un sacré coup.

Une fois seule dans ma maison immaculée, je me remémorai les révélations de ma mère au sujet de ses relations avec Ross Chapman. Je n'aurais su dire qui avait tué Isabel, mais j'avais maintenant la certitude d'avoir joué un rôle infime – voire nul – dans l'affaire. Les paroles de maman m'avaient libérée de la culpabilité qui pesait sur moi depuis plus de quarante ans. Izzy n'était pas morte par ma faute ! J'étais tout au plus une voie sans issue dans un labyrinthe inextricable. Ma culpabilité avait fait place à une profonde compassion pour ma mère, qui avait vécu presque toute sa vie avec ses propres démons.

Je restai assise de longues minutes, mon téléphone sur les genoux, avant d'avoir le courage d'appeler Ethan. Puis je lui fis part avec précaution des aveux de maman, en prenant soin de présenter son aventure extra-conjugale avec Ross Chapman comme une expérience consensuelle. Peut-être à juste titre... Pour alléger sa conscience, ma mère n'avait-elle pas déformé l'événement, ressassé soixante années durant ? Je voulais surtout éviter de peiner Ethan outre mesure.

— Mes parents ont pourtant eu une vie conjugale harmonieuse, murmura-t-il enfin.

— Les miens aussi, dis-je pour le rassurer. Ce qui s'est passé entre ton père et ma mère date des premiers temps de leur mariage. Ils n'étaient sans doute pas encore habitués à vivre en couple...

— Mais si ce mot était destiné à mon père, nous ignorons toujours comment il a abouti dans ta boîte !

— En effet.

— Crois-tu que c'est lui qui aurait...

Ethan laissa sa phrase en suspens.

— Je ne sais que penser, Ethan.

— Il faut que je parle à papa face à face. Si tu venais avec moi ?

Alors que j'avais la chance de partager le poids du passé avec Lucy, Ethan était seul.

— Bien sûr que je t'accompagne ! m'écriai-je.

Voilà pourquoi je l'attendais dans ma voiture, tandis que ma fille dévoyée était je ne sais où avec l'homme qui lui avait fait un enfant et que Lucy réconfortait notre mère.

Ethan gara son pick-up à côté de mon véhicule et en descendit. J'allai le rejoindre et il me serra un long moment dans ses bras.

— Ça va ? chuchotai-je, les paumes sur son dos.

— Pas vraiment.

En me dégageant de son étreinte, je remarquai ses sourcils froncés et sa mâchoire crispée.

— As-tu annoncé notre arrivée à ton père ?

Ethan hocha la tête et prit ma main, tandis que nous marchions vers l'imposante bâtisse en brique.

— Quand je l'ai appelé, j'ai fini par lui raconter presque tout, car il n'arrêtait pas de me questionner. Je lui ai dit que ta mère t'a parlé de sa relation avec lui et de l'éventualité qu'il soit le père d'Isabel. J'ai même fait allusion à la lettre trouvée dans la girafe.

— Comment a-t-il réagi ?

— Aucune réaction pendant une minute, puis il s'est mis à pleurer.

Ethan frissonna.

— Je n'ai jamais vu mon père en larmes... Pas même au bord des larmes... Y compris à la mort de ma mère ou de Ned... Il ne pouvait pas articuler un mot ; alors je lui ai dit que j'arrivais, qu'il ne devait pas s'inquiéter, que tout allait s'éclaircir...

Dans le vestibule, Ethan poussa le bouton de l'ascenseur.

— Il a murmuré « très bien » et j'ai eu l'impression d'entendre un gamin paniqué !

Deux résidentes, des femmes âgées, munies d'un déambulateur, montèrent avec nous et chacun se tut jusqu'au cinquième étage.

Nous avons longé le couloir d'un pas rapide, puis

Ethan a frappé à une porte ornée d'une guirlande de lierre artificiel. Il y eut du bruit à l'intérieur – un son mat, puis un crissement –, mais personne ne vint ouvrir.

— Papa ?

Toujours pas de réponse. Ethan a examiné son trousseau de clés et fait le tri pour en trouver une, qu'il a glissée dans la serrure.

Nous sommes entrés dans un petit salon-salle à manger bien tenu, avec d'imposants meubles en merisier sombre et des bergères à oreilles, recouvertes de cuir rouge, parfaitement dignes d'un ancien juge de la Cour suprême.

— Papa ? a appelé une seconde fois Ethan, tourné vers ce qui devait être la chambre à coucher.

Il a fait un pas dans cette direction, mais un cri venant de l'extérieur de l'immeuble l'a pratiquement figé sur place. Nous avons regardé vers les fenêtres de la pièce principale : l'une d'elles était ouverte et l'écran avait disparu.

— Mon Dieu, non !

Ethan a bondi. Je l'ai suivi et j'ai posé une main sur son dos tandis qu'il se penchait pour regarder dehors.

— Non, a-t-il gémi. Non, papa !

Je me mis à trembler en entendant des cris poussés d'en bas. Je ne voulais pas découvrir ce qu'Ethan avait sous les yeux.

Il s'est éloigné de l'ouverture et effondré à terre, couvrant son visage de ses mains. Je me suis assise à côté de lui pour l'étreindre et le bercer, dans l'attente du hurlement des sirènes.

La seconde chambre de l'appartement de M. Chapman servait de bureau. C'est là, en évidence sur la table de travail, que les inspecteurs découvrirent une lettre à l'intention d'Ethan :

Mon très cher fils,

Le 5 août 1962, Isabel Bauer m'a abordé dans notre jardin pour me remettre un mot. Celui que tu as trouvé, dans lequel elle me menace de tout raconter à son père. Tant d'années après, tu dois avoir du mal à comprendre ma panique. Charles Bauer pouvait nuire d'une manière irréversible à ma carrière. Il avait de l'influence et beaucoup de relations haut placées, qui lui auraient permis de réduire mes ambitions politiques à néant.

Je savais que Ned avait l'habitude de retrouver Isabel à minuit dans la baie. Bien que je lui aie interdit de la rejoindre ce soir-là, je l'ai entendu lui dire par téléphone qu'il parviendrait peut-être à s'échapper. C'était pour moi une occasion inespérée de parler à Isabel en tête à tête. J'ai renouvelé mon interdiction à Ned et je suis allé moi-même au rendez-vous.

Comprends-moi, Ethan, je n'avais pas l'intention de tuer Isabel ! Je comptais juste la dissuader de parler de moi à son père. Elle attendait sur le radeau et quand j'ai nagé dans la nuit pour la rejoindre, elle m'a probablement pris pour Ned. Au moment où elle m'a reconnu, furieuse, elle a voulu plonger pour m'éviter. Je l'ai retenue par le bras et elle s'est débattue. C'est sans doute alors que sa sœur l'a entendue appeler au secours...

Je ne me souviens pas des détails, mais je peux affirmer que nous nous sommes querellés et qu'elle est tombée à l'eau. Je ne l'ai pas poussée. Je ne me doutais pas le moins du monde qu'elle s'était cogné la tête ou même noyée. Je croyais qu'elle nageait sous la surface pour s'enfuir. C'est le lendemain matin que j'ai appris sa mort. J'ai raconté aux policiers que j'avais passé la soirée à observer les étoiles filantes avec Ned dans le jardin. Il s'est imaginé que je mentais pour le protéger ; en fait, je ne me souciais que de moi !

Depuis cet événement, ma culpabilité concernant la mort d'Isabel Bauer, mais aussi la plongée de Ned dans la dépression et l'alcool, ne m'ont laissé aucun répit. Je suis certain que Ned a trouvé la lettre, car le papier a disparu de ma boîte à cigarettes dans laquelle je l'avais rangé. Bien que Ned ne m'ait rien dit, je suis certain aussi qu'il a compris ma responsabilité dans la mort d'Isabel. J'ai donc le sentiment de les avoir tués tous les deux.

Ne pleure pas ma mort, Ethan : j'ai eu beaucoup plus de joie dans ma vie que je n'en méritais. En grande partie grâce à toi, qui es devenu sous mes yeux le charpentier expérimenté, le père merveilleux et l'homme honorable que tu es aujourd'hui. Je t'aime.

Papa

47

Maria

Lucy m'a quittée vers huit heures, hier soir, quand je l'eus rassurée sur ma sérénité... qui laissait pourtant à désirer. Julie m'a appelée à dix heures et demie pour prendre de mes nouvelles, d'une voix bizarre, un peu trop désinvolte. Elle ne me verrait pas à l'église, ce matin-là, mais me proposait de passer, après la messe, prendre un brunch chez elle, avcc Lucy et Ethan.

J'ai accepté son invitation.

J'ai cherché à me calmer en me disant que la vérité finirait par triompher et que mes cogitations ne changeraient rien. Malgré mes efforts, je n'ai pas arrêté de ressasser et j'ai à peine fermé l'œil de la nuit. Je sentais qu'il y avait anguille sous roche. Il ne faut pas me prendre pour une idiote ! Julie allait peut-être m'annoncer ce que je soupçonnais déjà : Ross Chapman était le meurtrier de ma fillc.

A l'église, le sermon traitait du repentir. Du sur-mesure pour toi, Maria ! ricanai-je en moi-même. J'aurais voulu me concentrer sur les paroles du prêtre, mais mon esprit ne cessait de vagabonder. L'office fini, j'ai filé à toutes jambes chez Julie.

Arrivée avant Lucy et Ethan, je fis une pause devant la

porte d'entrée. Des vociférations s'échappaient de la cuisine : la voix de Shannon, puis celle de Julie. Elles étaient en pleine discussion. Pire que ça : une vraie dispute ! Shannon insultait sa mère ; j'eus envie de rentrer sous terre.

Julie menaçait Shannon de l'exclure de son assurance santé si elle s'installait au Colorado avec son amoureux.

— Et pas question que je paie ton inscription à l'université ! hurlait-elle.

Pourtant, elle n'avait pas l'habitude d'élever la voix. Je compris qu'elle avait atteint le point de non-retour avec ma petite-fille.

— Ne compte plus sur mon aide financière, en tout cas ! conclut-elle.

Avant que j'aie fait six pas à travers le salon, Shannon traitait sa mère de femme cruelle et manipulatrice ; mais elle avait des larmes dans la voix. Je me dirigeai vers la cuisine pour observer la scène depuis le seuil. Devant le comptoir en granit, Julie découpait un cantaloup odorant en billes, comme si elle lacérait le cœur de sa fille. Celle-ci marchait de long en large et appuyait sur les touches de son téléphone portable, tout en proférant des injures à l'intention de sa mère. Je les ai regardées exécuter cette danse rituelle dont je ne me souvenais que trop.

Shannon me remarqua la première. Après avoir fermé son téléphone, elle baissa les yeux et sortit, non sans murmurer entre ses dents :

— Au revoir, Nana.

La porte de la maison claqua.

Julie posa le couteau qu'elle utilisait et plaqua sa paume sur son front. Elle semblait avoir la migraine. Que lui dire ? Quels mots m'auraient aidée quand j'étais dans sa situation ? Quels conseils m'auraient permis d'y voir plus clair ?

Après s'être séché les mains avec une serviette en papier, elle s'adossa au comptoir, les bras croisés sur la poitrine.

— Shannon insiste pour partir la semaine prochaine avec Tanner. Ils ont fait une grande fiesta en mon absence, m'man. Des dizaines de jeunes... De l'alcool et tout le reste... Shannon et Tanner dormaient dans mon lit.

Des broutilles, à mon avis. Une profonde lassitude m'envahit. Je pensai à Isabel, dans la baie, à minuit, avec Ned ; à moi, dans le terrain envahi par les ronces, avec Ross.

— Un véritable cercle vicieux... murmurai-je. Et Shannon rencontrera peut-être des problèmes avec son enfant, dans dix-sept ans...

Julie me dévisagea comme si elle ne comprenait rien à mes paroles.

La porte d'entrée s'ouvrit. Un instant après, Lucy et Ethan débarquaient dans la cuisine. Sans m'accorder la moindre attention, ce dernier alla d'abord embrasser Julie, qui ferma les yeux dans ses bras.

— Ça va ? fit-elle en reculant.

Il y avait manifestement quelque chose de sérieux entre ces deux-là. Mes soupçons, à l'occasion du barbecue, devenaient une certitude.

Lucy passa un bras autour de ma taille et interrogea sa sœur :

— Tu lui as dit ?

— Quoi encore ? demandai-je.

Ethan planta son regard dans le mien.

— Mon père s'est défenestré hier soir.

Mon Dieu ! Je m'attendais à tout sauf à cela. Prise d'un vertige, je m'affalai sur une chaise qu'Ethan avait approchée, en m'agrippant à son bras.

— Je suis navrée, Ethan.

Il hocha la tête, les yeux rougis de larmes.

— Tu devrais t'asseoir, toi aussi, lui souffla Julie.

Apparemment aussi faible que moi, il se laissa guider sans protester jusqu'à un siège.

— Ross Chapman a avoué, m'man, reprit Julie. Tu avais raison : c'est à lui que s'adressait le mot retrouvé dans la girafe. Après l'avoir reçu, il a interdit à Ned de rejoindre Isabel ce soir-là, sur le radeau, pour y aller à sa place. Il voulait la convaincre de ne rien dire à papa au sujet de... tes relations avec lui. Il affirme qu'il s'agit d'un accident : Isabel aurait tenté de plonger et il l'aurait saisie par le bras pour l'en empêcher. Il ne s'était pas rendu compte qu'elle s'était cogné la tête ! Ce n'est que le lendemain matin qu'il a appris qu'elle s'était noyée.

— Du moins, telle est sa version des événements, observa Ethan en se frottant les yeux.

Pauvre Ross ! Si j avais accepté de le voir, l'aurais-je détourné du suicide ? Ce point resterait une énigme pour moi.

— Ecoute, Ethan, murmurai-je afin d'alléger un peu son chagrin, ton père a commis bien des fautes, mais je crois à sa sincérité. Il n'aurait pas été capable de tuer avec préméditation, et surtout pas une adolescente qu'il prenait pour sa fille !

La pensée des derniers instants d'Isabel me revint une fois de plus, mais je la chassai aussitôt. Ce n'était ni le lieu ni l'heure ; je verrais plus tard.

— Je suis très peinée pour ce malheureux George Lewis, ajoutai-je.

Julie éclata en sanglots. Ethan se releva et la tint tendrement contre lui. Je lui étais soudain reconnaissante d'être réapparu ainsi dans sa vie. Malgré mes objections antérieures, j'étais touchée par leur tendre complicité et contente que quelque chose de bon sorte enfin de cet imbroglio.

Cependant, les larmes de Julie semblaient intarissables et les efforts d'Ethan pour l'apaiser demeuraient vains.

Il chercha mon regard.

— Julie nourrit un sentiment de culpabilité au sujet de la mort d'Isabel...

Par ma faute, sans doute... C'en était trop pour moi ! Je m'approchai de Julie.

— Ma chérie, dis-je en lui frictionnant le dos, je ne t'ai jamais blâmée.

Ce n'était pas la *pure* vérité. Au début, j'en avais beaucoup voulu à Julie, mais pendant un infime laps de temps. Je savais pertinemment qu'elle n'avait pas souhaité faire le moindre mal à sa sœur ! Ma colère à son égard s'était muée en un chagrin qui m'avait consumée des années durant. Je n'avais pas songé à effacer les paroles cruelles que j'avais adressées à Julie au fil des heures – ou plutôt des jours – qui avaient suivi le décès d'Isabel. Aveuglée par la douleur, j'avais cru qu'elle avait surmonté le choc. Je mesurais enfin la profondeur de sa détresse.

Peut-être était-ce l'occasion ou jamais d'aborder le conflit mère-fille qui semblait peser si lourd sur notre famille.

— Julie, soufflai-je, si quelqu'un, à part Ross, est blâmable, c'est moi.

S'arrachant à l'étreinte d'Ethan, elle essuya sa figure des deux mains.

— M'man, comment peux-tu penser une chose pareille ?

— C'est vrai, Julie. J'ai éloigné Isabel de moi en lui serrant trop la bride. Et toi... Tu m'écoutes ?

Je dévisageai ma fille.

— Je te supplie de ne pas commettre la même erreur avec Shannon !

48

Julie

J'avais préparé une abondante collation – melon et fraises, bagels et fromage à la crème, œufs brouillés et saucisses –, mais nous nous sommes contentés de grignoter quelques bouchées.

Assis dans la salle à manger, car il faisait trop chaud pour que nous restions sur la véranda, nous avons délaissé les plats, en faisant remonter à la surface les non-dits accumulés depuis des années.

Si seulement j'avais eu le courage de parler d'Isabel à maman des décennies plus tôt, mes souffrances – comme les siennes – auraient été moindres ! Je ne serais pas devenue une adulte culpabilisée par la version des événements qu'elle avait à douze ans. Pourquoi avions-nous passé quarante ans à marcher sur la pointe des pieds autour de l'éléphant ? Pensions-nous qu'il s'éloignerait de son plein gré ? Que si nous le laissions mourir de faim en l'ignorant, il maigrirait au point de passer sous la porte ?

Je me promis de ne plus jamais sombrer dans une telle erreur. Evoquer les difficultés au fur et à mesure est souvent pénible, mais il s'agit en fait d'un vaccin : l'aiguille a beau piquer, ce n'est rien par rapport à la maladie elle-même.

Après le brunch, Ethan est monté faire la sieste dans ma chambre. Abby viendrait plus tard avec son mari et son bébé ; nous prendrions ensemble les dispositions concernant Ross Chapman.

Lucy est partie après m'avoir aidée à débarrasser ; elle avait une répétition avec les Zyda Chicks. Maman est restée encore un peu. Une fois la cuisine remise en ordre, nous nous sommes assises sur le canapé du salon. Maman a pris ma main, à moins que je n'aie pris la sienne. En tout cas, je me suis sentie bien.

— Il y a encore une chose... ai-je murmuré au bout de quelques minutes. Je ne te dis plus...

— Oui, Julie ?

— Je ne te dis plus jamais à quel point je t'aime. Je te le répétais, quand j'étais petite, puis j'en ai perdu l'habitude. Désormais, je n'hésiterai pas.

— Je le savais sans que tu l'exprimes, mais ce sera merveilleux à entendre !

— Et puis, ajoutai-je dans mon élan, je te trouve belle, intelligente, ardente... J'ai de la chance d'avoir une mère pareille. Quand j'aurai ton âge, j'espère être comme toi !

Maman pouffa de rire.

— Je demanderai qu'on te réserve une place au McDo.

Elle se tut brusquement et je sentis une pression plus forte sur mes doigts.

— J'ai l'air de prendre tes paroles à la légère, Julie. C'est une fâcheuse habitude dans la famille... Quand nous nous approchons trop de la vérité, nous plaisantons.

Elle se tourna vers moi en soupirant.

— J'ai bien entendu chacune de tes paroles et je

les garderai tel un trésor tant que je vivrai. Je t'aime, ma chérie.

Maman et moi nous sommes enlacées et j'aurais pu rester des heures ainsi. Seules mes pensées pour l'homme qui dormait dans ma chambre projetaient une ombre sur ma béatitude : Ethan n'aurait pas la chance d'apaiser ses proches par la vérité et le pardon.

Après le départ de ma mère, je me suis assise dans mon bureau – où j'avais l'impression de ne pas avoir écrit une ligne depuis des mois – pour joindre les entreprises de pompes funèbres de la région de Lakewood. Je voulais rassembler des informations, destinées à Ethan, quand il se réveillerait. C'était la première fois que j'étais confrontée à cette triste tâche ; pour lui, la troisième en moins de deux ans.

J'allais raccrocher quand j'entendis la voiture de Shannon dans l'allée. Bientôt, ma fille entra dans la maison et fonça dans l'escalier, probablement avec l'intention de continuer à faire ses paquets.

— Shannon ?

Les bruits de pas s'interrompirent.

— Oui ?

— Pourrais-tu venir ici ?

Elle ne broncha pas et je l'imaginai, un pied sur une marche, se demandant si elle allait prendre la direction de sa chambre ou celle de mon bureau. Elle soupira et apparut presque aussitôt dans l'encadrement de la porte.

— Assieds-toi, ma chérie !

J'espérais lui faire comprendre, par mon intonation, que je n'avais nulle envie de poursuivre notre querelle.

Elle évita mon regard et s'installa en hésitant sur la causeuse. Je roulai mon siège à côté du sien.

— J'ai beaucoup réfléchi, ce matin, lui dis-je. Je t'aime de tout mon cœur, Shannon. Tu sais que je ne veux pas que tu partes pour le Colorado, mais si tu insistes, je ne m'opposerai pas à ta décision.

Je crus étouffer avant de terminer ma phrase, mais je tins bon. Shannon semblait déconcertée, comme si elle craignait de s'être trompée d'adresse.

— Tu te moques de moi ? marmonna-t-elle.

— Pas le moins du monde ! Je suis malade à l'idée que tu sois loin de moi et, pour un peu, je t'enfermerais dans ta chambre pour te garder ici. Je me ferai beaucoup de souci à ton sujet, parce que tu comptes plus que tout dans ma vie.

Ma voix se brisa... mais si peu que Shannon ne dut même pas s'en rendre compte.

— Cela dit, agis comme tu le souhaites. Rappelle-toi simplement que tu seras *toujours* la bienvenue ici, sans aucune réserve. D'accord ?

Un sourire fugitif se posa sur les lèvres de Shannon tandis que je parlais.

— Merci, m'man, répliqua-t-elle en se penchant pour m'embrasser sur la joue. Tu es vraiment cool !

Elle sortit de la pièce. Je l'entendis composer un numéro sur son portable, dans l'escalier. Elle appelait Tanner pour lui annoncer la bonne nouvelle.

Epilogue

Lucy

— Pas moyen de la faire tomber !

Ethan suivait du regard Abby, en équilibre sur un ski derrière le bateau. Elle paraissait détendue, presque blasée, tandis qu'elle fendait les flots. Loin d'être sarcastique, Ethan souriait de satisfaction : il avait initié sa fille au ski nautique à l'âge de dix ans et maintenant qu'elle en avait vingt-sept, elle évoluait facilement sur l'eau.

J'avais pris Clare sur mes genoux.

— Tu vois ta maman ? soufflai-je à son oreille.

La fillette de dix-huit mois pointa un doigt vers sa mère.

— Maman... ski !

— Oui, c'est ça.

— On va la faire tomber ! lâcha Ethan d'un ton rogue.

Il tourna le volant pour obliger Abby à traverser le sillage d'un bateau plus puissant. Malgré le ronronnement du moteur, j'entendis Abby éclater de rire en s'apercevant que son père était en train de lui jouer un tour.

— Ton grand-père est vilain, lançai-je à Clare.

— Papi, papi vilain...

En fait, Ethan était tout sauf cela. Depuis le mois de

janvier, date de son mariage avec Julie, je le considérais comme le plus charmant des beaux-frères. Je passais quelques semaines d'été en leur compagnie. Abby venait skier chaque jour avec son père.

Quant à moi, j'avais l'impression d'en avoir fini avec les hommes. Ma vie était trop bien remplie pour que j'y ajoute un ingrédient masculin ! Entre mes étudiants, les Zyda Chicks, mon groupe de soutien féminin et ma famille tentaculaire, comment aurais-je pu consacrer un moment à un compagnon ?

Abby chevauchait le sillage des engins que nous croisions telle une championne, s'élevant et retombant élégamment sur les vagues. Puis elle adressa un signe à Ethan signifiant que mon tour arrivait.

Ethan ralentit et Abby se laissa aller doucement dans l'eau, tandis que nous décrivions des cercles autour d'elle pour la récupérer. Elle était longue, mince et bronzée. Elle grimpa à bord au moyen de l'échelle et secoua ses cheveux humides sous le nez de Clare, qui éclata de rire.

— A toi, Lucy ! fit Ethan.

Après avoir rendu Clare à sa mère, je me jetai à l'eau. Abby me lança les skis et, comme toujours, je peinai à les passer. J'étais lamentable sur toute la ligne : qu'il s'agisse de chausser les skis, de remonter sur le bateau et, surtout, de rester debout plus de quelques secondes. Les innombrables arrêts et démarrages devaient exaspérer Abby et Ethan, mais ils ne manifestèrent aucune contrariété. Je savourais chaque seconde de cette expérience, d'autant plus que j'avais de l'eau bien au-dessus de la tête, avec la certitude absolue que je n'allais pas me noyer.

Maria

J'ai compris depuis longtemps que les choses se passent rarement, dans la vie, comme on s'y attend. Comment aurais-je pu me douter qu'à quatre-vingt-deux ans je me trouverais en train de planter des géraniums dans les jardinières des Chapman ? Et comment aurais-je pu imaginer que Julie serait un jour une Chapman ?

Au moment de son mariage avec Ethan, l'idée que j'embrassais le fils du meurtrier d'Isabel et que je l'accueillais à bras ouverts dans ma famille ne me posait plus de problème. Personne n'avait souffert comme lui au cours des deux dernières années. Il avait perdu sa mère et son frère, avant d'apprendre une vérité insoutenable au sujet du père qu'il idolâtrait. Je ne pouvais qu'admirer son amour de la vie et sa résilience. Il appartenait, lui aussi, à l'espèce des survivants.

Julie et Ethan se partageaient entre la maison de Julie à Westfield et celle d'Ethan à Bay Head Shores. Au début, j'avais refusé d'y aller. L'éventualité d'y séjourner me retournait l'estomac et je n'avais pas cherché à dissimuler mon malaise. Même à un âge avancé, on peut encore changer beaucoup de choses. Peut-être pas sa personnalité profonde, son noyau identitaire ; mais au moins la manière dont on appréhende le monde.

En ce qui me concerne, j'avais appris à ne pas refouler mes émotions. Si j'avais un sujet de mécontentement, un chagrin ou une joie, j'appelais une de mes filles pour partager mon état d'âme avec elle. La première fois que Julie m'avait proposé de venir sur le canal, je lui avais avoué mon appréhension. Après m'avoir écoutée, elle m'avait dit qu'elle regretterait de ne pas me voir ; mais elle comprenait mes craintes et la décision m'appartenait en dernier ressort. Placée devant l'alternative – rester seule à Westfield pendant que ma famille inaugurait un nouveau style de vacances estivales ou surmonter mon angoisse pour participer aux événements –, j'avais choisi la seconde solution. L'épreuve avait été moins dure que je n'aurais cru. Vu du jardin d'Ethan, le monde semblait différent de ce qu'il était jadis du nôtre.

J'ai donc passé le plus de temps possible avec mes enfants, dans la mesure où mon travail au McDo me le permettait.

Julie

La véranda est si paisible !

Mon ordinateur sur les genoux et une tasse de café sur la table à côté de moi, j'entendais le cliquetis des cisailles de maman dans les jardinières des fenêtres et les massifs devant la maison. J'écrivais probablement le dernier livre de ma série des Granny Fran. Fran Gallagher avait maintenant quatre-vingt-quatre ans, l'âge de la retraite. J'aurais pu suggérer que ses jeunes collègues moins expérimentés l'appelleraient parfois à l'aide pour résoudre certaines énigmes... En fait, il était temps qu'elle s'installe en Floride et dorme sur ses lauriers, avec un aimable compagnon à ses côtés.

Mes fans n'apprécieraient pas que je lâche le personnage, mais j'étais prête à passer à des intrigues plus consistantes. Je voulais plonger dans les expériences tumultueuses de la vie. Ecrire des ouvrages où résonnent le chagrin et l'amour, le bien et le mal, la mort et le renouveau : les hauts et les bas de la réalité quotidienne. Certains de mes lecteurs me suivraient sur cette voie, d'autres regretteraient les distrayantes évasions que je leur offrais depuis tant d'années ; mais je créerais selon mon cœur et mourais d'impatience de me mettre à la tâche.

Je levai les yeux de mon travail en réfléchissant à la scène dans laquelle Fran comprend qu'elle n'est plus motivée. Le canal était calme et un voilier se dirigeait lentement vers le fleuve, à marée basse. Sur l'autre rive, une poignée d'Afro-Américains pêchaient. Certains étaient-ils apparentés aux Lewis ? Toutes les suppositions étaient permises.

A l'automne, j'avais rendu visite à Wanda Jackson ; elle avait maintenant quatre fils et une multitude de petits-enfants, mais sa famille nombreuse n'avait pas compensé la perte de son frère. Elle m'avait réservé un accueil glacial – ce dont je ne la blâmais pas – et je ne m'étais pas attardée chez elle. J'avais du moins compris qu'on ne peut pas revenir sur le passé ; on arrive, tout au plus, à en tirer une leçon.

Un grondement de moteur troubla le silence matinal. J'aperçus Ethan dirigeant le bateau depuis la baie vers le dock. Lucy, Abby, Clare et lui sortaient presque chaque matin pendant que je travaillais. Dès leur retour, je m'interrompais, de manière à partager mon temps harmonieusement entre écriture et loisirs. Sans être très douée pour cela, je progressais.

Ethan prit la direction de la maison, alors qu'Abby et Lucy emmenaient Clare vers la partie ouverte du dock. Elles la tenaient par la main le long de la pente, si inquiétante autrefois pour ma petite sœur.

Ethan ouvrit la porte menant à la véranda, entra et

retira ses lunettes. Ses cheveux et son caleçon de bain étaient humides ; manifestement, il avait passé une matinée plaisante.

— Comment se porte Granny Fran ?

— Elle est à bout de forces...

Ethan se baissa pour m'embrasser et je sentis l'odeur de l'eau salée sur sa peau.

— Et Granny Julie ?

Comme pour lui donner la réplique, Kira Sellers-Stroh, qui dormait paisiblement dans son couffin, se mit à couiner.

— Granny Julie nage dans le bonheur !

J'avais vécu une année riche en surprises. Shannon avait suivi Tanner au Colorado, mais elle m'appelait moins de vingt-quatre heures après pour m'annoncer son retour.

« Quand nous sommes arrivés chez lui, tous ses amis étaient venus nous accueillir, m'expliqua-t-elle à l'aéroport, où j'allai la chercher. Des gens sympas, mais le plus jeune avait vingt-cinq ans. Je me suis demandé ce que je faisais là, avec ce vieux type que je connais à peine ! »

Ethan s'approcha de Kira et la prit dans ses bras. Après l'avoir embrassée sur la tempe, il la berça un peu en chantonnant.

— Shannon fait la sieste ? s'enquit-il.

— Hum !

Shannon avait très peu dormi, à cause de Kira. La petite, qui était née à minuit pile, le 21 décembre, était un véritable oiseau de nuit.

Je déposai mon ordinateur portable à terre et Ethan plaça Kira dans mes bras, avant de s'asseoir à côté de moi. Je nichai ma petite-fille contre ma poitrine : j'aimais la sentir à demi éveillée, mais pas encore prête à se nourrir et facilement apaisée par quelques câlins. Mes lèvres dans son épaisse chevelure, je respirai le parfum du shampoing pour bébé.

Kira était une belle enfant, dotée des yeux foncés, des cheveux sombres et de la double rangée de cils noir corbeau de sa mère et de sa grand-tante Isabel. Shannon et elle vivaient avec nous, et bien que Tanner envoie de l'argent chaque mois, j'apportais également ma contribution financière. Shannon donnait toujours des leçons de violoncelle et s'inscrirait à la session d'automne de l'université de Drew, où elle se rendrait chaque jour. Tout ne serait pas rose pour elle... Quant à moi, j'avais renoncé à calculer si je l'aidais trop ou trop peu ; l'essentiel était d'écouter mon cœur.

La tête sur mon épaule, Ethan frictionnait le dos de Kira en regardant Abby, Lucy et Clare s'éclabousser dans le dock, au milieu d'éclats de rire. Puis Lucy hissa Clare sur ses épaules pour remonter la pente. A l'étage supérieur, un robinet coulait : Shannon était levée. La porte-écran s'ouvrit en grinçant et maman entra. Tout le monde serait bientôt rassemblé.

Je couvris de ma paume la main d'Ethan, toujours sur le dos de Kira.

— Est-ce la vie que tu pensais mener ? lui demandai-je.

— Tu plaisantes ! Comment aurais-je pu rêver d'un pareil bonheur ?

En riant, je concentrai à nouveau mon attention sur ma petite-fille. Quel défi lancerait-elle à sa mère quand elle serait adolescente ? J'imaginai Shannon s'accrochant à Kira et essayant de la retenir pour la protéger.

Je serais là pour l'aider à lui lâcher la bride.

Remerciements

Gardez-vous un souvenir nostalgique d'un lieu particulier où vous souhaiteriez retourner un moment ? Quand j'étais enfant, ma famille possédait une maison de vacances dans le New Jersey, sur l'Intracoastal Waterway, connu aussi sous le nom de canal de Point Pleasant. Ces étés de mon enfance à Bay Head Shores me manquent, c'est pourquoi j'ai décidé de revisiter la région en y développant une intrigue – bien que ce cadre soit le seul élément autobiographique de *La Nuit du 5 août*. La vie paisible de mes parents sur cette côte n'a jamais été assombrie par un drame et un mystère non élucidé, comparables à ceux qu'affronte la famille Bauer dans le roman.

Beaucoup de gens m'ont aidée à insuffler une dose de réalité à ce monde fictif. J'ai puisé dans les souvenirs de mes frères et sœurs, Tom Lopresti, Joann Scanlon, Robert Lopresti, et dans ceux de Rick Neese – mon copain d'enfance pour les parties de pêche et les promenades dans les charrettes de foin –, qui habitait alors Bay Head Shores. Le lieutenant Robert J. Dikun, du commissariat de police de Point Pleasant Beach, a été une source précieuse d'informations lorsque je me suis penchée sur les suites du meurtre d'Isabel. Rodney Cash m'a donné une idée du monde des Lewis en 1962. Ces derniers, des Afro-Américains, vivaient dans un univers sans aucun rapport avec celui des Bauer ; ils pêchaient de l'autre côté du canal.

Jody Pfeiffer, mon ancienne camarade de fac, originaire de Westfield, m'a fourni des détails sur sa ville natale. Ahrre Moros m'a donné des informations au sujet des concerts des cafés philanthropiques. Je suis reconnaissante aussi à mes collègues écrivains, Emilie Richards et Patricia McLinn, à mes correspondantes « en ligne » d'ASA et à John Pagliuca pour leurs diverses contributions et leur soutien affectif. Un grand merci à l'équipe de Happy Tails, qui a procuré des soins de qualité, des heures durant, à Keeper, mon jeune chien turbulent, tandis que j'achevais ce récit.

Merci à Mira Books, où on m'incite toujours à écrire selon mon cœur. Je suis reconnaissante à mon éditrice, Amy Moore-Benson, avec qui j'ai commencé *La Nuit du 5 août,* et à Miranda Stecyk, qui lui a succédé avec la même grâce, la même intelligence et la même passion.

Une pensée à mon ancien agent, Virginia Barber, à qui je souhaite une retraite brillante et heureuse !

Photocomposition *CMB* Graphic
44800 Saint-Herblain

Achevé d'imprimer par GGP Media GmbH, Pößneck
en juillet 2007
pour le compte de France Loisirs,
Paris

N° d'éditeur: 49317
Dépôt légal: août 2007
Imprimé en Allemagne